Instructor's Resource Manual

to accompany

Interacciones

FOURTH EDITION

D1368625

Emily Spinelli
University of Michigan-Dearborn

Carmen García
Arizona State University

Carol E. Galvin Flood
Bloomfield Hills (Michigan) Schools

HEINLE & HEINLE
™
THOMSON LEARNING

Australia • Canada • Mexico • Singapore • Spain
United Kingdom • United States

HEINLE & HEINLE

THOMSON LEARNING

Printed in the United States of America

1 2 3 4 5 6 7 05 04 03 02 01

ISBN 0-03-033998-7

For more information about our products, contact us at:
Thomson Learning Academic Resource Center
1-800-423-0563

For permission to use material from this text, contact us by:
Phone: 1-800-730-2214 **Fax:** 1-800-731-2215
Web: www.thomsonrights.com

Asia
Thomson Learning
60 Albert Street, #15-01
Albert Complex
Singapore 189969

Australia
Nelson Thomson Learning
102 Dodds Street
South Melbourne, Victoria 3205
Australia

Canada
Nelson Thomson Learning
1120 Birchmount Road
Toronto, Ontario M1K 5G4
Canada

Europe/Middle East/Africa
Thomson Learning
Berkshire House
168-173 High Holborn
London WC1 V7AA
United Kingdom

Latin America
Thomson Learning
Seneca, 53
Colonia Polanco
11560 Mexico D.F.
Mexico

Spain
Paraninfo Thomson Learning
Calle/Magallanes, 25
28015 Madrid, Spain

Contents

Testing Program 1

Introduction to the *Interacciones* Testing Program 3

***Topics and Situations for Oral Evaluation:
Intermediate Level 5***

Video Program   283

Teaching the Heritage Speaker   349

*¿Qué oyó Ud.?** Tapescript* 363

Manual de laboratorio Tapescript 379

Note: The *¿Qué oyó Ud.?* listening comprehension exercises are located at the end of the *Segunda situación* of each chapter of the student textbook.

Testing Program

Introduction to the *Interacciones* Testing Program

The testing program for **Interacciones** emphasizes the evaluation of communicative skills and parallels the student textbook and other ancillaries in content and approach. Extreme care has been taken to provide exams that are a reflection of the textbook material and method. The **Testing Program** consists of two complete sets of testing materials. Each set consists of a quiz for the *Capítulo preliminar,* twelve chapter exams, and a final examination to be used after completing the student textbook. An Answer Key for both sets of exams as well as the script for listening comprehension sections are included in the **Testing Program**. This program is also available in a dual-platform computerized testing program in Microsoft Windows and Macintosh formats.

Each of the exams tests the vocabulary, grammar structures, and cultural concepts taught within the chapter. In addition, the skills of listening comprehension, reading, and writing are included. When used in conjunction with the **Topics and Situations for Oral Evaluation: Intermediate Level,** all four language skills can be evaluated upon the completion of each chapter of the textbook. A chart correlating the **Topics and Situations** to the appropriate **Interacciones** chapter follows this *Introduction*.

Like the student textbook and other ancillaries, the **Testing Program** has a communicative focus. Test exercises are contextualized so that individual items are thematically or situationally related. Some of the items that test vocabulary, grammar, and/or culture are mechanical, with fixed answers. Thus, the student is tested on the knowledge of specific vocabulary items and structures but is also given the opportunity to create with language, ask and answer questions, perform in given situations, and provide narrative.

All of the tests follow the chapter outline of the student textbook. When exercises require a model, it is given in English to avoid providing the student with key vocabulary or structures that are being tested. The tests contain the following sections.

I. Comprensión oral

A listening passage based on authentic language and related to the theme and situation of the chapter under consideration. Exercise types similar to those used in the **Manual de laboratorio** (located in the **Student Activities Manual**) are used to check listening comprehension.

II. Vocabulario

Mechanical exercises designed to elicit the new active vocabulary of the chapter.

III. Así se habla

Open-ended directed dialogues or role-plays designed to elicit the functional phrases taught within the chapter.

IV. Estructuras

A variety of contextualized exercises to test knowledge of grammar structures

V. Perspectivas

A variety of brief exercises to test general comprehension of the cultural values and institutions taught within the chapter

VI. **Lectura**

An authentic reading passage adapted from contemporary journals. Two exercises follow each reading: *Comprensión,* a mechanical, fixed-answer reading comprehension check and *Análisis,* a brief, open-ended exercise requiring students to reflect on the global meaning of the reading selections.

VII. **Composición**

A writing section in which students are asked to compose letters, e-mail messages, advertisements, or brief compositions. Topics reflect a combination of functions, vocabulary, and structures taught within the chapter.

The **Interacciones** testing program parallels the content of each textbook chapter but does not include test sections or items related to the *Bienvenidos* or *Herencia cultural* sections. Obviously, instructors can incorporate test items related to those sections on chapter exams.

When creating test items relating to the *Bienvenidos* or *Herencia cultural* sections, the basic proficiency level of intermediate students should be kept in mind. Students at the intermediate-level can be expected to relate basic cultural facts in a fill-in-the blank, matching, true/false or multiple-choice format. Students at the intermediate level should not be expected to write essays about people, art, arquitecture, or literature. It is better to test students at the intermediate level by providing them with most of the information so they do not have to create or produce language and remember detailed facts.

Scoring the Tests

All the tests are scored in a similar manner. The chapter exams each contain 150 points. To facilitate the instructor's scoring procedures, a chart converting the raw score on 150 points to a percentage score is provided at the end of this *Introduction.* (The quiz for the *Capítulo preliminar* contains 100 points; the final exam contains 300 points.) The point values for each test section as well as individual items of the section follow the section title in parentheses. In this way, students know what each test section is worth and can spend the greatest amount of time on the more important sections.

Topics and Situations for Oral Evaluation: Intermediate Level

The *Topics and Situations for Oral Evaluation: Intermediate Level* are composed of eighty conversation topics and role-play situations and an *Instructor's Manual* that provides guidelines for testing the oral skill and using the topics and situations. The *Topics and Situations* along with the *Instructor's Manual* can be found on the *Interacciones* Web site at www.heinle.com.

The following chart provides a correlation of the *Topics and Situations for Oral Evaluation* to the chapters in the *Interacciones* student text so that they can be easily accessed prior to using them with an examination.

CORRELATION OF *INTERACCIONES* TO *TOPICS AND SITUATIONS*	
Interacciones **Chapter**	*Topics and Situations* **Numbers**
Capítulo preliminar	1–3
Capítulo 1	4–9
Capítulo 2	10–15
Capítulo 3	16–21
Capítulo 4	22–27
Capítulo 5	28–33
Capítulo 6	34–39
Capítulo 7	40–45
Capítulo 8	46–51
Capítulo 9	52–57
Capítulo 10	58–63
Capítulo 11	64–69
Capítulo 12	70–75
Examen final	76–80

CONVERSION CHART
for
Examinations of 150 Points

Raw Score	Percent Score	Raw Score	Percent Score	Raw Score	Percent Score	Raw Score	Percent Score	Raw Score	Percent Score
150	100	119	79	89	59	59	39	29	19
149	99	118	79	88	59	58	39	28	19
148	99	117	78	87	58	57	38	27	18
147	98	116	77	86	57	56	37	26	17
146	97	115	77	85	57	55	37	25	17
145	97	114	76	84	56	54	36	24	16
144	96	113	75	83	55	53	35	23	15
143	95	112	75	82	55	52	35	22	15
142	95	111	74	81	54	51	34	21	14
141	94	110	73	80	53	50	33	20	13
140	93	109	73	79	53	49	33	19	13
139	93	108	72	78	52	48	32	18	12
138	92	107	71	77	51	47	31	17	11
137	91	106	71	76	51	46	31	16	11
136	91	105	70	75	50	45	30	15	10
135	90	104	69	74	49	44	29	14	9
134	89	103	69	73	49	43	29	13	9
133	89	102	68	72	48	42	28	12	8
132	88	101	67	71	47	41	27	11	7
131	87	100	67	70	47	40	27	10	7
130	87	99	66	69	46	39	26	9	6
129	86	98	65	68	45	38	25	8	5
128	85	97	65	67	45	37	25	7	5
127	85	96	64	66	44	36	24	6	4
126	84	95	63	65	43	35	23	5	3
125	83	94	63	64	43	34	23	4	3
124	83	93	62	63	42	33	22	3	2
123	82	92	61	62	41	32	21	2	1
122	81	91	61	61	41	31	21	1	1
121	81	90	30	60	40	30	20	0	0
120	80								

CONVERSION CHART
for
Examinations of 170 Points*

Raw Score	Percent Score	Raw Score	Percent Score	Raw Score	Percent Score	Raw Score	Percent Score	Raw Score	Percent Score
170	100	135	79	101	59	67	39	33	19
169	99	134	79	100	59	66	39	32	19
168	99	133	78	99	58	65	38	31	18
167	98	132	78	98	58	64	38	30	18
166	98	131	77	97	57	63	37	29	17
165	97	130	76	96	56	62	36	28	16
164	96	129	76	95	56	61	36	27	16
163	96	128	75	94	55	60	35	26	15
162	95	127	75	93	55	59	35	25	15
161	95	126	74	92	54	58	34	24	14
160	94	125	74	91	54	57	34	23	14
159	94	124	73	90	53	56	33	22	13
158	93	123	72	89	52	55	32	21	12
157	92	122	72	88	52	54	32	20	12
156	92	121	71	87	51	53	31	19	11
155	91	120	71	86	51	52	31	18	11
154	91	119	70	85	50	51	30	17	10
153	90	118	69	84	49	50	29	16	9
152	89	117	69	83	49	49	29	15	9
151	89	116	68	82	48	48	28	14	8
150	88	115	68	81	48	47	28	13	8
149	88	114	67	80	47	46	27	12	7
148	87	113	66	79	46	45	26	11	6
147	86	112	66	78	46	44	26	10	6
146	86	111	65	77	45	43	25	9	5
145	85	110	65	76	45	42	25	8	5
144	85	109	64	75	44	41	24	7	4
143	84	108	64	74	44	40	24	6	4
142	84	107	63	73	43	39	23	5	3
141	83	106	62	72	42	38	22	4	2
140	82	105	62	71	42	37	22	3	2
139	82	104	61	70	41	36	21	2	1
138	81	103	61	69	41	35	21	1	1
137	81	102	60	68	40	34	20	0	0
136	80								

*150 point chapter exam + 20 points for *Topics and Situations for Oral Evaluation*

Capítulo preliminar
Prueba A

I. COMPRENSIÓN ORAL (20 puntos—10 cada una)

¿Cómo estás? *Algunos estudiantes están intercambiando información personal. Escuche sus conversaciones. Luego, ponga un círculo alrededor de las oraciones que indican de qué hablan los estudiantes. (¡Ojo! Puede haber más de una respuesta correcta.)*

A. a. Los estudiantes se preparan para ir a clase.

b. Uno de los estudiantes cumple dieciséis años el día de hoy.

c. Un estudiante felicita a su amigo por su cumpleaños.

d. Uno de los estudiantes se llama Joaquín.

e. El cumpleaños de José es el dieciséis de julio.

B. a. Una de las estudiantes conoce a Jorge Bustamante.

b. Jorge es bajo, calvo y muy fuerte.

c. Una de las estudiantes va a salir con Jorge.

d. Mariana dice que Jorge es buena persona.

e. Una de las estudiantes no quiere conocer a Jorge.

II. VOCABULARIO (9 puntos—3 cada una)

¿Cómo son? *Escriba una descripción física de las siguientes personas. Mencione tres señas particulares para cada una y no repita ninguna respuesta.*

1. su hermano(-a): _____

_____

2. su madre: _____

_____

3. el hombre (la mujer) ideal: _____

_____

_____

III. ASÍ SE HABLA (15 puntos—3 cada una)

En un bar de solteros. *Ud. está en un bar de solteros y comienza a hablar con otra persona que también está sola. Pregúntele…*

1. su nombre: _____

_____

2. su nacionalidad: _____

_____

3. su profesión: _____

_____

4. su pasatiempo favorito: _____

_____

5. su edad: _____

_____

IV. ESTRUCTURAS

A. Expressing Small Quantities (7 puntos—1 cada una)

¿Cuántos? *Al fin de cada semestre hay que contar lo que hay en la librería estudiantil. Escriba su inventario.*

1. 43 cuadernos _____

2. 95 revistas _____

3. 100 lápices _____

4. 54 calculadoras _____

5. 76 novelas _____

6. 88 bolígrafos _____

7. 31 libros de texto _____

B. Discussing When Things Happen (15 puntos—3 cada una)

¿A qué hora? *Exprese a qué hora llegan las siguientes personas a la universidad.*

1. María / 7:05 A.M.

_____

Nombre _____ **Fecha** _____ **Clase** _____

2. Julio / 9:15 A.M.

_____

3. Isabel / 1:30 P.M.

_____

4. Óscar / 2:45 P.M.

_____

5. Pilar / 7:50 P.M.

_____

C. Providing Basic Information (24 puntos—3 cada una)

Los pasatiempos. *Explique lo que hacen estas personas.*

1. nosotros / dar paseos

_____

2. Susana / escribir cartas

_____

3. yo / hacer ejercicios

_____

4. Pedro / leer novelas

_____

5. Tico / charlar con los amigos

_____

6. tú / tocar el piano

_____

7. Anita y Teresa / practicar deportes

_____

8. Marta y yo / bailar

_____

V. PERSPECTIVAS (10 puntos—2 cada una)

¿Qué forma usaría?   *Escoja* **tú, Ud., Uds., vosotros(-as)** *o* **vos** *según la situación.*

1. Ud. está en Madrid y habla con los abuelos de su compañero(-a) de cuarto. _____

2. Ud. está en Madrid y habla con sus dos compañeros(-as) de cuarto. _____

3. Ud. está en Lima y necesita hablar con el profesor. _____

4. Ud. está en la Argentina y habla con su amiga. _____

5. Ud. está en Colombia y habla con su hermana colombiana. _____

Capítulo preliminar
Prueba B

I. COMPRENSIÓN ORAL (20 puntos—10 cada una)

¿Cuál es su pasatiempo favorito? *Unos estudiantes intercambian información personal. Escuche sus conversaciones. Luego ponga un círculo alrededor de las oraciones que indican de qué hablan los estudiantes. (¡Ojo! Puede haber más de una respuesta.)*

A. **a.** Olga no sabe cuál es el pasatiempo favorito de Juan.

     b. Olga y Juan practican diferentes deportes.

     c. A Olga le gusta leer novelas.

     d. Olga toca el piano y Juan toca la guitarra.

     e. Juan hace crucigramas en su tiempo libre.

B. **a.** A Susana le gusta bailar y hacer ejercicios.

     b. A Omar no le gustan los deportes.

     c. A Omar no le gusta charlar con los amigos.

     d. Omar toca el piano y la guitarra.

     e. A Omar y a Susana les gusta ir a los conciertos.

II. VOCABULARIO (9 puntos—3 cada una)

¿Cómo son? *Escriba una descripción física de las siguientes personas. Mencione tres señas particulares para cada una y no repita ninguna respuesta.*

1. su mejor amigo(-a): _____

_____

_____

2. su profesor(-a) de español: _____

_____

_____

3. Ud.: _____

_____

_____

III. ASÍ SE HABLA (15 puntos—3 cada una)

En una fiesta. *Ud. está en una fiesta para estudiantes y profesores extranjeros y quiere conocer a otras personas. Pregúntele a un señor mayor que está a su lado...*

1. su nombre: _____

_____

2. su ocupación: _____

_____

3. dónde nació: _____

_____

4. su lugar de trabajo: _____

_____

5. sus pasatiempos: _____

_____

IV. ESTRUCTURAS

A. Expressing Small Quantities (7 puntos—1 cada una)

¿Cuántos? *Al fin de cada semestre hay que contar lo que hay en la librería estudiantil. Escriba su inventario.*

1. 71 novelas _____

2. 85 libros de texto _____

3. 27 cuadernos _____

4. 66 lápices _____

5. 100 bolígrafos _____

6. 43 revistas _____

7. 19 calculadoras _____

B. Discussing When Things Happen (15 puntos—3 cada una)

¿A qué hora? *Exprese a qué hora llegan las siguientes personas a la universidad.*

1. Jacinto / 8:15 A.M.

   _____

2. Carmen / 9:35 A.M.

   _____

3. Antonio / 1:20 P.M.

   _____

4. Micaela / 3:30 P.M.

   _____

5. Timoteo / 5:45 P.M.

   _____

C. Providing Basic Information (24 puntos—3 cada una)

Los pasatiempos. *Explique lo que hacen estas personas.*

1. Carmen / bailar

   _____

2. nosotros / hacer ejercicios

   _____

3. tú / practicar deportes

   _____

4. Julio y Marcos / leer novelas

   _____

5. Tico / charlar con amigos

   _____

6. Iván / escribir poemas

   _____

7. yo / tocar la guitarra

_____

8. Susana / dar paseos

_____

V. PERSPECTIVAS (10 puntos—2 cada una)

¿Qué forma usaría? *Escoja* **tú, Ud., Uds., vosotros(-as)** *o* **vos** *según la situación.*

1. Ud. vive en Lima y habla con los profesores de su hermano. _____

2. Ud. está en Buenos Aires y habla con un(-a) compañero(-a) de cuarto. _____

3. Ud. está en México y habla con su doctor. _____

4. Ud. está en Madrid y habla con sus amigos. _____

5. Ud. está en Chile y habla con una niña. _____

Capítulo 1
Examen A

I. COMPRENSIÓN ORAL (24 puntos—2 cada una)

¿Cuál es su ocupación? *Escuche a las siguientes personas. Luego, decida qué ocupación tiene cada persona y complete las oraciones a continuación con información de los monólogos.*

A. **1.** Todos los días esta persona se levanta _____

   2. Se baña y se arregla para _____

   3. Descansa _____

   Profesión: _____

B. **4.** Esta persona _____ a las cinco todos los días.

   5. Esta persona ayuda a _____

   6. Esta persona no tiene tiempo para _____

   Profesión: _____

C. **7.** Esta persona va al correo para _____

   8. Después de hacer las diligencias, regresa a casa y _____

   9. Tres veces por semana esta persona _____

   Profesión: _____

II. VOCABULARIO (8 puntos—2 cada una)

El arreglo personal. *¿Qué necesita Ud. para arreglarse? Mencione dos cosas para cada actividad y no repita ninguna respuesta.*

   1. lavarse el pelo: _____

   _____

   2. maquillarse: _____

   _____

   3. peinarse: _____

   _____

4. ducharse: _____

_____

III. ASÍ SE HABLA (16 puntos—4 cada una)

¡Qué semana tan horrorosa! *Escriba cuatro oraciones acerca de su horario de actividades durante la semana. Incluya sus clases y otras actividades.*

1. _____

2. _____

3. _____

4. _____

IV. ESTRUCTURAS

A. Discussing Daily Activities (16 puntos—2 cada una)

El sábado. *¿Qué hacen estas personas el sábado?*

1. María / salir de la casa temprano

_____

2. yo / llevar ropa a la tintorería

_____

3. Pedro / tener muchas diligencias

_____

4. nosotros / ir de compras

_____

5. Paco / hacer la tarea

_____

6. José y Tomás / construir un modelo

_____

7. tú / conducir al centro comercial

_____

8. todos / estar muy ocupados

_____

Nombre _____ **Fecha** _____ **Clase** _____

B. Talking About Other Activities (14 puntos—2 cada una)

El sábado por la noche. *¿Qué hacen estas personas el sábado por la noche?*

1. Susana y Tomás / preferir bailar

_____

2. yo / dormir

_____

3. Marta / seguir estudiando

_____

4. Paco / querer ir al cine

_____

5. nosotros / pedir ayuda con el trabajo

_____

6. Arturo / recomendar un concierto

_____

7. tú / mostrar las fotos de tus vacaciones

_____

C. Describing Daily Routine (21 puntos—3 cada una)

La rutina diaria. *Describa siete cosas que Ud. hace cada mañana para arreglarse.*

_____

_____

_____

_____

_____

_____

_____

D. Asking Questions (6 puntos—1 cada una)

Hacer compras. *Ud. va de compras con un(-a) amigo(-a). Escriba una pregunta para cada respuesta.*

1. ¿ _____ ?

   Voy al centro comercial.

2. ¿ _____ ?

   Voy con Anita.

3. ¿ _____ ?

   Anita es alta y bonita.

4. ¿ _____ ?

   Queremos comprar el regalo.

5. ¿ _____ ?

   Salimos a las tres.

6. ¿ _____ ?

   El regalo cuesta cincuenta dólares.

V. PERSPECTIVAS (8 puntos—2 cada una)

El horario hispano. *Conteste en español las siguientes preguntas acerca del horario hispano.*

1. ¿A qué hora almuerzan los españoles? ¿Y a qué hora cenan?

   _____

   _____

   _____

2. ¿De qué hora a qué hora están abiertas las oficinas y tiendas en España?

   _____

   _____

   _____

3. Por lo general, ¿dónde están los españoles entre las dos y las cuatro de la tarde? ¿Por qué?

   _____

   _____

   _____

Nombre _____ **Fecha** _____ **Clase** _____

4. ¿A qué hora se sirven las comidas en la América Latina?

_____

_____

_____

VI. LECTURA

Vocabulario: el príncipe = *prince;* **el rey** = *king*

Felipe de Asturias: El futuro rey de España

El Príncipe Felipe Juan Pablo Alfonso de Todos los Santos de Borbón es el heredero (*heir*) del trono de España. Cuando nació en 1968 su padre Juan Carlos (el rey de España) dijo: «Se llamará (*he will be called*) Felipe por tradición dinástica, Juan como mi padre y yo mismo, Pablo como su abuelo materno, el rey de Grecia, y Alfonso como su bisabuelo (*great-grandfather*), don Alfonso XIII.»

Felipe cumplió dieciocho años el 30 de enero de 1986; ese día alcanzó (*he reached*) la mayoría de edad y según la tradición prestó juramento (*took an oath*) a la Constitución española; así aseguró (*he assured*) la continuidad de la monarquía: Felipe va a ser el futuro rey de España. Ese mismo día comenzó el difícil camino (*road*) hacia el trono, pero es un camino meticulosamente preparado por sus padres, por la tradición y por sus maestros y profesores.

El Príncipe asistió al Colegio (escuela secundaria) de Los Rosales donde fue un buen estudiante. Le interesaban especialmente las ciencias y los deportes. En los idiomas eligió (*chose*) el francés, porque ya dominaba el inglés a la perfección. Más tarde asistió a Lakefield College por un año. Lakefield, en el Canadá, es uno de los colegios más exclusivos del mundo; sólo aceptan 200 alumnos por año; los alumnos son de cualquier (*any*) nacionalidad, pero todos son de una familia noble.

Se le identifica como un muchacho inteligente, alegre y con gran sentido del humor. Es muy alto y un gran atleta; practica muchos deportes. Como también es muy guapo lo llaman Felipe el Hermoso en imitación de otro Felipe, rey de España en el siglo XV.

Muchos piensan que Felipe no tiene un segundo libre para ser un joven normal, para tener amigos o divertirse. Pero uno de sus amigos íntimos nos dice: «No es tan así. Felipe hace la vida de todos nosotros. Aprovecha de (*he takes advantage of*) los momentos libres para escuchar buena música y salir a divertirse.»

Adaptado de *Miami Mensual*

A. Comprensión (12 puntos—2 cada una)

*Escriba una **F** enfrente de las oraciones falsas; escriba una **C** enfrente de las oraciones ciertas.*

1. _____ El padre de Felipe de Borbón fue Alfonso XIII.

2. _____ Uno de sus abuelos fue el rey de Grecia.

3. _____ Felipe no estudia inglés porque ya lo habla muy bien.

4. _____ El camino hacia el trono es difícil porque nadie lo ayuda.

5. _____ Felipe es tan intelectual que no le gustan los deportes.

6. _____ Según un amigo, Felipe tiene una vida normal.

B. Análisis (5 puntos)

Describa al Príncipe Felipe de Borbón. En su opinión, ¿qué características son importantes para un futuro rey? Conteste en español.

_____

_____

_____

_____

_____

VII. COMPOSICIÓN (20 puntos)

Querido diario. *Escriba un apunte (diary entry) de 10 a 12 frases describiendo sus actividades de día y de noche este fin de semana.*

_____

_____

_____

_____

_____

_____

_____

_____

_____

_____

_____

_____

_____

_____

Capítulo 1

Examen B

I. COMPRENSIÓN ORAL (24 puntos—2 cada una)

¿Qué hacen estas personas? *Escuche a las siguientes personas. Luego, complete las oraciones con información de los monólogos y decida qué ocupación tiene cada persona.*

A. 1. Esta persona está muy feliz porque no tiene que _____ , ni hacer la tarea ni prepararse para los exámenes.

    2. Todos los días después de bañarse y arreglarse, lee _____ .

    3. En la tarde se reúne con sus amigos y en la noche va a _____ .

    Profesión: _____

B. 4. Esta persona no tiene que trabajar el día de hoy pero no cree que tenga _____ .

    5. Su madre quiere que ella vaya al _____ porque ella está muy débil y no puede hacerlo.

    6. Ella tiene que ir al _____ y tiene que enviar un paquete a su tía Julia.

    Profesión: _____

C. 7. Esta persona trabaja en _____ y siempre está muy ocupada.

    8. Algunas veces la _____ no funciona. Otras veces algunos empleados no van a trabajar.

    9. Cuando sale de su trabajo, esta persona no tiene tiempo para reunirse con sus amigos, ni para

    _____ .

    Profesión: _____

II. VOCABULARIO (8 puntos—2 cada una)

El arreglo personal. *¿Qué necesita Ud. para arreglarse? Mencione dos cosas para cada actividad y no repita ninguna respuesta.*

    1. bañarse: _____

    _____

    2. afeitarse: _____

    _____

3. arreglarse el pelo: _____

_____

4. lavarse los dientes: _____

_____

III. ASÍ SE HABLA (16 puntos—4 cada una)

¿Cómo se dice? *¿Qué diría Ud. en las siguientes situaciones?*

1. Su compañero le habla en voz baja y Ud. no entiende nada.

_____

2. Ud. pide direcciones para ir a un teatro pero Ud. no entiende lo que le dicen.

_____

3. Ud. le dice a su profesor que no entendió lo que él explicó en clase.

_____

4. Ud. no comprende por qué su amigo cancela los planes que tenían para este fin de semana.

_____

IV. ESTRUCTURAS

A. Discussing Daily Activities (16 puntos—2 cada una)

El sábado. *¿Qué hacen estas personas el sábado?*

1. nosotros / hacer la tarea

_____

2. Julio / construir un modelo

_____

3. Mariana / llevar ropa a la tintorería

_____

4. tú / tener muchas actividades

_____

5. Pedro y Patricia / estar muy ocupados

_____

Nombre _____ **Fecha** _____ **Clase** _____

6. María / conducir al centro comercial

_____

7. yo / salir de la casa temprano

_____

8. todos / ir de compras

_____

B. Talking About Other Activities (14 puntos—2 cada una)

El sábado por la noche. *¿Qué hacen estas personas el sábado por la noche?*

1. yo / querer descansar

_____

2. Susana / preferir salir

_____

3. Pedro / dormir

_____

4. tú / mostrar las fotos del viaje a un amigo

_____

5. Carmen / pedir ayuda con la tarea

_____

6. nosotros / recomendar una película

_____

7. José y Tomás / seguir trabajando

_____

C. Describing Daily Routine (21 puntos—3 cada una)

La rutina diaria. *Describa siete cosas que Ud. hace cada noche para prepararse para el día siguiente.*

_____

_____

_____

_____

_____

_____

_____

_____

D. Asking Questions (6 puntos—1 cada una)

El partido. *Ud. va a un partido con un(-a) amigo(-a). Escriba una pregunta para cada respuesta.*

1. ¿ _____ ?

Voy al estadio.

2. ¿ _____ ?

El Real Madrid juega.

3. ¿ _____ ?

Este equipo es fantástico.

4. ¿ _____ ?

Espera ganar el campeonato.

5. ¿ _____ ?

El partido empieza a la una.

6. ¿ _____ ?

Las entradas cuestan mucho.

Nombre _____ **Fecha** _____ **Clase** _____

V. PERSPECTIVAS (8 puntos—2 cada una)

El horario español. *Ud. y su familia viven y trabajan en España; por lo tanto siguen un horario estrictamente español. Describa este horario contestando las siguientes preguntas.*

1. ¿Dónde y a qué hora almuerzan?

_____

_____

_____

2. ¿Qué hacen después del almuerzo?

_____

_____

_____

3. ¿Cuál es su horario de trabajo?

_____

_____

_____

4. ¿Qué hacen después de su trabajo y a qué hora cenan?

_____

_____

_____

VI. LECTURA

Vocabulario: **el cambio** = *change;* **la costumbre** = *custom;* **el decenio** = *decade;* **el valor** = *value*

La España del siglo XXI ya no es la España tradicional

Dos estudios del Centro de Investigaciones Sociológicas (CIS) expresan con claridad el profundo cambio de valores entre los españoles del siglo XXI.

La sociedad española hoy es menos religiosa que hace un decenio. Son menos los que creen en la existencia de Dios (*God*) y la Iglesia Católica tiene menos influencia en la vida diaria. Aunque la sociedad es más laica (independiente de la religión), algunos de los preceptos religiosos se hacen costumbres sociales. El bautizo es un ejemplo; el matrimonio es otro. Unos años después de aprobarse (*approve*) la Ley del Divorcio, el matrimonio es la forma favorita de relación de las parejas españoles y está más de moda (*more in style*) ahora que hace una década. Los españoles son partidarios (*supporters*) del divorcio y comprenden perfectamente la convivencia en pareja (*living together without marriage*) para otros.

Aunque el matrimonio todavía es común, la unión ha cambiado bastante. La emancipación de la mujer y su incorporación al mundo del trabajo son el motor de muchos cambios. La mujer comienza a valorar su autoestima (*self-esteem*). Por eso pide respeto y no permite que su compañero la trate como a un ser inferior. Ella exige tolerancia y cariño (*affection*).

El estudio del CIS afirma que la familia es el grupo más importante para los españoles. La importancia de los amigos está en retirada (*retreat*). Los jóvenes que hace una década querían vivir solos o con amigos permanecen ahora en la casa paterna hasta el matrimonio. Los padres y los hijos españoles comparten (*share*) más puntos de vista ahora que hace diez años.

En 1981 los españoles tenían muchos temores (*fears*) políticos. Actualmente la incertidumbre (*uncertainty*) política ha desaparecido. España está instalada en la Unión Europea y la democracia es una realidad. Los temores que amenazan (*threaten*) a los españoles ahora pertenecen al ámbito privado: el SIDA (*AIDS*) y la drogadicción; la gente no quiere ver ni en pintura a un enfermo de SIDA ni a un drogadicto.

Los españoles también han cambiado en cuanto a sus diversiones. Pasan la mayor parte del tiempo libre en casa enfrente de la tele, otra indicación de la importancia del hogar (*home*) y de la vida familiar.

Estos estudios del CIS revelan una sociedad estable y un poco tediosa. Así es sorprendente aprender que los españoles se consideran más izquierdistas (*politically leftist*) que hace una década. Es otra paradoja de una sociedad en cambio y puede ser sólo una fase de reposo (*rest*) antes de comenzar otros cambios.

Adaptado de *Cambio 16*

A. Comprensión (12 puntos—2 cada una)

*Escriba una **C** enfrente de las oraciones ciertas; escriba una **F** enfrente de las oraciones falsas.*

1. _____ La sociedad española hoy es más religiosa que hace diez años.

2. _____ El divorcio no existe en España.

3. _____ La mujer española pide tolerancia y cariño en el matrimonio.

4. _____ Los jóvenes españoles son rebeldes y quieren vivir en sus propios apartamentos.

5. _____ Los españoles tienen miedo del SIDA y la drogadicción.

6. _____ Los españoles generalmente salen de casa para divertirse.

Nombre _____   Fecha _____   Clase _____

B. Análisis (5 puntos)

Conteste en español. ¿Qué valores tienen importancia en la vida española actualmente? ¿Qué valores tradicionales no tienen tanta importancia como antes?

_____

_____

_____

_____

_____

VII. COMPOSICIÓN (20 puntos)

Queridos padres. *Escríbales una carta de 10 a 12 frases a sus padres describiendo su rutina diaria en la universidad y sus pasatiempos durante el nuevo semestre.*

_____

_____

_____

_____

_____

_____

_____

_____

_____

_____

_____

_____

_____

_____

Capítulo 2

Examen A

I. COMPRENSIÓN ORAL (24 puntos—3 cada una)

Las actividades atléticas. *Un profesor de educación física está hablando de los deportes favoritos de sus estudiantes y las notas que ellos recibieron. Mientras escucha lo que dice, escriba los deportes que practican y la nota que cada estudiante recibió.*

Estudiante	Deportes	Nota
1. Mario	_____	_____
2. Omar	_____	_____
3. Guillermo	_____	_____
4. David	_____	_____

II. VOCABULARIO (9 puntos—3 cada una)

Las diversiones. *¿Qué puede hacer Ud. para divertirse en los siguientes lugares? Mencione tres actividades para cada lugar y no repita ninguna respuesta.*

1. la playa: _____

_____

2. el complejo turístico: _____

_____

3. la discoteca: _____

_____

III. ASÍ SE HABLA (16 puntos—4 cada una)

El teléfono. *¿Qué diría Ud. en las siguientes situaciones? Conteste en español.*

1. Ud. llama por teléfono a la casa de su amiga Teresa.

_____

2. Teresa no está. Ud. quiere que Teresa lo (la) llame.

_____

3. Ud. se despide.

_____

4. El teléfono en su casa suena *(rings)*. Ud. contesta. La llamada es para su padre pero él está en su trabajo.

_____

IV. ESTRUCTURAS

A. Talking About Past Activities (18 puntos—3 cada una)

En la playa. *¿Qué hicieron las siguientes personas en la playa ayer?*

1. tú / ir a navegar

_____

2. Pilar / tener un accidente

_____

3. yo / ponerme loción

_____

4. Marta y Marcos / hacer windsurf

_____

5. Juan / estar bajo el sol todo el día

_____

6. todos / andar por la playa

_____

B. Discussing Other Past Activities (14 puntos—2 cada una)

Anoche. *Las siguientes personas nunca cambian su rutina. Explique lo que hicieron anoche.*

1. María se siente cansada.

Anoche _____

2. Ud. pide ayuda con la tarea.

Anoche _____

3. Nos divertimos en casa.

Anoche _____

4. Te despides de tus amigos temprano.

Anoche _____

5. Oigo el ruido.

Anoche _____

6. Tomás prefiere ver la televisión.

Anoche _____

7. Paco duerme.

Anoche _____

C. Discussing Past Actions (12 puntos—2 cada una)

El fin de semana pasado. *Escriba seis frases describiendo lo que Ud. hizo el fin de semana pasado para divertirse.*

_____

_____

_____

_____

_____

_____

D. Avoiding Repetition of Nouns (12 puntos—2 cada una)

Sí, lo trajo. *Escriba frases que expliquen lo que Susana trajo a la playa ayer. Use pronombres de complemento directo.*

1. gafas del sol

Sí, _____

2. sandalias

No, _____

3. sombreros

Sí, _____

4. pesas

No, _____

5. radio

Sí, _____

6. película

No, _____

V. PERSPECTIVAS (12 puntos—3 cada una)

Fiestas de verano. *Conteste las preguntas en español.*

1. ¿Cuándo se celebra el día de la Asunción?

_____

_____

2. ¿Es el día de la Asunción solamente una fiesta religiosa? Explique.

_____

_____

3. Nombre dos actividades del día de la Asunción que son similares a las actividades del Cuatro de Julio en los EE. UU.

_____

_____

4. ¿Para gente de qué edad están dirigidas las actividades que se realizan en España el día de la Asunción? Explique.

_____

_____

VI. LECTURA

Vocabulario: el orgullo = *pride*

Barcelona: Orgullo del Mediterráneo

Barcelona es una de las ciudades con mayor personalidad de la vieja Europa, y una de las más atractivas de todo el Mediterráneo. A partir de los siglos X y XI la ciudad comenzó a experimentar *(to experience)* sus primeros tiempos de esplendor y prosperidad. Durante los siglos XII y XIII con la expansión de su comercio la importancia de su puerto *(port)* rivalizaba con Venecia. No perdió en los siglos sucesivos su arraigada *(deeply rooted)* vocación mediterránea. Junto al puerto se encuentra el monumento a Cristóbal Colón *(Columbus)*.

Los edificios y monumentos más antiguos de la ciudad pertenecen al Barrio Gótico. Es recomendable visitar la Catedral allí. Otros edificios o monumentos que se puede visitar dentro del Barrio Gótico son la antigua muralla *(city wall)* romana, construida entre los años 270 y 310, la Plaza San Jaime donde suelen venir los barceloneses para celebrar algo importante, el Ayuntamiento de Barcelona y el Palacio de la Generalidad.

Las Ramblas es el bulevar *(boulevard)* más popular de toda la ciudad. Comienza en la Plaza de Cataluña —el lugar más céntrico de la ciudad— y va descendiendo en forma zigzagueante hasta el puerto. Las Ramblas consiste en cinco secciones: La Rambla de Canaletas —llamada así por su fuente— la de los Estudios o de los Pájaros, porque allí se venden toda clase de pájaros, la Rambla de San José o de las Flores por sus muchos floristas, la de Capuchinos y la Rambla de Santa Mónica.

Barcelona también ofrece otras diversiones. Por ejemplo, hay museos como el de Pablo Picasso, un parque excepcional—Montjuich con su Fuente Mágica—, un parque de atracciones —el Tibidado—, un jardín zoológico y una plaza de toros.

Hay muchos lugares entre los cuales se puede elegir para ir de compras. Barcelona tiene una extraordinaria industria textil y se puede comprar muy buena ropa en mercados al aire libre, centros comerciales y elegantes boutiques.

Finalmente, Barcelona tiene excelentes restaurantes de toda categoría; sus pescados y mariscos son especialmente buenos.

Adaptado de *Miami Mensual*

A. Comprensión (10 puntos—1 cada una)

1. _____ comprar un ramo de rosas

2. _____ ver ruinas romanas

3. _____ mirar a los barceloneses celebrando una fiesta nacional

4. _____ montar en una montaña rusa o subir en la gran rueda

5. _____ ver el monumento a Colón

6. _____ ver una exposición de arte moderno

7. _____ ver el lugar más céntrico de la ciudad

8. _____ comprar un pájaro

9. _____ ver la Catedral

10. _____ ver la Fuente Mágica

B. Análisis (3 puntos)

Conteste en español. ¿Qué evidencia hay en el artículo de que Barcelona es un buen lugar para unas vacaciones en familia?

_____

_____

_____

_____

_____

_____

VII. COMPOSICIÓN (20 puntos)

Unas vacaciones ideales. *Escriba 10 a 12 frases describiendo las vacaciones de sus sueños.*

_____

_____

_____

_____

_____

_____

_____

_____

_____

_____

_____

Capítulo 2

Examen B

I. COMPRENSIÓN ORAL (24 puntos—6 cada una)

Vacaciones de verano. *Escuche a cuatro amigos hablar de sus actividades durante las vacaciones de verano. Mientras escucha lo que dicen, escriba las actividades en que participaron y el lugar en que lo hicieron.*

Nombres	Actividades	Lugar
1. Verónica Angulo	_____	_____
	_____	_____
	_____	_____
2. Jorge Ramos	_____	_____
	_____	_____
	_____	_____
3. Rosana Gómez	_____	_____
	_____	_____
	_____	_____
4. José Medina	_____	_____
	_____	_____
	_____	_____

II. VOCABULARIO (9 puntos—3 cada una)

Las diversiones. *¿Qué puede hacer Ud. para divertirse en los siguientes lugares? Mencione tres actividades para cada lugar y no repita ninguna respuesta.*

1. en el café al aire libre: _____

   _____

2. en el club nocturno: _____

   _____

3. en el hotel: _____

_____

III. ASÍ SE HABLA (16 puntos—4 cada una)

De compras. *Ud. está de vacaciones en un país hispano y necesita comprar algunas cosas pero no sabe su nombre en español. Descríbale estos objetos al vendedor.*

1. *fishing rod:* _____

_____

2. *bait:* _____

_____

3. *paddles:* _____

_____

4. *goggles:* _____

_____

IV. ESTRUCTURAS

A. Talking About Past Activities (18 puntos—3 cada una)

En la playa. *¿Qué hicieron las siguientes personas en la playa ayer?*

1. José / hacer windsurf

_____

_____

2. yo / andar buscando conchas

_____

_____

3. María y Susana / leer una novela

_____

_____

Nombre _____ **Fecha** _____ **Clase** _____

4. nosotros / estar bajo el sol todo el día

_____

_____

5. Isabel / tener un accidente

_____

_____

6. tú / ponerte loción

_____

B. Discussing Other Past Activities (12 puntos—2 cada una)

Anoche. *Explique que las siguientes personas hicieron las mismas cosas anoche que hacen hoy.*

1. Yo duermo.

Anoche _____

2. Ud. oye los ruidos.

Anoche _____

3. Carlos se divierte.

Anoche _____

4. Tú te sientes enfermo.

Anoche _____

5. Pedimos ayuda con el trabajo.

Anoche _____

6. Ud. se despide de los amigos a las ocho.

Anoche _____

C. Discussing Past Activities (12 puntos—2 cada una)

Ayer. *Escriba seis frases describiendo lo que Ud. hizo ayer para divertirse después de las clases.*

_____

_____

_____

_____

_____

_____

_____

_____

D. Avoiding Repetition of Nouns (12 puntos—2 cada una)

Sí, lo trajo. *Explique lo que Susana trajo a la playa ayer. Use pronombres de complemento directo.*

1. sandalias

   Sí, _____

2. sombreros

   No, _____

3. gafas de sol

   Sí, _____

4. loción de broncear

   No, _____

5. traje de baño

   Sí, _____

6. sombrilla

   No, _____

Nombre _____ **Fecha** _____ **Clase** _____

V. PERSPECTIVAS (12 puntos—4 cada una)

Las fiestas de verano. *Conteste las siguientes preguntas en español.*

1. ¿Qué se celebra en España el 15 de agosto?

_____

2. Nombre tres actividades que se ofrecen en esa fecha.

_____

3. ¿En qué tipo de actividades le gustaría a Ud. participar?

_____

VI. LECTURA

Alicante-Benidorm: Contraste al sol

Benidorm y San Juan de Alicante, dos playas en la costa de España, son dos caras de una misma moneda *(coin)*: el turismo de la clase media. Pero es una zona de contrastes. Mientras Benidorm es el paraíso de los ingleses, San Juan busca el turismo familiar de españoles.

San Juan es el turismo familiar; miles de familias llevan años pasando sus vacaciones aquí. Es un lugar donde todos se conocen porque se ven las caras desde hace años. Han crecido *(they grew up)* juntos verano a verano.

La moda de las noches de San Juan es organizar fiestas en la playa y después pasar a los bares o a las discotecas. Todo es tranquilo. Hay que saludarse, charlar con los amigos y, sobre todo, no destacar *(to stand out)*. Durante el día la playa de San Juan está invadida por las familias. No es raro ver gente que come allí en mesas de camping disfrutando del sol. La playa es un reflejo *(reflection)* exacto del ambiente nocturno; nadie se destaca, todo es de lo más normal. Todo es tranquilo, reposado *(restful)*, clase media, en familia.

Benidorm es el bullicio *(bustling activity)*, una ciudad que nace y vive sólo para el turismo. Tiene 36.000 habitantes en invierno y unos 300.000 en verano. Aquí los ingleses, holandeses, alemanes, franceses y, por supuesto, gente de todas las provincias españolas llegan para divertirse; intentan conocerse.

En Benidorm todo es excesivo y todo vale *(everything goes)* excepto pasar desapercibido *(unnoticed)*. Es un lugar donde se puede encontrar cualquier cosa. Todos dicen que van a Benidorm para gozar de la playa pero la realidad es diferente. Lo más importante no es la playa sino las diversiones nocturnas. Las diversiones empiezan tarde y pueden terminar a las siete de la mañana después de pasar cinco o seis horas bailando sin parar *(without stopping)*, bebiendo sin parar y fumando sin parar.

El resto en Benidorm y Alicante es igual. Tanto San Juan como Benidorm vive de la clase media y la gente va a seguir pasando sus vacaciones allá.

Adaptado de *Cambio 16*

A. Comprensión (10 puntos—1 cada respuesta)

*Lea las siguientes oraciones que describen Benidorm o San Juan de Alicante. Escriba **B** en el espacio enfrente de una descripción de Benidorm, **SJ** en el espacio enfrente de una descripción de San Juan, y **B / SJ** en el espacio si la descripción es de los dos sitios.*

1. _____ La playa es un reflejo del ambiente nocturno.

2. _____ Es el paraíso de los ingleses.

3. _____ La gente no debe destacar.

4. _____ Busca el turismo de los españoles.

5. _____ Todo es bullicio.

6. _____ La gente va a seguir pasando sus vacaciones allí.

7. _____ Es un lugar donde todos se conocen.

8. _____ Vive de la clase media.

9. _____ Todo vale excepto pasar desapercibido.

10. _____ Durante el día la playa está invadida por las familias.

B. Análisis (4 puntos)

Conteste en español. ¿Cuáles son las diferencias más importantes entre Benidorm y San Juan de Alicante?

_____

_____

_____

_____

_____

_____

Nombre _____ **Fecha** _____ **Clase** _____

VII. COMPOSICIÓN (21 puntos; 7 cada tarjeta)

Me divertí. _Ud. está disfrutando de las mejores vacaciones de su vida. Escríbales tarjetas postales a su familia, a su mejor amigo(-a) y a su novio(-a) explicándoles lo que Ud. está haciendo para divertirse._

A su familia:

A su mejor amigo(-a):

A su novio(-a):

Capítulo 3

Examen A

I. COMPRENSIÓN ORAL (24 puntos—2 cada una)

Cuando era niño... *Las siguientes personas están hablando de su niñez. Mientras Ud. escucha lo que cada persona dice, llene los espacios con el país de donde es y tres (3) de las actividades mencionadas que antes hacía cuando era niño(-a).*

A. Jorge Valdez

País _____

Actividades

_____

_____

_____

B. Elena Morales

País _____

Actividades

_____

_____

_____

C. Fernando Arce

País _____

Actividades

_____

_____

_____

II. VOCABULARIO (14 puntos—2 cada una)

Mi familia. *Explique quiénes son los siguientes miembros de su familia.*

1. El padre de mi madre es mi _____.

2. Los hijos de mi tío son mis _____.

3. La esposa de mi padre es mi _____.

4. El hijo de mis padres es mi _____.

5. El hermano de mi madre es mi _____.

6. La hermana de mi esposo(-a) es mi _____.

7. Los padres de mi esposo(-a) son mis _____.

III. ASÍ SE HABLA (16 puntos—4 cada una)

Una fiesta. *¿Qué dice Ud. en las siguientes situaciones? Conteste en español.*

1. Ud. invita a unos amigos a una fiesta en su casa.

   _____

2. Sus amigos no pueden ir a su fiesta y Ud. está triste.

   _____

3. A Ud. lo (la) invitan a una fiesta en casa de unos amigos. Ud. acepta.

   _____

4. A Ud. lo (la) invitan a una fiesta en casa de unos familiares. Ud. no puede ir.

   _____

IV. ESTRUCTURAS

A. Describing What Life Used to Be Like (18 puntos—3 cada una)

En aquellos días. *¿Qué hacían las siguientes personas cuando eran jóvenes?*

1. la familia / hacer la sobremesa

   _____

2. yo / escribir muchas cartas

   _____

3. Timoteo / ver a su familia cada semana

   _____

4. nosotros / ser buenos amigos

_____

5. todos / ir al cine cada sábado

_____

6. Ud. / jugar al fútbol

_____

B. Describing People (12 puntos—4 cada una)

¿Cómo son? *Escriba una descripción de las siguientes personas. Use tres adjetivos diferentes para cada una.*

1. Mi madre _____

_____

2. Mi mejor amigo(-a) _____

_____

3. El hombre (La mujer) ideal _____

_____

C. Discussing Conditions, Characteristics, and Existence (21 puntos—3 cada una)

Una fiesta especial. *Complete la siguiente narración con la forma apropiada del imperfecto de* **estar, haber** *o* **ser.**

Yo soñé que el sábado _____ una fiesta en mi casa. Todos nuestros

amigos _____ allí porque celebramos el cumpleaños de Jorge. Me

alegró que tú pudieras venir porque tú _____ el mejor amigo de

Jorge. La fiesta _____ una sorpresa para Jorge. Marta y Mariana, que

_____ las primas de Jorge, vinieron desde Toledo para la fiesta.

_____ mucha comida y todo _____

listo desde el día anterior.

V. PERSPECTIVAS (12 puntos—2 cada una)

José Alberto Gutiérrez Lado   *Luis Acevedo Salas*
Ana María Frías de Gutiérrez   *Marisa Ortega de Acevedo*

tienen el agrado de participar a Ud.
el próximo matrimonio de sus hijos

Silvana y Armando

e invitarlo a la ceremonia religiosa que se realizará el sábado
10 de abril a las seis horas en la Iglesia de la Virgen del Pilar.

Después de la ceremonia sírvase pasar a los salones de la Iglesia.

La boda. *De la invitación anterior, señale los siguientes datos.*

1. apellido paterno del novio: _____

2. apellido materno del novio: _____

3. apellido paterno de la novia: _____

4. apellido materno de la novia: _____

5. apellido de la novia después de casarse: _____

   _____

6. apellido paterno y materno de los hijos de esta pareja: _____

   _____

VI. LECTURA

Vocabulario: la naturaleza = *nature*

Cuernavaca: Historia, cultura, naturaleza y mucha fiesta

Cuernavaca, la capital del estado mexicano de Morelos, está a una hora de México, D.F. Como muchas ciudades hispanas, está construida alrededor de una plaza principal llamada El Zócalo. Allá se puede ver vendedores de dulces, artesanías (*crafts*) y globos (*balloons*) multicolores. También se puede comer en uno de los restaurantes con terrazas y mesas en el exterior.

Entre los edificios destacados (*outstanding*) de la ciudad de Cuernavaca, el Palacio de Cortés es el más importante por ser el ejemplo más antiguo de arquitectura civil que se conserva del México colonial. En 1974 convirtieron el Palacio en el Museo Cuauhnáhuac que conserva la historia de Morelos. Entre los atractivos del museo están los murales pintados por Diego Rivera en 1929 que ilustran la conquista de México.

Entre otros edificios se puede mencionar la Catedral y la Parroquia de San José del Calvario (las dos del siglo XVI), y el Santuario de Nuestra Señora de los Milagros. También se puede visitar el Instituto Regional de Bellas Artes dedicado a la creación artística de la ciudad. Para los amantes del teatro existe el Centro Cultural Mascarones, una institución que durante las últimas décadas se ha dedicado al fomento (*promotion*) del arte escénico de la ciudad.

Hay muchos jardines públicos donde se puede admirar la vegetación frondosa (*lush*) de Cuernavaca. El Jardín Borda, construido por Manuel de la Borda en el siglo XVIII, es uno de los pocos ejemplos de jardines coloniales que se conservan en el país. Actualmente el Jardín Borda sigue rodeado (*surrounded*) por muros (*walls*) de piedra y cuenta con un hermoso estanque (lago) donde se puede pasear en bote.

Cuernavaca es mucho más que sus hermosos jardines y monumentos pues la ciudad está inmersa en un espíritu de diversión, romance, fiesta e intensa vida nocturna. La ciudad cuenta con muchos bares, restaurantes, discotecas y centros nocturnos, la gran mayoría de ellos con buena música y un ambiente joven y relajado. No es raro que grupos de amigos hagan una excursión a estos lugares, tomen una copa en el bar de moda y cierren la noche bailando en una discoteca.

Cuernavaca posee una atmósfera propia y singular. En un sentido es un pueblo que conserva tradiciones ancestrales y en otro es una ciudad cosmopolita. Por eso la ciudad satisface tanto a la pareja de novios como al grupo de amigos, al matrimonio o a la familia entera. Recientemente, Cuernavaca ha sido seleccionada como lugar idóneo (*suitable*) para reuniones y convenciones a causa de su clima y belleza natural y por su infraestructura de servicios y hoteles.

Cuernavaca es sin duda un rico y polifacético destino turístico.

Adaptado de *Turística*

A. Comprensión (10 puntos—2 cada una)

Escriba el nombre del lugar donde se puede ver o hacer lo siguiente en Cuernavaca.

1. _____ mirar los murales de Diego Rivera

2. _____ admirar la arquitectura del siglo XVI

3. _____ asistir a una producción teatral

4. _____ pasear y mirar árboles, plantas y flores

5. _____ ver unas pinturas de artistas locales

B. Análisis (3 puntos)

Conteste en español. ¿Qué evidencia hay en el artículo que Cuernavaca es un rico destino turístico para todos?

_____

_____

_____

_____

_____

VII. COMPOSICIÓN (20 puntos)

Los cambios familiares. *Hace tres años que Ud. no ve a su prima. Escríbale una carta de 10 a 12 frases explicándole los cambios que han ocurrido en su familia.*

_____

_____

_____

_____

_____

_____

_____

_____

_____

_____

_____

_____

_____

_____

Capítulo 3
Examen B

I. COMPRENSIÓN ORAL (24 puntos—4 cada una)

Te invito a una fiesta. *Escuche las siguientes conversaciones. Preste atención a las invitaciones que se hacen y llene el siguiente cuadro.*

Motivo de la reunión	Día
A. _____	_____
B. _____	_____
C. _____	_____

II. VOCABULARIO (14 puntos—2 cada una)

Mi familia. *Explique quiénes son los siguientes miembros de su familia.*

1. La madre de mi padre es mi _____.

2. Los hijos de mi hermana son mis _____.

3. El esposo de mi madre es mi _____.

4. La hija de mis padres es mi _____.

5. La hermana de mi padre es mi _____.

6. El hermano de mi esposo(-a) es mi _____.

7. Los hijos de mi tía son mis _____.

III. ASÍ SE HABLA (16 puntos—4 cada una)

¿Cómo los saluda? *Ud. encuentra a las siguientes personas en la calle. ¿Qué les dice?*

1. los padres de su novio(-a)

_____

_____

2. su hermano

_____

_____

3. una amiga muy querida que se mudó a otro pueblo

_____

_____

4. un compañero de estudios

_____

_____

IV. ESTRUCTURAS

A. Describing What Life Used to Be Like (18 puntos—3 cada una)

En aquellos días. *¿Qué hacían las siguientes personas cuando eran jóvenes?*

1. nosotros / ir a misa cada domingo

_____

2. la familia / hacer la sobremesa

_____

3. Susana y José / ser buenos amigos

_____

4. yo / jugar al tenis

_____

5. María / ver a sus abuelos

_____

6. Ud. / escribir muchas cartas

_____

Nombre _____ **Fecha** _____ **Clase** _____

B. Describing People (12 puntos—4 cada una)

¿Cómo son? *Escriba una descripción de las siguientes personas. Use tres adjetivos diferentes para cada una.*

1. Mi mejor amigo(-a) _____

_____

2. Mi profesor(-a) de español _____

_____

3. Mi padre _____

_____

C. Discussing Conditions, Characteristics, and Existence (21 puntos—3 cada una)

Una boda especial. *Complete la siguiente narración con la forma apropiada del imperfecto de* **estar, haber** *o* **ser.**

Hubo una boda en mi iglesia el sábado pasado. Yo _____ la madrina

y Luisa María, mi mejor amiga, _____ la novia. Miguel, el novio,

_____ mi vecino. Los novios _____ muy

contentos y no _____ nerviosos. _____

más de quinientos invitados. Muchos viven en ciudades lejanas y _____

aquí sólo para este día especial.

V. PERSPECTIVAS (12 puntos—2 cada una)

Edgar Montalvo Podestá   *Antonio Vivanco Sáenz*
Carmen Castañeda de Montalvo   *Elvira Gallego de Vivanco*

tienen el agrado de participar a Ud.
el próximo matrimonio de sus hijos

Lucía y Alejandro

e invitarlo a la ceremonia religiosa que se realizará el viernes
15 de setiembre a las siete horas en la Iglesia de Santa Rita de Casia.

Después de la ceremonia sírvase pasar a los salones de la Iglesia.

La boda. *De la invitación anterior, señale los siguientes datos.*

1. apellido paterno del novio: _____

2. apellido materno del novio: _____

3. apellido paterno de la novia: _____

4. apellido materno de la novia: _____

5. apellido de la novia después de casarse: _____

6. apellidos paterno y materno de los hijos de esta pareja: _____

VI. LECTURA

Vocabulario: un balneario = *health spa*

Avandaro: Un balneario mexicano

A sólo unos cien kilómetros de México, D.F., en la zona del Valle de Bravo existe un balneario de cinco estrellas (*stars*) llamado Hotel Avandaro. Este hotel balneario ofrece todo lo que el turista más exigente (*demanding*) pueda desear, desde un campo de golf con dieciocho hoyos hasta los más modernos tratamientos de belleza (*beauty treatments*).

Situada en las montañas de la Sierra Madre, la zona fue bautizada (*baptized*) por los indios tarascos como Avandaro, lo que significa algo como «lugar de ensueño» (*fantasy*). Entre saltos de agua (*waterfalls*), divinas flores y muchos pinos (*pine trees*) altísimos, casi se puede decir que lo es. Con una temperatura ideal el año entero, hace calor durante el día y fresco en las noches, la zona ofrece unas vistas (*views*) espectaculares de volcanes y montañas y santuarios de pájaros y mariposas (*butterflies*). También en el área han sido construidas divinas mansiones privadas de muchas personas que vienen de la capital a pasar fines de semana.

Establecido en 1991 el balneario ofrece tratamientos de belleza originarios de balnearios italianos y alemanes, un excelente y modernísimo gimnasio, masajes de todo tipo y tratamientos faciales. Además de programas de adelgazamiento (*weight loss*), hay una opcional Cocina Spa.

Aparte del hotel y sus lujosas (*luxurious*) cabañas con chimenea y terraza propia existen muchas actividades como el golf, el tenis o la piscina.

Una sugerencia (*suggestion*) es pasar cinco o seis días en la Ciudad de México recorriendo (*touring*) los Museos de Antropología, de Arte Moderno, y el Palacio de Chapultepec; las Pirámides de Teotihuacán; el antiguo barrio de Coyoacán con sus palacios coloniales; la zona del centro con el Zócalo y la Catedral Metropolitana; los mercados y las tiendas. También hay que visitar los muchos restaurantes fabulosos de la ciudad. Después de la visita a la capital hay que terminar con tres o cuatro días de descanso en un lugar tranquilo como Avandaro. Serán unas vacaciones como pocas y algo nuevo en su agenda de viajes.

Adaptado de *Vanidades*

A. Comprensión (10 puntos—2 cada una)

Complete las siguientes oraciones utilizando información del artículo.

1. Avandaro tiene una temperatura ideal. Durante el día _____

    y por la noche _____.

2. La zona del Valle de Bravo ofrece vistas de _____

    y _____.

3. También se puede ver santuarios de _____

    y _____.

4. En el área hay mansiones privadas de personas de _____

    que pasan _____ allá.

5. Entre sus servicios el balneario ofrece _____

    y _____.

B. Análisis (3 puntos)

Conteste en español. ¿Qué evidencia hay en el artículo de que Avandaro es verdaderamente un lugar de ensueño?

_____

_____

_____

_____

_____

VII. COMPOSICIÓN (20 puntos)

Queridos abuelos. *Escríbales una carta de 10 a 12 frases a sus abuelos que viven lejos de su familia. Describa los cambios que han ocurrido en la familia durante el último año.*

_____

_____

_____

_____

_____

_____

_____

_____

_____

_____

_____

_____

_____

_____

Capítulo 4
Examen A

I. COMPRENSIÓN ORAL (20 puntos—4 cada una)

¿A qué restaurante? *Escuche la siguiente conversación. Luego, complete las oraciones a continuación.*

1. Los muchachos quieren celebrar _____

    _____.

2. En Todo Fresco sirven _____.

3. En La Estancia sirven _____ muy sabroso.

4. Uno de los amigos no puede comer mucho porque _____.

5. Los amigos deciden ir a comer a _____.

II. VOCABULARIO (10 puntos—2 cada una)

En el restaurante. *¿Qué puede Ud. pedir en un restaurante? Nombre tres cosas para cada categoría y no repita ninguna respuesta.*

1. de aperitivo: _____

    _____

2. de sopa: _____

    _____

3. de plato principal: _____

    _____

4. de postre: _____

    _____

5. de bebida: _____

    _____

III. ASÍ SE HABLA (20 puntos—5 cada una)

¿Qué diría Ud.? *Escriba lo que diría en las siguientes situaciones.*

1. Ud. es el (la) camarero(-a) en un restaurante.

   a. Ud. se acerca a una pareja de jóvenes que está leyendo el menú.

   _____

   b. Ud. les recomienda algo especial.

   _____

2. Ud. tiene invitados en su casa.

   a. Ya pueden pasar al comedor.

   _____

   b. Ofrezca algo para tomar.

   _____

IV. ESTRUCTURAS

A. Narrating in the Past (26 puntos—2 cada una)

¡Qué mala suerte! *¿Qué le pasó a Jorge ayer? Complete la siguiente narración con el imperfecto o el pretérito de los verbos según el caso.*

Por la mañana _____ (hacer) buen tiempo. No _____

(estar) nublado. Jorge _____ (levantarse) temprano porque

_____ (querer) ir a la playa. Pero, después del desayuno, él

_____ (saber) que su mamá _____

(necesitar) su ayuda. Ella _____ (organizar) una fiesta familiar para el

domingo y ahora ella _____ (estar) un poco nerviosa porque

_____ (haber) muchas cosas que hacer para arreglar la casa. Jorge

_____ (trabajar) rápidamente y por fin _____

(poder) salir para la playa. Cuando Jorge _____ (llegar) a la playa

_____ (empezar) a llover. Pobre Jorge.

Nombre _____ **Fecha** _____ **Clase** _____

B. Indicating to Whom and for Whom Actions Are Done (14 puntos—2 cada una)

En el restaurante. *Explique lo que el camarero les trae a las siguientes personas. Use pronombres de complemento indirecto.*

1. la sopa de aguacate / a María

   _____

2. las cervezas / a Miguel y a Paco

   _____

3. el flan / a mí

   _____

4. el gazpacho / a Susana y a mí

   _____

5. el ceviche / a ti

   _____

6. la ensalada / a Ud.

   _____

7. las enchiladas / a Uds.

   _____

C. Expressing Likes and Dislikes (15 puntos—3 cada una)

Las preferencias. *Explique lo que prefieren las siguientes personas.*

1. a mí / gustar / los postres

   _____

2. a Susana y a María / caer bien / el vino

   _____

3. a Tomás / interesar / la comida mexicana

   _____

4. a nosotros / fascinar / las pirámides de México

_____

5. a ti / encantar / las empanadas

_____

V. PERSPECTIVAS (12 puntos—4 cada una)

Los restaurantes hispanos. *Conteste en español las siguientes preguntas.*

1. ¿Hay uniformidad en los menús en el mundo hispano? ¿Cuál es la consecuencia de esto?

_____

_____

_____

2. Nombre dos platos que Ud. podría pedir en un restaurante venezolano y dos platos que podría pedir en un restaurante peruano.

_____

_____

_____

3. Nombre dos postres que Ud. podría pedir en un restaurante hispano.

_____

_____

_____

VI. LECTURA

La cultura de la hamburguesa

La primera invasión norteamericana de lo que se ha dado en llamar *fast food* (*comida rápida*) fue el sándwich. Luego llegaron los perritos calientes y, a mediados de los años setenta, aterrizó (*landed*) aquí la hamburguesa de carne picada (*ground*) y cebolla. Y ya se prepara el lanzamiento (*launching*) de la hamburguesa de pescado. Toda una cultura que la juventud urbana española asume con facilidad.

Según los autores del libro de reciente aparición *El imperio de la hamburguesa: la cultura del comer con las manos,* en el mundo se venden más de 100.000 hamburguesas por minuto. Las grandes cadenas internacionales de la comida rápida (McDonald's, Burger King, Wimpy, Hollywood, Pizza Hut, etc.) se han instalado en España. Su clientela es básicamente juvenil: un cuarenta por ciento tiene entre dieciocho y veinticuatro años y, un veinticinco por ciento, entre doce y diecisiete años.

La calidad que, en general, da este tipo de establecimiento es cuestionada constantemente. Los expertos, nutriólogos y pediatras, aseguran que las comidas rápidas están cargadas de calorías. El hombre que vive fundamentalmente de comidas rápidas enferma y engorda. Es un gordo pálido aquejado de (*afflicted with*) manifestaciones nerviosas e insomnio, pesadillas (*nightmares*), una mayor agresividad e hiperactividad, se afirma en el libro citado.

Por ejemplo, tomar una *cheeseburger* doble con patatas y un batido (*shake*) es ingerir más de 1.500 calorías, un setenta por ciento de la necesidad diaria promedio de un adulto. Y una hamburguesa normal, con su acompañamiento de rigor, proporciona unas 1.200 calorías. Los expertos convienen en que la comida rápida, fundamentalmente las hamburguesas, suministran más de la energía diaria que la que necesita un ser humano, además de tener un alto contenido de sodio y un bajo contenido de vitaminas A y C.

Muchos españoles frecuentan este tipo de restaurante a causa del escaso tiempo que tienen para comer. Pero de todos modos es interesante que en España las hamburgueserías pasan por una etapa de estancamiento (*stagnation*) mientras que remonta el negocio de las *pizzas*.

Adaptado de *Cambio 16*

A. Comprensión (9 puntos—1 cada una)

*Escriba una **F** enfrente de las oraciones falsas y una **C** enfrente de las oraciones ciertas.*

_____ **1.** En el mundo se venden más de 100.000 hamburguesas por minuto.

_____ **2.** El 50% de los clientes de restaurantes de comida rápida tienen entre 18 y 24 años.

_____ **3.** Los ancianos españoles son los que frecuentan más los restaurantes de comida rápida.

_____ **4.** La comida rápida tiene un alto contenido de sal.

_____ **5.** A la comida rápida le faltan vitaminas esenciales.

_____ **6.** Los españoles comen más y más hamburguesas cada día.

_____ **7.** La persona que vive principalmente de la comida rápida puede enfermarse.

_____ **8.** Los españoles comen en locales de comida rápida porque les gusta engordar.

_____ **9.** Según los expertos, una persona que come demasiada comida rápida puede tener dificultades en dormirse.

B. Análisis (4 puntos)

Conteste en español. ¿Cuáles son las ideas centrales del artículo?

_____

_____

_____

_____

_____

VII. COMPOSICIÓN (20 puntos)

Un restaurante fantástico. *Escriba un anuncio comercial para su restaurante favorito. Incluya detalles sobre la comida, los precios, el servicio, el ambiente (setting) y las horas. Explique lo que les va a gustar o interesar a los clientes.*

_____

_____

_____

_____

_____

_____

_____

_____

_____

_____

_____

_____

_____

_____

_____

Capítulo 4
Examen B

I. COMPRENSIÓN ORAL (24 puntos—4 cada una)

En un restaurante. *Escuche la siguiente conversación entre un grupo de personas en un restaurante. Circule* **SÍ** *si las oraciones presentadas a continuación parafrasean apropiadamente lo que Ud. oyó, y* **NO** *si no lo hacen.*

SÍ   NO   **1.** Una de las personas había recibido información de que este restaurante era famoso por su excelente comida.

SÍ   NO   **2.** Todas las personas en este grupo habían ido antes a ese restaurante.

SÍ   NO   **3.** Existe una gran variedad de platos internacionales.

SÍ   NO   **4.** A una de las personas no le gusta la comida mexicana.

SÍ   NO   **5.** Todas las personas saben lo que van a pedir.

SÍ   NO   **6.** Los tres amigos beben margaritas.

II. VOCABULARIO (10 puntos—2 cada una)

En el restaurante. *¿Qué puede Ud. pedir en un restaurante? Mencione tres cosas para cada plato y no repita ninguna respuesta.*

1. de carne: _____

   _____

2. de mariscos y pescado: _____

   _____

3. de plato principal: _____

   _____

4. de aperitivo: _____

   _____

5. de bebida: _____

   _____

III. ASÍ SE HABLA (16 puntos—4 cada una)

¿Qué dice Ud.? *Escriba en español lo que Ud. diría en las siguientes situaciones.*

1. Ud. quiere presentar a su amigo José a sus abuelos.

   _____

2. Ud. quiere presentarse a un(-a) muchacho(-a) en una fiesta.

   _____

3. Una amiga le acaba de presentar a Rosaura.

   _____

4. Ud. da una fiesta y está recibiendo a sus invitados.

   _____

IV. ESTRUCTURAS

A. Narrating in the Past (26 puntos—3 cada una)

¡Qué suerte! *¿Qué le pasó a Susana ayer? Complete la siguiente narración con el imperfecto o el pretérito de los verbos según el caso.*

Ayer Susana _____ (levantarse) temprano. _____

(Hacer) frío y _____ (estar) lloviendo. Ella no _____

(querer) salir. Pero anoche _____ (saber) que tenía un examen

importante hoy. Así que ella _____ (salir) para la universidad. Cuando

Susana _____ (entrar) en la clase todos _____ (estar)

allí. Ella _____ (estar) nerviosa. El profesor le _____

(dar) un examen. Después de leer las preguntas, Susana _____

(estar) muy contenta. _____ (Poder) contestar todas las preguntas y

ella _____ (hacer) todo muy bien.

B. Indicating to Whom and for Whom Actions Are Done (14 puntos—2 cada una)

En el restaurante. *Explique lo que el camarero les trae a las siguientes personas. Use pronombres de complemento indirecto.*

1. el ceviche / a Paco

   _____

Nombre _____ **Fecha** _____ **Clase** _____

2. las ensaladas mixtas / a Mario y a mí

_____

3. los chiles rellenos / a ti

_____

4. el menudo / a Uds.

_____

5. el flan / a Carmen

_____

6. la cerveza / a mí

_____

7. el pollo asado / a los estudiantes

_____

C. Expressing Likes and Dislikes (15 puntos—3 cada una)

Las preferencias. *Explique lo que prefieren las siguientes personas.*

1. a mí / importar / mi familia

_____

2. a nosotros / encantar / los tamales

_____

3. a ti / molestar / las noticias

_____

4. a José y a Paco / caer bien / una cerveza fría

_____

5. a Susana / disgustar / los mariscos

_____

V. PERSPECTIVAS (12 puntos—4 cada una)

Los restaurantes hispanos. *Conteste en español las siguientes preguntas.*

1. Si Ud. fuera mexicano(-a) y fuera de visita al Perú, ¿podría reconocer los platos que se presentan en el menú? Explique.

_____

_____

_____

2. Nombre dos platos que Ud. podría pedir en un restaurante español y dos platos que podría pedir en un restaurante peruano.

_____

_____

_____

3. Nombre dos postres que Ud. podría pedir en un restaurante hispano.

_____

_____

_____

VI. LECTURA

México: Un país de contrastes

La capital de México, el Distrito Federal, o «D.F.» como la llaman sus habitantes, es un símbolo de todo el país. Es la ciudad más poblada (*populated*) y contaminada (*polluted*) del mundo. Es una ciudad de más de 20 millones de habitantes que es casi la cuarta parte de toda la población de este inmenso país.

El México de hoy es un país cargado (*burdened*) de problemas con escasas (*scant*) esperanzas de resolverlos a corto plazo (*in the short term*). Hay unos 27 millones de mexicanos en paro (*out of work*) o trabajando en la economía sumergida (*black market*).

Pero hay otro México. Al México dolido (*pitiful*) se le contrasta un México lindo y moderno, en donde científicos y empresarios (*businessmen*) luchan por modernizar al país. Un México con más de dos docenas (*dozens*) de canales de televisión en español e inglés y donde por unos pocos pesos le llevan a la puerta de su casa *The Wall Street Journal*.

En busca de lo lindo y de lo dolido, dos reporteros entrevistaron (*interviewed*) a dos ciudadanos representativos.

Raúl Cuéllar (28 años, casado, dos hijos, conductor) vive en la Colonia Avándaro, un conjunto (grupo) de casas de adobe al sur de la capital. La Colonia es sucia y siempre hay mucho polvo (*dust*). Casi todos los habitantes llevan pistola para defender a los miembros de la familia. Raúl comparte su vivienda (casa) con una cuñada. En poco más de unos cuarenta metros cuadrados viven dos familias, varios niños y cinco perros. La escuela está a pocos pasos (*steps*) de la vivienda de Raúl. Pero el director no suele *(isn't accustomed to)* ir y los otros maestros que tardan dos horas en llegar desde la capital se enferman muy a menudo a causa de este polvo.

Las Lomas, el barrio más elegante de la capital, produce un gran contraste con el otro México, el México de la desesperación, la miseria y la angustia eterna. En Las Lomas conviven millonarios, financieros, diplomáticos, ex presidentes y artistas de fama internacional.

Allí vive también Felipe Ruiz de Velasco, 54 años, de una de las familias más ricas del país. La esposa de Felipe, Cristina Alcayaga, es periodista de *El Universal* y de televisión. Es una mujer muy activa. Felipe representa el México lindo y moderno. Está orgulloso de su país y quiere mejorarlo. Tiene una hermosa colección de arte mexicano. También tiene distintos negocios *(businesses)*, desde el transporte al acero *(steel)*. Cree en algunas tradiciones típicas de su cultura como la tradición de la familia. Pero como buen empresario moderno también cree que no tienen que ser necesariamente los hijos quienes manejen *(manage)* los negocios familiares. Dice que es necesario ceder el paso *(yield)* a ejecutivos mejor preparados para modernizar el sistema productivo del país.

Se puede ver claramente que hay mucha distancia entre la vida de Raúl Cuéllar y la de Felipe Ruiz de Velasco. Quizás en el futuro estos dos sectores de México puedan unirse.

Adaptado de *Cambio 16*

A. Comprensión (10 puntos—2 cada una)

Corrija las oraciones falsas sustituyendo información correcta del artículo.

1. México, D.F., es una ciudad pequeña con pocos problemas urbanos.

_____

_____

2. No hay televisión en México.

_____

_____

3. Raúl Cuéllar no hace nada para su familia.

_____

_____

4. Todas las escuelas de México son buenas.

_____

_____

5. Felipe Ruiz de Velasco sólo permite que su familia trabaje en sus negocios.

_____

_____

B. Análisis (5 puntos)

Conteste en español. ¿Qué evidencia hay en el artículo que México es un país de contrastes?

_____

_____

_____

_____

_____

VII. COMPOSICIÓN (18 puntos)

Mi restaurante favorito. *Describa su restaurante favorito incluyendo información sobre la comida, el servicio, el ambiente (setting) y los precios. Explique lo que le gusta, lo que le encanta, y lo que le cae bien del restaurante. También explique lo que Ud. comió la última vez que fue a comer en ese restaurante.*

_____

_____

_____

_____

_____

_____

_____

_____

_____

_____

_____

_____

_____

_____

_____

_____

Capítulo 5

Examen A

I. COMPRENSIÓN ORAL (27 puntos—3 cada una)

¿Quiénes son y dónde están? *Escuche las siguientes conversaciones y complete el gráfico con el nombre de las personas que hablan y el lugar donde están.*

Personas	Lugares
A. _____ _____	_____
B. _____ _____	_____
C. _____ _____	_____

II. VOCABULARIO (10 puntos—2 cada una)

En la ciudad universitaria. *¿Qué puede Ud. hacer en los siguientes lugares? Mencione dos actividades para cada lugar y no repita ninguna respuesta.*

1. en el estadio: _____

_____

2. en el gimnasio: _____

_____

3. en el teatro: _____

_____

4. en la clase: _____

_____

5. en el laboratorio de lenguas: _____

III. ASÍ SE HABLA (12 puntos—3 cada una)

¿Qué dice Ud.? *Escriba en español lo que se dice en las siguientes situaciones.*

1. Un estudiante no entiende lo que el profesor le dice.

_____

2. Un profesor quiere que los estudiantes empiecen a leer.

_____

3. Su profesor quiere que los estudiantes escriban una composición.

_____

4. Ud. está en clase y tiene mucho calor.

_____

IV. ESTRUCTURAS

A. Indicating Location, Purpose, and Time (16 puntos—2 cada una)

Hay mucho que hacer. *Complete la siguiente conversación con* **por** *o* **para** *según el caso.*

—¿_____ qué no vas al cine conmigo?

—Muchas gracias_____ tu invitación, pero ahora salgo _____

la biblioteca.

—¿Qué tienes que hacer?

—Voy a estar en la biblioteca _____ horas. Tengo que terminar un

informe _____ mañana. También, voy a estudiar _____

el examen de historia.

—_____ desgracia te vas a perder una película fantástica.

—Sí, pero hay tanto que hacer _____ sacar buenas notas.

B. Expressing Hopes, Desires, and Requests (27 puntos—3 cada una)

Consejos. *¿Qué consejos les da Joaquín a sus amigos?*

1. Quiere que nosotros / salir bien en la clase

Nombre _____ **Fecha** _____ **Clase** _____

---

2. Espera que todos / divertirse

_____

3. Le dice a Ricardo que / aprender el vocabulario

_____

4. Insiste en que Uds. / organizar los apuntes

_____

5. Te aconseja que / hacer la tarea con cuidado

_____

6. Les sugiere a sus amigos que / dormir bien antes del examen

_____

7. Espera que / nadie fumar

_____

8. Insiste en que ellos / pagar la matrícula

_____

9. Me recomienda que / elegir las clases con cuidado

_____

C. Making Comparisons (12 puntos—2 cada una)

¿Más o menos? *Compare los siguientes lugares y actividades.*

1. biblioteca / tranquilo / estadio

_____

2. teatro / grande / residencia estudiantil

_____

3. aprobar un examen / bueno / salir mal

_____

4. comprar un libro / barato / sacar prestado un libro

5. ser aplicado / fácil / ser perezoso

6. curso electivo / interesante / curso obligatorio

V. PERSPECTIVAS (12 puntos—2 cada una)

La vida estudiantil. *Corrija las siguientes oraciones falsas.*

1. Hay dos niveles de enseñanza en el mundo hispano: el secundario y el universitario.

2. El liceo es para los estudiantes de seis a doce años y el colegio es para los estudiantes de dieciocho a veinte años.

3. Los estudiantes deciden qué materias deben estudiar.

4. Las universidades están divididas en departamentos.

5. Los profesores del mundo hispano suelen ir al bar con los estudiantes.

6. En clase los estudiantes intercambian opiniones con los profesores y los otros estudiantes.

VI. LECTURA

Llega la reforma

En España hay tan sólo 758 centros universitarios para cerca de un millón de alumnos. El noventa y cinco por ciento estudian en universidades públicas y el resto en las privadas. Los estudiantes están mal distribuidos geográficamente: el 41,5 por ciento se matricularon en Madrid y Barcelona. Las ocho universidades más pequeñas tenían sólo el ocho por ciento de las matrículas. Los estudiantes se multiplican en España como hongos (*mushrooms*). La Universidad Complutense de Madrid, con más de 120.000 alumnos, es el centro académico mayor de Europa y el prototipo de cómo no debe ser una universidad.

Las facultades son tan incómodas que los alumnos tienen que sentarse en el suelo (*floor*). «Este año en la Facultad de Derecho de la Universidad de Barcelona vamos a montar (*put up*) unos barracones (*temporary small buildings*) para dar las clases. En una facultad donde caben 3.500 alumnos tenemos 12.000. Los estudiantes no salen de clase para ir al retrete (*restroom*) porque temen que se les quite el sitio», afirma el decano de esta facultad barcelonesa.

A esto hay que añadir (*to add*) el nivel de fracaso (*failure*) escolar. El rector (jefe) de la Universidad de Santiago de Compostela, afirma que en su universidad «los alumnos tardan entre nueve y once años en terminar su carrera». Pero no todos los alumnos que llegan a la universidad salen con el título. En los estudios humanísticos y sociales sólo concluyen la carrera el 60,4 por ciento de los alumnos, mientras que en los estudios profesionales y técnicos, el porcentaje baja al 39,6.

Para mejorar (*to improve*) esta situación el gobierno (*government*) español ha comenzado la aplicación de la Ley (*Law*) de Reforma Universitaria (*LRU*) y se han introducido algunos cambios a fines del siglo XX. Pero el problema fundamental es el financiero. El Ministro de Educación tiene un plan de financiación de la reforma; este plan incluye la ayuda (*aid*) de toda la sociedad pero especialmente de las empresas (*businesses*). Así los españoles esperan tener un sistema universitario moderno para el futuro.

Adaptado de *Cambio 16*

A. Comprensión (10 puntos—1 cada una)

Complete las oraciones con información del artículo.

1. Hay cerca de _____ de estudiantes universitarios en España.

2. El 95% estudia en _____.

3. El 41,5% se matriculó en _____

   y _____.

4. _____ es

   el centro académico mayor de Europa.

5. En la Universidad de Barcelona hay tantos estudiantes que muchos se sientan en _____

   _____.

6. En la Universidad de Santiago de Compostela los alumnos tardan _____
en terminar su carrera.

7. En los estudios _____ sólo 39,6% terminan su carrera.

8. Las siglas LRU quieren decir _____.

9. El problema fundamental del sistema universitario es _____.

10. El plan de financiación de la reforma incluye la ayuda de _____

_____.

B. Análisis (4 puntos)

Conteste en español. ¿Qué evidencia hay en el artículo que confirma la idea que el sistema universitario de España necesita cambios?

_____

_____

_____

_____

_____

_____

VII. COMPOSICIÓN (20 puntos)

La universidad. *Ud. trabaja en una oficina administrativa de su universidad y está encargado(-a) de crear un folleto (brochure) informativo sobre la universidad. En el espacio que sigue describa la ciudad universitaria y los edificios. Incluya detalles sobre los cursos, los profesores, la comida y las actividades estudiantiles.*

_____

_____

_____

_____

_____

_____

_____

_____

_____

Nombre _____ **Fecha** _____ **Clase** _____

_____

_____

_____

_____

_____

_____

_____

_____

_____

_____

_____

_____

_____

_____

_____

Capítulo 5

Examen B

I. COMPRENSIÓN ORAL (27 puntos—3 cada una)

¿Quiénes son y dónde están? *Escuche las siguientes conversaciones y complete el gráfico con el nombre de las personas que hablan y el lugar donde están.*

Personas	Lugares
1. _____ _____	_____
2. _____ _____	_____
3. _____ _____	_____

II. VOCABULARIO (10 puntos—2 cada una)

En la ciudad universitaria *¿Qué puede hacer Ud. en los siguientes lugares? Mencione dos actividades para cada lugar y no repita ninguna respuesta.*

1. la biblioteca:

   _____

2. el centro estudiantil:

   _____

3. la librería:

   _____

4. las oficinas administrativas:

   _____

5. la residencia estudiantil:

   _____

III. ASÍ SE HABLA (12 puntos—3 cada una)

¿Qué dice Ud.? *Escriba en español lo que se dice en las siguientes situaciones.*

1. Ud. quiere saber cómo amaneció el día de hoy.

_____

2. Hace una temperatura de 95 grados Fahrenheit.

_____

3. Ud. mira por la ventana y ve que los árboles se están cubriendo de blanco.

_____

4. Su profesor le pregunta algo, pero Ud. no sabe la respuesta.

_____

IV. ESTRUCTURAS

A. Indicating Location, Purpose, and Time (16 puntos—2 cada una)

Una invitación. *Complete la siguiente conversación con* **por** *o* **para** *según el caso.*

—¿Vienes a la fiesta conmigo?

—Muchas gracias _____ tu invitación. ¿A qué hora salimos

_____ la fiesta?

—A las ocho. ¿Por qué?

—Voy a estar en el centro comercial _____ dos o tres horas. Quiero

comprar un regalo _____ Paco.

—¿Vas a estar lista _____ salir a las ocho?

—_____ supuesto. ¿Necesito comprar algo _____

a fiesta?

—No, pero, ¿puedes llevar algunos discos, _____ favor?

—Sí.

B. Expressing Hopes, Desires, and Requests (27 puntos—3 cada una)

Consejos. *¿Qué consejos les da Teresa a otras personas?*

1. Quiere que María / ser sobresaliente

   _____

2. Espera que José y yo / poder aprobar el examen

   _____

3. Le dice al profesor que / explicar la lección

   _____

4. Insiste en que yo / ir a clase todos los días

   _____

5. Les aconseja a los alumnos que / no perder los apuntes

   _____

6. Recomienda que nosotros / pagar la matricula a tiempo

   _____

7. Desea que tú / vivir en la residencia estudiantil

   _____

8. Sugiere que ellos / traer los libros a clase

   _____

9. Espera que todos / estar contentos

   _____

C. Making Comparisons (12 puntos—2 cada una)

¿Más o menos? *Compare los siguientes lugares y actividades.*

1. licenciatura / avanzado / bachillerato

   _____

2. gimnasio / tranquilo / biblioteca

_____

3. estar débil / bueno / estar fuerte

_____

4. laboratorio / pequeño / estadio

_____

5. faltar a clase / malo / asistir a clase

_____

6. semestre / corto / año

_____

V. PERSPECTIVAS (12 puntos—3 cada una)

La vida estudiantil. *Corrija las siguientes oraciones falsas.*

1. Todos los países hispanos tienen el mismo sistema de enseñanza.

_____

_____

2. Hay dos niveles de enseñanza en el mundo hispano: el primario y el secundario.

_____

_____

3. El nivel primario consiste en tres años de estudios profesionales.

_____

_____

4. En el nivel secundario los estudiantes tienen mucha libertad en la selección de cursos.

_____

_____

5. Al graduarse de la universidad los estudiantes reciben un bachillerato.

_____

_____

6. Los profesores y los alumnos pasan mucho tiempo juntos fuera de clase.

_____

_____

VI. LECTURA

Vocabulario: el ejército = *army;* **la guerra** = *war;* **la paz** = *peace*

Más de un siglo de paz sin militares en Costa Rica

En 1989 Costa Rica celebró sus cien años de independencia exhibiendo el logro insólito *(unusual achievement)* de ser una nación democrática sin ejército. La Constitución del 7 de noviembre de 1949 recoge en su artículo diez la expresa prohibición de que la nación vuelva a tener un ejército. Absolutamente todo el dinero que se destinaba a las fuerzas armadas fue al Ministerio de Educación. El resultado está a la vista: Costa Rica es uno de los países con menor porcentaje de población analfabeta (gente que no sabe ni leer ni escribir) del mundo. Antonio Álvarez Desanti, ministro de Gobernación y Policía, reflexiona: «En las escuelas nos autoalabamos *(we boast)* por ser una democracia, por no tener ejército, por tener una educación gratuita y obligatoria, y por tener un sistema de seguridad social y de garantías al trabajador ejemplar».

Costa Rica tiene fama de ser una democracia y los costarricenses tienen que vigilar sus fronteras *(borders)* por donde se cuelan *(sneak in)* miles de refugiados de naciones más pobres y en guerra. Se supone que hay al menos 200.000 nicaragüenses, de ellos sólo 40.000 en situación legal, y otros miles de salvadoreños. También ecuatorianos y peruanos. Todos en busca del pan y la tranquilidad que no encuentran en sus países.

Costa Rica es un oasis de paz en el volcán centroamericano. Mientras en otros países cercanos crece y crece el dinero destinado para estudiar las artes de la guerra, aquí se fundan universidades con el exótico nombre de Universidad de la Paz.

El Ministro de Gobierno pone el punto final: «Nos sentimos orgullosos *(proud)* de no tener fuerzas armadas, pero somos conscientes de que tenemos problemas como los demás, deuda *(debt)* externa, subdesarrollo *(underdevelopment)* económico, etc. No creemos ser la comunidad perfecta, ni mucho menos. No somos la utopía». En efecto, no lo son. Pero sí son centenarios en democracia. Y bien lo celebraron en 1989.

Adaptado de *Cambio 16*

A. Comprensión (10 puntos—2 cada una)

Corrija las siguientes oraciones falsas sustituyéndolas con información correcta del artículo.

1. Costa Rica gasta mucho dinero en sus fuerzas armadas.

_____

_____

2. La educación en Costa Rica es mala y hay muchos analfabetos.

_____

_____

3. Los nicaragüenses, salvadoreños, ecuatorianos y peruanos emigran a Costa Rica para participar en sus guerras.

_____

_____

4. El gobierno de Costa Rica vigila sus fronteras para que no salgan los costarricenses.

_____

_____

5. Costa Rica es una nación perfecta sin problemas.

_____

_____

B. Análisis (4 puntos)

Conteste en español. ¿Qué evidencia hay en el artículo de que los costarricenses viven mejor sin ejército?

_____

_____

_____

_____

_____

VII. COMPOSICIÓN (20 puntos)

Un(-a) estudiante flojo(-a). *Un(-a) de sus amigos(-as) es un(-a) estudiante muy flojo(-a). Escríbale un mensaje por correo electrónico diciéndole lo que Ud. quiere que haga para tener éxito (be successful) en la universidad. Incluya recomendaciones y sugerencias sobre muchos aspectos de la vida universitaria.*

_____

_____

_____

_____

_____

_____

_____

_____

_____

_____

_____

_____

_____

_____

_____

_____

Capítulo 6
Examen A

I. COMPRENSIÓN ORAL (24 puntos—4 cada una)

Trabajos de la casa. *Escuche la siguiente conversación entre una madre y su hija. Luego, escriba lo que la hija Julia va a hacer.*

1. _____   4. _____

2. _____   5. _____

3. _____   6. _____

II. VOCABULARIO (10 puntos—2 cada una)

Los quehaceres domésticos. *¿Qué debe hacer Ud. para arreglar los siguientes lugares? Mencione dos quehaceres para cada lugar y no repita ninguna respuesta.*

1. en la sala: _____

    _____

2. en el comedor: _____

    _____

3. en el dormitorio: _____

    _____

4. en el jardín: _____

    _____

5. en la cocina: _____

    _____

III. ASÍ SE HABLA (16 puntos—4 cada una)

¡Ayúdame, por favor! *¿Qué diría Ud. en las siguientes situaciones?*

1. Ud. quiere que su compañero(-a) de cuarto lo (la) ayude a limpiar la habitación.

    _____

2. Ud. quiere que su profesor le explique un tema muy difícil.

_____

3. Su madre le pide que limpie la casa y Ud. acepta.

_____

4. Su hermana menor quiere que Ud. la lleve al centro comercial. Ud. no puede hacerlo.

_____

IV. ESTRUCTURAS

A. Comparing People and Things of Equal Qualities (15 puntos—3 cada una)

Las gemelas. _Sara y Susana son gemelas idénticas. Compare Ud. a las dos._

1. bonito

_____

2. clases

_____

3. tarea

_____

4. libros

_____

5. leer

_____

B. Pointing Out People and Things (10 puntos—2 cada una)

Necesito... _Su amigo está ayudándolo(-la) a Ud. a hacer los quehaceres domésticos. Indique lo que Ud. necesita. Use los pronombres demostrativos._

1. la esponja que está allí

_____

2. el trapo que está ahí

_____

Nombre _____ **Fecha** _____ **Clase** _____

3. las tazas que están ahí

_____

4. la manguera que está allí

_____

5. el cortacésped que está aquí

_____

C. Expressing Judgment, Doubt, and Uncertainty (15 puntos—3 cada una)

Me sorprende. *Explique si los siguientes hechos le sorprenden a Ud. o no.*

1. El Restaurante Brisas del Mar sirve comida colombiana.

_____

2. Es un restaurante de lujo.

_____

3. Las comidas son sabrosas.

_____

4. Juan está loco por las empanadas.

_____

5. Comemos allá cada semana.

_____

D. Talking About People and Things (15 puntos—3 cada una)

¡Vamos a celebrar! *Complete la siguiente narración con una forma apropiada del artículo definido. Si no debe usarse el artículo, escriba O en el espacio.*

Hay una fiesta _____ sábado. Empieza a _____ ocho. Jorge

acaba de recibir una beca para estudiar en _____ España y vamos a celebrarlo.

Piensa estudiar _____ medicina en Santiago de Compostela. Es bueno que

Jorge sepa hablar _____ español.

V. PERSPECTIVAS (12 puntos—3 cada una)

La vivienda en el mundo hispano. *Escriba una oración en español corrigiendo las siguientes ideas falsas.*

1. Como en los EE.UU., la mayoría de los pobres del mundo hispano vive en el centro de la ciudad.

_____

_____

2. Los hispanos que viven en una ciudad prefieren vivir en las afueras.

_____

_____

3. La vivienda urbana más típica es la casa privada con jardín porque las ciudades son pequeñas con mucho espacio.

_____

_____

4. Los edificios de apartamentos hispanos ofrecen pocos servicios o comodidades modernas.

_____

_____

VI. LECTURA

El cambio de Colombia

Colombia está estratégicamente situada en la esquina principal de la América del Sur; bordea al norte con el mar Caribe y al occidente con el Pacífico. Colombia es tierra de muchas riquezas *(riches):* el café, los paisajes *(landscapes),* las flores, las esmeraldas *(emeralds),* las frutas, las orquídeas y el carbón *(coal).*

Colombia es la América en desarrollo *(development).* A pesar de los conocidos problemas de orden público, Colombia es una pujante *(strong)* fuerza económica. Por muchos años Colombia fue reconocida como una nación principalmente cafetera (productora de café), pero durante los últimos años los colombianos han visto con entusiasmo el fortalecimiento *(strengthening)* de nuevos productos de exportación. Gracias a esta expansión, el mundo ha podido disfrutar de pieles y productos de cuero, papel y sus derivados, maquinaria y equipo, esmeraldas, textiles, minerales y productos metálicos. Estas nuevas exportaciones se suman *(are added)* a otras ya existentes como café, banano, productos químicos, flores, moluscos, azúcar, plástico, cacao y tabaco.

El clima económico en Colombia es esperanzador *(hopeful)* a causa del crecimiento en el número y la variedad de exportaciones. Además el país se encuentra en una excelente situación para exportar. Está a sólo dos horas de los EE.UU., tiene acceso a dos océanos y la mayoría de sus productos de exportación entrarán al mercado norteamericano y europeo libres de impuestos *(duty free).* Todos estos elementos hacen de Colombia un paraíso para la inversión extranjera.

En el pasado Colombia ha tenido una política *(policy)* de inversión extranjera llena de control y restricciones. A pesar de esta limitante legislación, el país siempre ha mantenido un flujo *(flow)* de inversión extranjera, principalmente de los EE.UU. En los años sesenta algunas compañías como 3M, Colgate, Palmolive, IBM, Dupont, CBS, Coca-Cola y otras cincuenta multinacionales vinieron a Colombia y continúan trabajando exitosamente. Recientemente Colombia ha introducido una nueva legislación para acabar con las barreras de inversión extranjera. La nueva política de inversión extranjera está basada en tres puntos principales: la igualdad que busca la abolición de toda discriminación entre inversionistas *(investors)* colombianos y extranjeros; la universalidad que abre las puertas a la inversión en todos los campos; la automatización que permite la inversión sin necesidad de permisos especiales.

Adaptado de *Miami Mensual*

A. Comprensión (10 puntos—2 cada una)

Complete las siguientes oraciones utilizando información del artículo.

1. Los existentes productos de exportación son _____

_____

_____

2. Algunos de los nuevos productos de exportación son _____

_____

_____

3. Dos razones por el clima económico esperanzador son _____

_____

_____

4. Colombia se encuentra en una excelente situación para exportar porque _____

_____

_____

5. Los tres puntos principales de la nueva política de inversión extranjera son _____

_____

_____

B. Análisis (3 puntos)

Conteste en español. ¿Qué evidencia hay en el artículo que Colombia es un país en desarrollo?

_____

_____

_____

_____

_____

VII. COMPOSICIÓN (20 puntos)

Esta noche. *Hay una fiesta esta noche en su casa. Escríbales una nota a sus compañeros(-as) de casa explicándoles los preparativos que necesitan hacer para la fiesta.*

_____

_____

_____

_____

_____

_____

_____

_____

_____

_____

_____

_____

_____

_____

_____

_____

Capítulo 6

Examen B

I. COMPRENSIÓN ORAL (20 puntos—4 cada una)

Ayuda a una amiga. *Escuche la siguiente conversación entre dos amigas. Luego, explique la ayuda que Irma y Eduardo le dan a Irene.*

Irma va a

1. _____

2. _____

Esta noche Edmundo va a

3. _____

Ayer Edmundo

4. _____

5. _____

II. VOCABULARIO (10 puntos—2 cada una)

Los quehaceres domésticos. *¿Qué debe hacer Ud. para arreglar los siguientes cuartos? Mencione dos quehaceres para cada cuarto y no repita ninguna respuesta.*

1. la cocina: _____

_____

2. el dormitorio: _____

_____

3. la sala: _____

_____

4. la lavandería: _____

_____

5. el jardín: _____

_____

III. ASÍ SE HABLA (20 puntos—5 cada una)

¿Qué dice Ud.? *Escriba en español lo que se dice en las siguientes situaciones.*

1. Ud. está enfermo(-a) y su vecino le ofrece ir a comprarle las medicinas. Ud. no quiere causarle tantos problemas.

_____

2. Ud. está perdido(-a) en un país extranjero. Se acerca a un caballero y él le ofrece llevarlo(-la) a su hotel. Ud. no quiere molestarlo.

_____

3. Su amiga está muy ocupada pero quiere ayudarlo(-la) a Ud. con sus tareas.

_____

4. Un amigo le trae una caja de chocolates el día de su cumpleaños.

_____

IV. ESTRUCTURAS

A. Comparing People and Things of Equal Qualities (15 puntos—3 cada una)

Las gemelas. *Sara y Susana son gemelas idénticas. Compárelas.*

1. alto

_____

2. amigas

_____

3. dinero

_____

4. quehaceres

_____

5. estudiar

_____

Nombre _____ **Fecha** _____ **Clase** _____

B. Pointing Out People and Things (10 puntos—2 cada una)

Necesito... *Su amigo está ayudándolo(-la) a Ud. a hacer los quehaceres domésticos. Indique lo que Ud. necesita. Use los pronombres demostrativos.*

1. la plancha que está aquí

_____

2. el detergente que está ahí

_____

3. los trapos que están allí

_____

4. las escobas que están allí

_____

5. la basura que está ahí

_____

C. Expressing Judgment, Doubt, and Uncertainty (15 puntos—3 cada una)

Prefiero... *Diga que Ud. prefiere que ocurra lo siguiente.*

1. Limpiamos la cocina cada día.

_____

2. Nadie riega el césped durante las vacaciones.

_____

3. Paco pone la mesa.

_____

4. Mamá prepara la cena cada noche.

_____

5. Fregamos los platos después de comer.

_____

D. Talking About People and Things (15 puntos—3 cada una)

¡Vamos a celebrar! *Complete la siguiente narración con una forma apropiada del artículo definido. Si no debe usarse el artículo, escriba O en el espacio.*

Hay una fiesta _____ sábado porque Jorge sale para _____

Perú. Acaba de recibir una beca para estudiar _____ Derecho

Internacional. Es importante que él sepa hablar _____ español. Jorge es

uno de _____ mejores estudiantes de nuestra universidad.

V. PERSPECTIVAS (12 puntos—3 cada una)

La vivienda en el mundo hispano. *Escriba una oración en español corrigiendo las siguientes ideas falsas.*

1. Los hispanos que viven en una ciudad prefieren vivir en las afueras porque son lugares más tranquilos.

   _____

   _____

2. Las casas privadas con jardín no existen en el mundo hispano.

   _____

   _____

3. Los edificios de apartamentos hispanos ofrecen pocos servicios o comodidades modernas.

   _____

   _____

4. La mayoría de los hispanos vive en apartamentos construidos por el gobierno.

   _____

   _____

Nombre _____ **Fecha** _____ **Clase** _____

VI. LECTURA

Vocabulario: perdida = *lost;* **la selva** = *jungle;* **el tesoro** = *treasure*

El misterio de la Ciudad Perdida

Dice la historia que en el año 1523 los conquistadores españoles Fernández Lugo y Jiménez de Quesada se adentraron (*penetrated*) en las intricadas selvas de Colombia en busca de la leyenda de El Dorado, un tesoro que nunca fue encontrado. Hoy, cuatro siglos después, un grupo de expedicionarios españoles ha conseguido explorar las rutas que los conquistadores no consiguieron encontrar. La expedición Old Spice, dirigida por César Pérez de Tudela y destinada a jóvenes aventureros, recorrió durante 20 días difíciles zonas selváticas en busca de la Ciudad Perdida.

La Ciudad Perdida es un asentamiento (*settlement*) precolombino construido hacia el año 1000 por la civilización tairona. Por su alta situación estratégica debió ser el enclave más importante de la selva colombiana. Resulta curioso que en el año 1000 esta ciudad tuviera ya sistemas de desagüe (*drainage*) y canalizaciones.

A pesar de ser un enclave importante y muy adelantado a su tiempo, la Ciudad Perdida está rodeada de misterio. Sólo estuvo habitada durante 500 años. Después, por causas aún desconocidas, los taironas bajaron de las montañas, abandonaron la Ciudad y desaparecieron como civilización. Situada en pleno corazón de la selva, la Ciudad Perdida fue descubierta hace 18 años vía satélite. Han encontrado muchos tesoros de oro y piedras preciosas en la ciudad porque los taironas enterraban (*buried*) a los muertos con todas sus joyas. Muchos de esos tesoros se encuentran ya en los museos colombianos.

—Hasta ahora, los arqueólogos han llegado a la Ciudad Perdida siempre en helicóptero—dice Vicente Martínez, coordinador de la expedición. «Por eso nosotros queríamos hacer el camino andando. Elegí el lugar porque estaba inexplorado. El camino era selvático amazónico y había que luchar contra una naturaleza exuberante. Para los jóvenes que nos acompañaron, ésta ha sido la aventura de su vida—añade Vicente.

El grupo salió de Madrid hacia Colombia el 14 de febrero y durante tres semanas los exploradores atravesaron la selva, cruzaron ríos, descubrieron poblados indios e hicieron frente a más de una serpiente venenosa.

Al llegar al nacimiento del río Buritaca, la expedición encontró entre la vegetación una impresionante escalera de 2.000 escalones (*steps*) y casi 45 grados de pendiente. La única manera de entrar en la Ciudad Perdida era subir los 2.000 escalones, una tarea que duró más de dos horas.

Gracias a este viaje, la expedición ha tenido la oportunidad de descubrir lo que los arqueólogos aún no saben: «Por el camino hemos visto muchas más ciudades precolombinas que todavía están ocultas (*hidden*) y que los expertos no conocen» afirma Pérez de Tudela.

El descubrimiento de las ciudades escondidas en la selva ha animado al equipo de Pérez de Tudela. «Si todo sale según lo previsto, el año que viene volveremos a la selva colombiana, porque aún quedan muchos caminos por explorar y muchas ciudades por descubrir,» dice el veterano explorador.

Adaptado de *Cambio 16*

A. Comprensión (10 puntos—2 cada una)

Conteste las siguientes preguntas con información del artículo.

1. ¿Qué es y dónde está la Ciudad Perdida?

   _____

   _____

2. ¿Cómo y cuándo fue descubierta la Ciudad Perdida?

   _____

   _____

3. ¿Qué han encontrado los arqueólogos en la ciudad?

   _____

   _____

4. ¿Cómo ha entrado el grupo en la Ciudad Perdida?

   _____

   _____

5. ¿Qué descubrimientos ha hecho el grupo Old Spice en el camino hacia la Ciudad Perdida?

   _____

   _____

B. Análisis (3 puntos)

Conteste en español. ¿Qué evidencia hay en el artículo que la expedición Old Spice ha sido la aventura de su vida para los jóvenes exploradores?

   _____

   _____

   _____

   _____

   _____

Nombre _____ **Fecha** _____ **Clase** _____

VII. COMPOSICIÓN (20 puntos)

Arreglemos el apartamento. *Ud. y sus dos compañeros(-as) de cuarto están organizando una fiesta para el viernes y es necesario que Uds. arreglen su apartamento. Prepare una lista de quehaceres domésticos para cada persona. No se olvide de incluirse a sí mismo(-a). Cada persona tiene que hacer cuatro quehaceres.*

_____

_____

_____

_____

_____

_____

_____

_____

_____

_____

_____

_____

_____

_____

_____

_____

_____

_____

_____

_____

_____

Capítulo 7

Examen A

I. COMPRENSIÓN ORAL (27 puntos—3 cada una)

De compras. *Escuche las siguientes conversaciones entre unos vendedores y sus clientes. Luego complete las oraciones a continuación.*

A. **1.** La señora busca _____

_____.

2. La señora no sabe _____ que necesita.

3. La blusa cuesta _____.

B. **1.** El señor necesita _____

_____.

2. Lleva número _____.

3. El señor quiere ver _____.

C. **1.** La señora quiere cambiar la blusa porque _____

_____.

2. En esta tienda no _____.

3. La señora sólo quiere _____

_____.

II. VOCABULARIO (10 puntos—2 cada una)

En el centro comercial. *¿Qué puede Ud. comprar en las siguientes tiendas? Mencione dos cosas para cada tienda y no repita ninguna respuesta.*

1. en la tienda de ropa de caballeros: _____

_____

2. en la joyería: _____

_____

3. en la tienda de ropa femenina: _____

_____

4. en la tienda de lujo: _____

_____

5. en la zapatería: _____

_____

III. ASÍ SE HABLA   (16 puntos—4 cada una)

En una tienda. *Escriba en español lo que Ud. diría en las siguientes situaciones.*

1. Ud. es un(-a) vendedor(-a) en una tienda.

    a. Ve entrar a un cliente.

_____

    b. El cliente quiere una camisa.

_____

2. Ud. es un(-a) cliente y entra en una tienda.

    a. Ud. quiere ver unos zapatos.

_____

    b. Ud. quiere cambiar un par de zapatos que compró pero la dependienta le dice que no aceptan cambios.

_____

IV. ESTRUCTURAS

A. Expressing Actions in Progress   (18 puntos—3 cada una)

En el centro comercial. *Explique lo que estaban haciendo estas personas anoche en el centro comercial.*

1. María / hacer compras

_____

2. José y yo / no gastar mucho

_____

3. Iván / buscar las gangas

_____

4. yo / pagar al contado

_____

5. tú / escoger marcas conocidas

_____

6. Jorge y Teresa / leer las etiquetas

_____

B. Making Comparisons (10 puntos—2 cada una)

La Boutique Mariposa. *¿Qué tiene la Boutique Mariposa que no tienen las otras tiendas del centro comercial?*

1. precios / bajo

_____

2. ropa / barato

_____

3. marcas / conocido

_____

4. liquidaciones / frecuente

_____

5. dependientes / bueno

_____

C. Avoiding Repetition of Previously Mentioned People and Things
(12 puntos—2 cada una)

Los regalos. *Explique lo que Marilú compró para las siguientes personas. Use pronombres de complemento directo e indirecto.*

1. a Luisa / la bufanda

_____

2. a ti / las sandalias

_____

3. a Pedro / la novela

_____

4. a nosotros / las cintas

_____

5. a mí / los aretes

_____

6. a Susana y a Diego / el estéreo

_____

D. Denying and Contradicting (12 puntos—2 cada una)

No es verdad. _Las amigas de Adela creen que ella es una compradora inteligente pero no es verdad. Contradiga_ (Contradict) _lo que dicen._

1. Siempre busca las gangas.

_____

2. Paga con cheque o en efectivo.

_____

3. Pide consejos de algunos dependientes.

_____

4. Le gusta comprar algo en liquidación.

_____

5. También lee las etiquetas.

_____

6. Alguien dice que Adela es la compradora perfecta.

_____

V. PERSPECTIVAS (12 puntos—4 cada una)

De compras en el mundo hispano. *Conteste las siguientes preguntas en español.*

1. Dentro de una ciudad hispana, ¿dónde se puede hacer compras?

_____

_____

2. ¿Cuáles son las ventajas de comprar de un vendedor ambulante?

_____

_____

3. ¿Qué se puede comprar en un mercado artesanal?

_____

_____

VI. LECTURA

Nota: *Las islas Galápagos se encuentran en el océano Pacífico a 960 kilómetros de Sudamérica. Las islas son territorio del Ecuador.*

Las islas Galápagos, el edén de los ecologistas

En 1835, cuando Carlos Darwin encontró en las islas Galápagos una nueva respuesta al problema del origen del hombre, estaba mirando las distintas evoluciones del pájaro pinzón *(finch)*. Eran entonces unas islas temibles *(frightful)* y temidas *(feared),* de las que se contaban leyendas embrujadas *(ghost stories)*.

Pero Darwin tenía razón: las cosas cambian. Ahora en la isla San Cristóbal se encuentra uno de los dos aeropuertos que presencian cada semana un desembarco *(landing)* de turistas interesados en pasar unas vacaciones caras pero diferentes: eso que llaman vacaciones ecológicas. Después los visitantes serán conducidos a un barco y empezarán una excursión que trata de equilibrar *(to balance)* las comodidades de la vida moderna con las sorpresas de la naturaleza.

Aunque muy dañado en los últimos siglos por la acción de piratas, cazadores *(hunters)* y pescadores, el archipiélago de Colón (el nombre oficial de las islas Galápagos) sigue siendo un testimonio científico único en el planeta. Cada habitante del archipiélago ha desarrollado una habilidad o característica especial que le permite adaptarse a las peculiares condiciones de cada isla. Miles de años antes los animales y los pájaros de las islas habían llegado de las costas de Sudamérica.

Para que los animales sobrevivan al turismo, el Gobierno del Ecuador mantiene una exigente *(demanding)* política. El acceso al archipiélago está controlado: todo grupo debe estar encabezado *(led)* por un guía y todo guía debe haber aprobado un curso especial de preparación. Las excursiones se cumplen *(are carried out)* dentro de normas muy estrictas: está prohibido apartarse del sendero *(path)* demarcado, está prohibido tocar a los animales y está prohibido fumar. Los viajes organizados recorren cuatro, seis, ocho o doce de las islas de las sesenta y una que están en el archipiélago. En tan breve espacio se puede ver muchísimo: el 50% de los pájaros, el 32% de las plantas y el 86% de los reptiles.

Todos los años cerca de 50.000 turistas visitan este increíble parque natural con la esperanza de huir un poco hacia el pasado, pero sin abandonar las comodidades del presente.

Adaptado de *Cambio 16*

A. Comprensión (9 puntos—1 cada una)

Complete las siguientes oraciones usando información del artículo.

1. _____ es el nombre oficial de las islas Galápagos.

2. Los animales y los pájaros de las islas Galápagos han llegado de _____

   _____.

3. Cada año unos _____ turistas visitan las islas para pasar unas

   vacaciones llamadas _____.

4. A través de los años las islas han sufrido a causa de _____

   _____.

5. Los animales y los pájaros de las islas son muy importantes e interesantes porque cada uno _____

   _____.

6. Las excursiones a las islas combinan _____

   con las sorpresas de la naturaleza.

7. Hay _____ islas en el archipiélago.

8. Aún en las excursiones breves se puede ver muchísimo: _____

   _____.

B. Análisis (4 puntos)

Conteste en español. ¿Qué evidencia hay en el artículo que el Ecuador trata de preservar las islas Galápagos?

_____

_____

_____

_____

Nombre _____ **Fecha** _____ **Clase** _____

VII. COMPOSICIÓN (20 puntos)

Un problema. *Ud. ha pedido una camisa del catálogo de una compañía de ventas por correo. Sin embargo, cuando Ud. recibe la camisa, no le gusta. Escríbale una carta a la compañía explicándole el problema con la camisa y lo que Ud. desea que haga la compañía.*

_____

_____

_____

_____

_____

_____

_____

_____

_____

_____

_____

_____

_____

_____

_____

Capítulo 7

Examen B

I. COMPRENSIÓN ORAL (27 puntos—3 cada una)

En las tiendas. *Escuche las siguientes conversaciones entre unos vendedores y sus clientes. Luego complete las oraciones a continuación.*

A. **1.** El señor busca un regalo _____.

    2. El señor busca algo especial porque _____.

    3. Finalmente decide comprar _____.

B. **1.** La señora pidió _____

_____.

    2. La señora recibió una cuenta para _____

_____.

    3. Deben arreglar la cuenta rápidamente porque _____.

C. **1.** El joven no compró los juguetes para _____

_____.

    2. Tiene que pagar _____

_____ pronto.

    3. Va a pedirles _____ a sus padres.

II. VOCABULARIO (10 puntos—2 cada una)

En el centro comercial. *¿Qué puede Ud. comprar en las siguientes tiendas? Mencione dos cosas para cada tienda y no repita ninguna respuesta.*

    1. el gran almacén: _____

_____

    2. la boutique: _____

_____

    3. la joyería: _____

_____

4. la tienda de liquidaciones: _____

_____

5. la zapatería: _____

_____

III. ASÍ SE HABLA (12 puntos—3 cada una)

De compras. *Escriba en español lo que Ud. diría en las siguientes situaciones.*

1. Ud. es un(-a) cliente en una tienda.

   a. Necesita ayuda para encontrar ropa deportiva.

   _____

   b. El vendedor le enseña un conjunto deportivo, pero a Ud. no le gusta mucho.

   _____

2. Ud. es un(-a) vendedor(-a) en una tienda.

   a. Ud. le pregunta al (a la) cliente si quiere comprar algo más.

   _____

   b. Cuando el (la) cliente paga, él (ella) le entrega un billete falso.

   _____

IV. ESTRUCTURAS

A. Expressing Actions in Progress (21 puntos—3 cada una)

En el centro comercial. *Explique lo que estaban haciendo estas personas anoche en el centro comercial.*

1. Ud. / hacer muchas compras

_____

2. nosotros / no gastar mucho

_____

3. Ricardo / buscar las gangas

_____

Nombre _____ Fecha _____ Clase _____

4. Uds. / pagar al contado

   _____

5. tú / no usar las tarjetas de crédito

   _____

6. María / escoger marcas conocidas

   _____

7. mis amigos / divertirse

   _____

B. Making Comparisons (10 puntos—2 cada una)

La Boutique Mariposa. *¿Qué tiene la Boutique Mariposa que no tienen las otras tiendas del centro comercial?*

1. precios / alto

   _____

2. dependientes / simpático

   _____

3. liquidaciones / bueno

   _____

4. vestidos / caro

   _____

5. marcas / fino

   _____

C. Avoiding Repetition of Previously Mentioned People and Things (12 puntos—2 cada una)

Los regalos. *Explique lo que Marilú compró para las siguientes personas. Use pronombres de complemento directo e indirecto.*

1. a mí / unos guantes

   _____

2. a Susana / unas sandalias

_____

3. a nosotros / unos suéteres

_____

4. a Diego / una chaqueta de cuero

_____

5. a Paco y a María / los sombreros

_____

6. a ti / el anillo

_____

D. Denying and Contradicting (12 puntos—2 cada una)

No es verdad. _Los amigos de Marcos creen que él es un dependiente simpático pero no es verdad._ _Contradiga_ (Contradict) _lo que dicen._

1. Siempre ayuda a los clientes.

_____

2. Les informa de las gangas o las liquidaciones.

_____

3. Tiene algunos consejos para los clientes.

_____

4. Le gusta vender algo en liquidación.

_____

5. También le encanta bajar los precios.

_____

6. Alguien dice que Marcos es el dependiente perfecto.

_____

Nombre _____ **Fecha** _____ **Clase** _____

V. PERSPECTIVAS. (12 puntos—3 cada una)

De compras en el mundo hispano. *Conteste las siguientes preguntas en español.*

1. ¿Dónde hacen las compras los hispanos que viven en la ciudad?

_____

_____

2. ¿Cuáles son algunos de los servicios y tiendas que se puede encontrar en un centro comercial en el mundo hispano?

_____

_____

3. ¿Qué venden los vendedores ambulantes?

_____

_____

4. ¿Qué son los mercados artesanales y dónde se encuentran?

_____

_____

VI. LECTURA

Vocabulario: la traducción = *translation;* **aproximar =** *to bring near;* **la UE = la Unión Europea.**

Traducción automática para aproximar las culturas

Cada año se traducen más de 200 millones de páginas en todo el mundo, en una labor que realizan alrededor de 200.000 traductores. Sin embargo, aún se podrían haber traducido más artículos, libros o folletos. La causa de la no traducción se debe principalmente a la falta de traductores calificados.

Una de las causas más importantes que han hecho incrementar (*to increase*) la necesidad de la traducción es que muchos países no aceptan la introducción y comercialización de equipos (*equipment*) sin la documentación en su idioma oficial. La UE, con sus nueve idiomas oficiales, exige que toda la documentación tratada en su ámbito (*limits*) se redacte (*be expressed*) en todos los idiomas, con lo que el volumen de traducción de esta institución es de casi un millón de páginas anuales, dando trabajo a más de 2.500 traductores. Este factor produce más del 45 por ciento de los costes de administracion de la UE.

Debido a todas estas razones, resulta obvio la necesidad de automatizar el proceso de la traducción. En la actualidad se consideran cinco sistemas principales de automatización de la traducción. Estos sistemas son los siguientes:

A. Elementos de ayuda a la traducción manual. Hay una gran variedad de posibilidades tales como verificadores de ortografía (*spelling*), diccionarios instalados en la computadora, etc.

B. Programas de traducción simple. Estos programas son rudimentarios y no efectúan realmente la traducción del texto, sino más bien una traducción por palabras.

C. Traducción manual asistida (*aided*) por computadora. El traductor hace la traducción ayudado por la computadora en diversas labores.

D. Traducción automática asistida por el traductor. La computadora efectúa la traducción manteniendo un contacto directo con el traductor, que indica su opinión en las zonas más complicadas del texto.

E. Traducción automática real. Lo que se pretende en esta etapa es la traducción completa y automática del texto, sin intervención del traductor en ninguno de sus pasos (*steps*). Esta posibilidad está lejos, pero se está acercando.

No es necesario que el sistema sea tan perfecto para que pueda resultar realmente útil. En realidad lo único que le importaría al usuario (*user*) del sistema sería obtener una calidad lo suficientemente aceptable para sus necesidades.

Adaptado de *Cambio 16*

A. Comprensión (10 puntos—2 cada una)

*Escriba una **F** enfrente de las oraciones falsas y una **C** enfrente de las oraciones ciertas.*

_____ **1.** Hay un número suficiente de traductores en este mundo.

_____ **2.** La UE requiere la traducción de documentos a todos sus idiomas.

_____ **3.** No todas las traducciones tienen que ser perfectas.

_____ **4.** La traducción totalmente automática ya existe.

_____ **5.** Los programas de traducción simple son buenos para traducir cartas e informes.

B. Análisis (4 puntos)

Conteste en español. ¿Qué evidencia hay en el artículo que es necesario automatizar la traducción?

_____

_____

_____

_____

_____

Nombre _____ **Fecha** _____ **Clase** _____

VII. COMPOSICIÓN (20 puntos)

Un regalo equivocado. *Un amigo le regaló una chaqueta que no le gusta. Ud. trató de devolverla a la tienda pero la dependienta no fue muy amable y no hizo nada. Escríbale una carta al gerente de la tienda explicándole el problema y lo que Ud. desea que haga la compañía.*

_____

_____

_____

_____

_____

_____

_____

_____

_____

_____

_____

_____

_____

Capítulo 8

Examen A

I. COMPRENSIÓN ORAL (21 puntos—3 cada una)

¿Adónde vamos hoy? *Escuche la siguiente conversación entre dos amigas que tratan de decidir adónde ir. Llene el formulario que se presenta a continuación con la información necesaria.*

1. Nombres de las personas que hablan: _____

2. Lugar adonde van a ir: _____

3. Exposición que van a ver: _____

4. Fecha en que cierra la exposición: _____

5. Restaurante donde van a almorzar: _____

6. Hora en que las dos personas se van a encontrar: _____

7. Medio de transporte que van a usar: _____

II. VOCABULARIO (10 puntos—2 cada una)

Una excursión a la ciudad. *¿Qué puede Ud. ver en los siguientes lugares? Mencione dos cosas para cada lugar y no repita ninguna respuesta.*

1. en el parque: _____

_____

2. en el barrio histórico: _____

_____

3. en la plaza de toros: _____

_____

4. en la calle: _____

_____

5. en el museo: _____

_____

III. ASÍ SE HABLA (16 puntos—4 cada una)

¿Cómo voy a... ? *¿Qué dice Ud. en las siguientes situaciones? Conteste en español.*

1. Ud. quiere saber cómo ir a la biblioteca de la universidad y le pregunta a un profesor.

   _____

   _____

2. Ud. quiere tomar un autobús para ir al centro de la ciudad y le pregunta a su compañero(-a) de cuarto.

   _____

   _____

3. Ud. le da información a alguien para ir de la biblioteca de la universidad a la librería.

   _____

   _____

4. Ud. quiere convencer a su compañero(-a) de cuarto de que hable con su profesora.

   _____

   _____

IV. ESTRUCTURAS

A. Telling Others What to Do (18 puntos—3 cada una)

Consejos turísticos. *Dígales a los siguientes turistas lo que deben hacer para disfrutar de una visita a su ciudad. Use los mandatos, según las indicaciones dadas.*

1. Ud. / visitar el Museo de Antropología

   _____

2. Ud. / hacer una excursión por el barrio histórico

   _____

3. Ud. / divertirse mucho

   _____

4. Uds. / conseguir un plano de la ciudad

   _____

Nombre _____ **Fecha** _____ **Clase** _____

5. Uds. / buscar un restaurante típico

_____

6. Uds. / dar un paseo por el centro

_____

B. Asking for and Giving Information (10 puntos—2 cada una)

¿Dónde? *Explique dónde se puede hacer lo siguiente. Use la voz pasiva con* **se.**

1. conseguir información turística

_____

2. comprar aspirinas

_____

3. esperar el autobús

_____

4. cambiar cheques de viajero

_____

5. comprar periódicos

_____

C. Discussing Future Activities (15 puntos—3 cada una)

Divirtámonos. *¿Qué harán las siguientes personas para divertirse?*

1. María / ir al parque de atracciones

_____

2. tú / visitar los sitios de interés histórico

_____

3. yo / poder ver una corrida

_____

4. nosotros / reservar los asientos para el espectáculo

_____

5. Uds. / querer asistir al concierto del nuevo conjunto musical

_____

D. Suggesting Group Activities (15 puntos—3 cada una)

¿Qué vamos a hacer? *Haga sugerencias sobre lo que Ud. y sus amigos pueden hacer durante una visita a la capital.*

1. tomar el metro al centro

_____

2. dar un paseo por la Plaza Mayor

_____

3. sacar fotos del barrio colonial

_____

4. ver la catedral

_____

5. ir al Museo de Bellas Artes

_____

V. PERSPECTIVAS (10 puntos—2 cada una)

Las ciudades hispanas. *Complete las siguientes oraciones.*

1. La típica ciudad estadounidense está construida a lo largo de _____

_____.

2. La típica ciudad hispana está construida alrededor de _____

_____.

3. Alrededor de la plaza principal de una ciudad grande hay edificios como _____

o _____.

4. Algunas ciudades de España datan de la época _____

o _____ .

5. Las ciudades hispanas generalmente tienen menos _____

_____ que las ciudades estadounidenses.

VI. LECTURA

Vocabulario: la plegaria = *prayer*

Plegaria al sol del verano

La festividad incaica llamada Inti Raymi en quechua (el idioma de los incas) era una celebración del sol. Duraba varios días, incluía muchísimas ceremonias y tenía lugar en el actual Perú en la ciudad andina del Cuzco, que era la capital política y espiritual de la civilización incaica.

El sol era la deidad suprema de los incas, el dios de la creación; la fiesta del sol era el más sagrado (*sacred*) de los acontecimientos (*events*) imperiales. El Inti Raymi coincidía con el solsticio de invierno (20 o 21 de junio en el Perú), día en que el sol llega al punto más septentrional (*northern*) en el hemisferio austral (*southern*). El propósito principal de la celebración era asegurar la vuelta (*return*) del sol hacia el sur. Entre los actos que se realizaban para atraer de vuelta al sol se contaban encender el fuego sagrado, sacrificios de animales y una buena dosis de «diversiones públicas». En los días siguientes al solsticio se bailaba, se comía, se bebía y se tocaba música.

La práctica del Inti Raymi, que se remonta (*dates back*) a épocas muy antiguas, continuó hasta el siglo XVI, cuando los conquistadores españoles la descubrieron y la prohibieron por considerarla «pagana» o «poco cristiana». Pero la celebración no desapareció por completo; quedaron restos de ella en las provincias más alejadas (*far away*). A mediados de la década de 1940, Humberto Vidal Unda, profesor universitario del Cuzco, propuso que se reanudara (*be renewed*) la celebración.

Los que saben dicen que la reanudación se hizo con miras a devolver a los descendientes de los incas lo que se había quitado a (*had been taken away from*) sus antepasados. La recreación tenía la finalidad tanto de iniciar de nuevo la práctica Inti Raymi como de fomentar (*to encourage*) la continuidad cultural. La celebración actual tal vez no iguale la original, pero muchos creen que le permite al público moderno tener una idea de lo que fue el antiguo Perú.

Adaptado de *Las Américas*

A. Comprensión (10 puntos—2 cada una)

Conteste las siguientes preguntas en español.

1. ¿Qué era el sol para los incas? _____

_____

_____

2. ¿Cuándo tenía lugar el Inti Raymi? _____

_____

_____

3. ¿Cuál era el propósito principal de la celebración? _____

_____

_____

4. ¿Cómo celebraban los incas el Inti Raymi? _____

_____

_____

5. ¿Por qué prohibieron la celebración del Inti Raymi los españoles? _____

_____

_____

B. Análisis (5 puntos)

Conteste en español. ¿Por qué reanudaron la celebración de Inti Raymi y qué ventajas ofrece la celebración actual?

_____

_____

_____

_____

_____

Nombre _____ **Fecha** _____ **Clase** _____

VII. COMPOSICIÓN (20 puntos)

Una guía turística. *Muchos turistas visitan su ciudad cada verano. Prepare información turística acerca de su ciudad (o una ciudad que Ud. conoce bien). Incluya los detalles sobre los puntos de interés, los barrios históricos, el centro cultural, los hoteles, los restaurantes, las tiendas, etc. Explique lo que los turistas harán durante su visita.*

_____

_____

_____

_____

_____

_____

_____

_____

_____

_____

_____

_____

_____

_____

_____

_____

_____

_____

_____

_____

_____

_____

_____

Capítulo 8
Examen B

I. COMPRENSIÓN ORAL (24 puntos—3 cada una)

¿Cómo voy a... ? *Escuche la siguiente conversación entre una turista en Lima y un caballero. Luego, llene el formulario que se presenta a continuación con la información necesaria.*

1. Lugar adonde la señorita quiere ir: _____

2. Medio de transporte más conveniente: _____

3. Número de la primera línea que tiene que tomar: _____

4. La primera línea va hacia: _____

5. Número de la segunda línea que tiene que tomar: _____

6. La segunda línea va hacia: _____

7. Otra alternativa de transporte: _____

8. Problema(-s) con esta alternativa: _____

II. VOCABULARIO (10 puntos—2 cada una)

Una excursión a la ciudad. *¿Qué puede Ud. ver en los siguientes lugares? Mencione dos cosas para cada lugar y no repita ninguna respuesta.*

1. el centro cultural: _____

    _____

2. el parque de atracciones: _____

    _____

3. el museo: _____

    _____

4. el centro: _____

    _____

5. la plaza de toros: _____

    _____

III. ASÍ SE HABLA (16 puntos—4 cada una)

¿Cómo diría Ud.? *¿Qué frases usaría Ud. en las siguientes situaciones? Conteste en español.*

1. Ud. está en una ciudad que no conoce y le pregunta a una señora cómo llegar al centro de la ciudad.

   _____

   _____

2. Ud. le da direcciones a un(-a) nuevo(-a) estudiante para ir de la cafetería estudiantil a la biblioteca.

   _____

   _____

3. Ud. quiere convencer a sus amigas de que ir al cine es mejor que ir al teatro.

   _____

   _____

4. Ud. y sus compañeros(-as) de cuarto tienen examen mañana y quiere convencerlos(-las) de que estudien.

   _____

   _____

IV. ESTRUCTURAS

A. Telling Others What to Do (15 puntos—3 cada una)

Consejos turísticos. *Dígales a los siguientes turistas lo que deben hacer para disfrutar de una visita a su ciudad durante un fin de semana.*

1. Ud. / ver la nueva exposición

   _____

2. Ud. / ir al parque de atracciones

   _____

3. Ud. / hacer compras

   _____

4. Uds. / visitar el barrio colonial

   _____

5. Uds. / mirar una corrida de toros

   _____

B. Asking for and Giving Information (10 puntos—2 cada una)

¿Dónde? *Explique dónde se puede hacer las siguientes cosas. Use la voz pasiva con* **se.**

1. ver una exposición de arte

   _____

2. comprar una guía turística

   _____

3. ver muchos animales

   _____

4. cambiar dinero

   _____

5. comprar gasolina

   _____

C. Discussing Future Activities (15 puntos—3 cada una)

Un viaje al Perú. *¿Qué harán las siguientes personas durante su viaje al Perú?*

1. Paco / pasar una semana en Lima

   _____

2. yo / ir a Machu Picchu

   _____

3. nosotros / querer ir a Cuzco

   _____

4. Uds. / hacer una excursión a Chosica

   _____

5. tú / caminar por el parque Las Leyendas

   _____

D. Suggesting Group Activities (15 puntos—3 cada una)

¿Qué vamos a hacer? *Haga sugerencias sobre lo que Ud. y sus amigos pueden hacer el sábado.*
Use mandatos con **nosotros.**

1. ver la nueva exposición

   _____

2. ir al parque de atracciones

   _____

3. hacer compras

   _____

4. no ir a la biblioteca

   _____

5. mirar una corrida de toros

   _____

V. PERSPECTIVAS (10 puntos—2 cada una)

Las ciudades hispanas. *Complete las siguientes oraciones.*

1. La típica ciudad estadounidense está construida a lo largo de _____

   _____.

2. La típica ciudad hispana está construida alrededor de _____

   _____.

3. Por lo general las ciudades hispanas son más _____
   que las ciudades de los EE.UU.

4. Los edificios como _____

   o _____ se concentran alrededor de la plaza principal.

5. Las ciudades hispanas generalmente tienen menos _____
   que las ciudades estadounidenses.

Nombre _____ **Fecha** _____ **Clase** _____

VI. LECTURA

Las puertas al campo

Todo viene de la ciudad: la urbanidad, la civilización, la política. Es decir, el refinamiento (*refinement*) de las costumbres, el desarrollo (*development*) de la cultura, la lenta evolución de la necesidad a la libertad. La ciudad es el paisaje (*landscape*) natural del hombre desde que apareció la civilización (es decir, desde que surgieron las primeras ciudades en Sumeria) hace 5.000 años.

Entonces comenzó, por fin, la historia. Las religiones, las artes, las ciencias y la filosofía son productos de la ciudad. Son el fruto de la variedad de seres humanos que habitan una ciudad.

Las ciudades han sido, literalmente, las puertas del campo. No para dar acceso al campo, sino todo lo contrario. Para cerrarse al campo, a sus peligros, a sus limitaciones, a sus insuficiencias: a la barbarie.

Pero eso era antes… Hay que reconocer que hoy en día, y cada vez más, las ciudades son un horror; y es por eso que, cada día más, los hombres civilizados tienen que buscar refugio en el campo, paradójicamente. No son solamente un horror en el sentido moral. Es por razones físicas que las ciudades de hoy suscitan (*arouse*) repulsa. Hace 5.000 años las ciudades fueron inventadas para vivir mejor. Se ha cerrado el círculo, y hoy en ellas no se puede vivir.

Todo empezó con el crecimiento (*growth*) demográfico provocado por la revolución industrial del siglo XIX. Vino más tarde la prosperidad y su símbolo, el automóvil, que ha terminado por apoderarse de (*take hold of*) las ciudades y devorarlas. Las ciudades son hoy de los coches. Tanto las especialmente edificadas para ellos como Los Ángeles o Caracas, como las heredadas de la explosión automotriz: Tokio, París, Madrid. Las ciudades, todas las ciudades, se ahogan (*suffocate*) bajo los coches y la mugre (*filth*), y sus habitantes ya no las gozan sino que las sufren.

A eso se suma (*add on*) la violencia llamada «inseguridad ciudadana». A causa de ella, lo que fue concebido como refugio contra los horrores del campo se ha convertido exactamente en lo contrario: en «la jungla de asfalto». Durante milenios (miles de años) la calle, que es el elemento constitutivo de la ciudad, fue el espacio público por excelencia. Ya no es así. El poco espacio que no ha sido confiscado por los coches, aparcados o en marcha, está ocupado por los agentes de la seguridad. Las ciudades del mundo pertenecen hoy a sus respectivos cuerpos de policía. Y la consecuencia es que los ciudadanos se han visto reducidos a la condición de súbditos (*subjects*).

Adaptado de *Cambio 16*

A. Comprensión (10 puntos—2 cada una)

Complete las siguientes oraciones usando la información del artículo.

1. Las religiones, las artes, las ciencias y la filosofía son _____

    _____.

2. El símbolo de la prosperidad es _____.

3. _____ es el espacio público, por excelencia.

4. Hoy en día las ciudades pertenecen a _____

5. A causa de _____ la ciudad se ha convertido en «la jungla de asfalto».

B. Análisis (5 puntos)

Conteste en español. ¿Qué evidencia hay en el artículo que las ciudades cambian y ya no son las puertas al campo?

_____

_____

_____

_____

_____

VII. COMPOSICIÓN (20 puntos)

Una visita. En una carta de 10 a 12 oraciones invite a su amigo(-a) a visitarlo(-la). Déle información para llegar a su residencia / apartamento / casa / y describa algunas actividades que Uds. harán durante la visita.

_____

_____

_____

_____

_____

_____

_____

_____

_____

_____

_____

_____

_____

_____

_____

_____

Capítulo 9

Examen A

I. COMPRENSIÓN ORAL (24 puntos—3 cada una)

En la oficina. *Escuche la siguiente conversación y complete el gráfico con el equipo y el personal que necesitan.*

A. **Equipo que necesitan adquirir**

1. _____

2. _____

3. _____

4. _____

5. _____

B. **Personal que necesitan**

6. _____

7. _____

8. _____

II. VOCABULARIO (8 puntos—2 cada una)

Las responsabilidades. *¿Qué responsabilidades tienen los empleados que trabajan en las siguientes secciones? Mencione dos responsabilidades para cada sección y no repita ninguna respuesta.*

1. en las relaciones públicas: _____

_____

_____

2. en las finanzas: _____

_____

_____

3. en la administración: _____

_____

_____

4. en el mercadeo: _____

_____

_____

III. ASÍ SE HABLA (16 puntos—4 cada una)

Tengo una idea. *Ud. y sus amigos están haciendo planes para este fin de semana. ¿Qué dicen en las siguientes situaciones?*

1. Ud. tiene una idea maravillosa para este fin de semana.

_____

2. Ud. quiere proponer ir fuera de la ciudad a cenar en un restaurante muy bueno.

_____

3. Su amigo tiene otra idea.

_____

4. Ud. insiste en su idea.

_____

IV. ESTRUCTURAS

A. Explaining What One Would Do Under Certain Conditions (21 puntos—3 cada una)

Conseguir empleo. *¿Qué harían las siguientes personas para conseguir empleo?*

1. mucha gente / leer los anuncios clasificados

_____

2. tú / llenar las solicitudes

_____

3. Juan y José / escribir un curriculum vitae

_____

4. nosotros / conseguir una entrevista

_____

Nombre _____ **Fecha** _____ **Clase** _____

5. Uds. / pedir cartas de recomendación

_____

6. Ud. / hablar de las aptitudes personales

_____

7. yo / enterarme de las condiciones del trabajo

_____

B. Describing How Actions Are Done (5 puntos—1 cada una)

Los empleados. *¿Cómo trabajarían estas personas con un nuevo jefe? Use adverbios.*

1. María Ortiz / paciente

_____

2. el contador / eficaz

_____

3. Jorge Morales / atento

_____

4. la secretaria / rápido

_____

5. los vendedores / responsable

_____

C. Talking About Unknown or Nonexistent People and Things (21 puntos—3 cada una)

Se necesita personal nuevo. *Explique las calificaciones deseadas de los nuevos empleados.*

1. Buscan una secretaria / tener experiencia

_____

2. Quieren un contador / saber comprar y vender las acciones

_____

3. Necesitan una gerente / resolver los problemas con los clientes

_____

4. Buscan una vendedora / trabajar los fines de semana

_____

5. Necesitan alguien / ser eficiente

_____

6. Quieren un especialista / encargarse de la publicidad

_____

7. Buscan un empleado / llevarse bien con todos

_____

D. Explaining What You Want Others to Do (10 puntos—2 cada una)

En la oficina. *Use un mandato indirecto para explicar las responsabilidades de las siguientes secciones.*

1. resolver los problemas legales / la administración

_____

2. crear los anuncios comerciales / la publicidad

_____

3. ejecutar pedidos / las ventas

_____

4. crear nuevos programas / la informática

_____

5. pagar las cuentas / las finanzas

_____

V. PERSPECTIVAS (12 puntos—4 cada una)

La agencia de empleos. *Mencione tres errores comunes al buscar trabajo. Conteste en español.*

1. _____

2. _____

3. _____

Nombre _____ **Fecha** _____ **Clase** _____

VI. LECTURA

Nota: _La Pequeña Habana es el barrio cubano dentro de Miami, Florida. La Calle Ocho es la avenida principal del barrio._

La Pequeña Habana

Si Ud. camina de punta (_end_) a punta la Pequeña Habana encontrará monumentos históricos, centros culturales, restaurantes típicos, clubes nocturnos, cafés, librerías, salas de espectáculos, comercios diversos, cines y galerías de arte. Todo vivido, pensado y dicho en español.

Como se puede ver, hay muchas diversiones dentro de la Pequeña Habana. Aquí les ofrecemos algunas cosas extraordinarias para hacer dentro del barrio.

1. Jugar al dominó en el Parque del Dominó. Éste es un espectáculo que no tiene igual en todos los EE.UU. Los hombres, especialmente los viejos, se reúnen alrededor de las mesas de dominó para jugar. Colgado (_hanging_) del techo hay un aviso que dice: «No se permiten escándalos (_loud disputes_)». Aquí los hombres (no hay mujeres) juegan casi sin hablar. Sólo se interrumpe el juego para ir al café de al lado y comprarse un guarapo (jugo de la caña de azúcar) o un fuerte café cubano.
2. Ver un baile flamenco. Además de un baile, el flamenco es una expresión artística de pasión y rebeldía (_rebelliousness_). Tradicional en España, el flamenco es un espectáculo que se presenta diariamente en fabulosos restaurantes de la Pequeña Habana.
3. Comerse unas tapas. Las tapas son entremeses que se comen en diferentes lugares de las 6 a las 9 de la noche antes de la cena de las 11. Acompañado(-a) de amigos(-as) recorra (_go along_) la Calle Ocho probando diferentes tapas.
4. Cabarets y discotecas. En este barrio donde predomina el español se encuentran los mejores clubes nocturnos de salsa, ritmo tropical y baladas. En algunos lugares se presentan artistas latinos de renombre (_renown_).
5. Observar la fabricación de cigarros. Este negocio tradicional de la isla de Cuba se recuerda en estas fábricas (_factories_) de los mejores cigarros de la nación.
6. Comprar guayaberas. Hay muchas clases de estas camisas típicas de la isla de Cuba. Gente de todas partes de los EE.UU hace una visita especial a la Pequeña Habana para comprar estas cómodas y lindas prendas.
7. Comprar diferentes variedades de frutas. Abundan mangos, papayas, mamey, coco, plátanos, bananas, naranjas y toronjas en diferentes tiendas.

Adaptado de _Miami Mensual_

A. Comprensión (9 puntos—1 cada una)

Enfrente de cada frase escriba el nombre de la cosa de la descripción.

1. _____ una prenda típica de Cuba

2. _____ una fruta tropical

3. _____ un jugo de la caña de azúcar

4. _____ un baile tradicional de España

5. _____ un negocio tradicional de Cuba

6. _____ el juego típico de los viejos cubanos

7. _____ un club nocturno

8. _____ la avenida principal de la Pequeña Habana

9. _____ un entremés que se come entre las 6 y las 9 de la noche

B. Análisis (4 puntos)

Conteste en español. ¿Qué evidencia hay en el artículo que confirma la idea que hay toda clase de diversiones en la Pequeña Habana?

_____

_____

_____

_____

_____

VII. COMPOSICIÓN (20 puntos)

El puesto ideal. *Escríbales una carta a sus padres describiendo el puesto que Ud. quiere obtener después de graduarse. Explíqueles también cómo sería su vida con este puesto ideal.*

_____

_____

_____

_____

_____

_____

_____

_____

_____

_____

_____

Nombre _____ **Fecha** _____ **Clase** _____

_____

_____

_____

_____

_____

_____

_____

_____

_____

_____

Capítulo 9
Examen B

I. COMPRENSIÓN ORAL (24 puntos—3 cada una)

Un puesto nuevo. *Escuche la siguiente conversación y complete el gráfico con información sobre un puesto nuevo.*

A. Puesto

1. _____

B. Habilidades profesionales

2. _____

3. _____

4. _____

5. _____

C. Sueldo

6. _____

D. Beneficios

7. _____

8. _____

II. VOCABULARIO (8 puntos—2 cada una)

Las responsabilidades. *¿Qué responsabilidades tienen los empleados que trabajan en las siguientes secciones? Mencione dos responsabilidades para cada sección y no repita ninguna respuesta.*

1. el personal: _____

_____

2. el mercadeo: _____

_____

3. las ventas: _____

_____

4. la contabilidad: _____

_____

III. ASÍ SE HABLA (16 puntos—4 cada una)

Los planes. *¿Qué frases usaría Ud. en las siguientes situaciones? Conteste en español.*

1. Ud. está haciendo planes con sus amigos(-as) para este fin de semana y de repente tiene una idea brillante.

_____

2. Como la discusión acerca del fin de semana se va complicando, Ud. quiere hablar de otra cosa.

_____

3. Su amigo(-a) empieza a hablar y no para. Ud. quiere interrumpirlo(-la).

_____

4. Ud. quiere presentar un nuevo punto.

_____

IV. ESTRUCTURAS

A. Explaining What One Would Do Under Certain Conditions (21 puntos—3 cada una)

Aspirantes perfectos. *¿Qué harían las siguientes personas si fueran aspirantes perfectos?*

1. Marta y Susana / ser responsables

_____

2. yo / demostrar iniciativa

_____

3. Julio / trabajar cuidadosamente

_____

4. tú / tener recomendaciones excelentes

_____

Nombre _____ **Fecha** _____ **Clase** _____

5. José y yo / hablar de las aptitudes personales

_____

6. Ud. / estar listo para trabajar

_____

7. Marcos y Alberto / tomar una decisión pronto

_____

B. Describing How Actions Are Done (5 puntos—1 cada una)

El nuevo puesto. *¿Cómo trabajarían estos empleados en su nuevo puesto? Use adverbios.*

1. el señor Torre / eficiente

_____

2. la señora Ortiz / rápido

_____

3. la señora Costa / cuidadoso

_____

4. el señor Ochoa / responsable

_____

5. la señorita Flores / paciente

_____

C. Talking About Unknown or Nonexistent People and Things (21 puntos—3 cada una)

Se necesita personal nuevo. *Explique las calificaciones deseadas de los nuevos empleados.*

1. Buscan una secretaria / ser eficiente

_____

2. Quieren un contador / saber algo de la bolsa

_____

3. Necesitan una gerente / encargarse de las ventas

_____

4. Buscan una vendedora / llevarse bien con los clientes

_____

5. Necesitan alguien / resolver los problemas con las computadoras

_____

6. Quieren un especialista / tener conocimientos técnicos

_____

7. Buscan un empleado / trabajar mucho

_____

D. Explaining What You Want Others to Do (10 puntos—2 cada una)

En la oficina. *Use un mandato indirecto para explicarle a su secretaria lo que deben hacer los otros empleados.*

1. hacer los nuevos anuncios / la sección de publicidad

_____

2. cumplir los pedidos / las vendedoras

_____

3. vender las acciones / el financista

_____

4. atender al público / los gerentes

_____

5. resolver los problemas con las computadoras / la sección de informática

_____

Nombre _____ Fecha _____ Clase _____

V. PERSPECTIVAS (12 puntos—4 cada una)

Cómo conseguir trabajo. *Mencione tres cosas que se debe hacer al buscar trabajo.*

1. _____

_____

2. _____

_____

3. _____

_____

VI. LECTURA

Nota: *Hialeah es un pueblo en las afueras de Miami.*

El bilingüismo en Hialeah

La familia Sorrentino vive en un complejo de apartamentos en Hialeah en una zona llena de cubanos que pasan en estos momentos a través de un proceso de absorción cultural inesperado. Los padres cubanos protestan porque los hijos les hablan en inglés todo el tiempo. Los padres ven esto como una amenaza *(threat)* a la comunicación familiar y al idioma. Pero, ¿qué sucede cuando el proceso es la inversa y son los angloparlantes (los de habla inglesa) los que ven cómo sus hijos asimilan otra cultura?

—Yo me siento totalmente aislada —nos dice en inglés Jackie Sorrentino— porque si bien yo entiendo alguna que otra palabra en español, no es suficiente. Yo voy a tener que aprender el español también—. Jackie no protesta en ningún momento de que sus hijos hablen español. En realidad se siente orgullosa *(proud)*. Solamente se queja de algo. —Lo que yo les digo a ellos es que también tienen que aprender inglés.

Ricco tiene quince años, el pelo rubio oscuro y los ojos color castaño. Es un muchachón fuerte y ágil y habla ayudado de las manos, como cualquier otro latino.

—Y tú, ¿cómo te sientes, Ricco, americano o miamense?— le pregunto. Sin la menor vacilación, me contesta con un fuerte acento cubano: —Chico, la verdad es que yo me siento cubano…

En esos momentos, llega Tina al apartamento y entra en la conversación. Tina es el estereotipo de la típica americana: rubia, de ojos azules. Sin embargo, hay algo en su gesto que no es totalmente americano. También hay una gran influencia latina en su forma de sentarse y hasta de maquillarse. Tina tiene un acento cubano sin traza *(trace)* de dejo americano.

Cualquier idioma se aprende fácilmente si no hay prejuicios culturales. El interés y la curiosidad hacia otra cultura hacen que el idioma se aprenda efectivamente. Si existen prejuicios éstos entorpecen *(obstruct)* e impiden el aprendizaje *(learning)*. Ricco y Tina se sienten bien con los cubanos y les gusta la cultura latina; por eso han aprendido a hablar el español con fluidez. El idioma es solamente un instrumento que les sirve a Tina y a Ricco para comunicarse mejor con los cubanos y otros hispanoparlantes.

Adaptado de *Miami Mensual*

A. Comprensión (9 puntos—1 cada una)

En el espacio en blanco, escriba el nombre de la(-s) persona(-s) descrita(-s) en el artículo.

1. _____ Protestan porque los hijos les hablan en inglés.

2. _____ No protesta que sus hijos hablen español.

3. _____ Es fuerte y ágil.

4. _____ Viven en un complejo de apartamentos en las afueras de Miami.

5. _____ Hay una gran influencia latina en su forma de sentarse.

6. _____ Se siente aislado(-a).

7. _____ Se siente cubano(-a).

8. _____ Insiste en que sus hijos aprendan el inglés.

9. _____ Habla español sin traza de acento americano.

B. Análisis (4 puntos)

Conteste en español. ¿Qué evidencia hay en el artículo que los norteamericanos se asimilan a la cultura de los inmigrantes?

_____

_____

_____

_____

_____

Nombre _____ **Fecha** _____ **Clase** _____

VII. COMPOSICIÓN (20 puntos)

Se necesita... *Escriba un aviso para el puesto de gerente de contabilidad. Incluya detalles sobre las aptitudes personales y la experiencia que el (la) aspirante debe tener. Explique las oportunidades y los beneficios sociales que le ofrecería el puesto.*

_____

_____

_____

_____

_____

_____

_____

_____

_____

_____

_____

_____

_____

_____

_____

_____

_____

_____

_____

_____

_____

Capítulo 10

Examen A

I. COMPRENSIÓN ORAL (24 puntos—3 cada una)

En el banco. *Escuche el siguiente anuncio comercial acerca de un banco. Después de escuchar el anuncio, decida si las siguientes oraciones son ciertas o falsas. Marque con un círculo* **C** *(Cierto) o* **F** *(Falso).*

C   F   **1.** Se puede abrir diferentes tipos de cuentas en el Banco América.

C   F   **2.** El Banco América no les ofrece muchos servicios a sus clientes.

C   F   **3.** Las cuentas corrientes en el Banco América pagan 5% de interés mensual.

C   F   **4.** Las cuentas de ahorros pagan hasta 9% de interés mensual.

C   F   **5.** El Banco América ofrece préstamos a bajo interés.

C   F   **6.** En el Banco América no se puede abrir cuentas a plazo fijo.

C   F   **7.** El Banco América existe en todos los países de la América del Sur.

C   F   **8.** El Banco América es nuevo en la ciudad de Miami.

II. VOCABULARIO (8 puntos—1 cada una)

¿Quién lo hace? *¿Quién hace las siguientes actividades?*

1. Encuentra nuevos mercados para los productos.

_____

2. Resuelve problemas con la computadora.

_____

3. Hace los quehaceres de la oficina.

_____

4. Trabaja con los números.

_____

5. Crea los anuncios comerciales.

_____

6. Atiende al público.

_____

7. Compra acciones y bonos.

_____

8. Se preocupa de la planificación y la coordinación de todas las responsabilidades.

_____

III. ASÍ SE HABLA   (16 puntos—4 cada una)

El consultorio del Dr. González. *¿Qué dicen Ud. y la recepcionista del Dr. González en la siguiente situación?*

1. El teléfono suena.

La recepcionista contesta: _____

_____

_____

2. Ud. se identifica y dice que quiere hablar con el Dr. González.

Ud. dice: _____

_____

_____

3. La recepcionista le dice que el Dr. González ha salido a almorzar.

La recepcionista dice: _____

_____

_____

4. Ud. quiere que el Dr. González lo (la) llame a su casa esta tarde. Su teléfono es el 34-35-98-76.

Ud. dice: _____

_____

_____

Nombre _____ **Fecha** _____ **Clase** _____

IV. ESTRUCTURAS

A. Describing Completed Past Actions (21 puntos—3 cada una)

Antes de las cinco. *Explique lo que las siguientes personas han hecho hoy antes de las cinco.*

1. yo / contestar las cartas

   _____

2. el gerente / resolver los problemas

   _____

3. nosotros / conseguir un préstamo

   _____

4. la recepcionista / atender al público

   _____

5. Juan / pagar los derechos de aduana

   _____

6. el Sr. Gómez / planear el presupuesto

   _____

7. las oficinistas / archivar los documentos

   _____

B. Discussing Reciprocal Actions (10 puntos—2 cada una)

Los novios. *Julio y Gloria son novios. Usando pronombres recíprocos describa cinco cosas que ellos hacen a menudo. No repita ninguna respuesta.*

1. _____

   _____

2. _____

   _____

3. _____

   _____

4. _____

_____

5. _____

_____

C. Explaining Duration of Actions (16 puntos—4 cada una)

¿Cuánto tiempo? *¿Cuánto tiempo hace que el Banco Nacional les ofrece los siguientes servicios a sus clientes?*

1. alquilar cajas de seguridad / 10 años

_____

2. dar consejo financiero / 5 años

_____

3. invertir en bonos / 3 años

_____

4. ofrecer hipotecas / 8 años

_____

D. Expressing Quantity (10 puntos—2 cada una)

El informe anual. *Escriba la siguiente información en letras para describir las actividades bancarias del Banco Nacional.*

1. 2.167 hipotecas

_____

2. 8.798 préstamos

_____

3. 9.123 cuentas de ahorros

_____

4. 13.717 cuentas corrientes

_____

5. 17.546 giros al extranjero

_____

Nombre _____ Fecha _____ Clase _____

V. PERSPECTIVAS (12 puntos—4 cada una)

Las comunidades hispanas. *Conteste en español las siguientes preguntas.*

1. ¿Qué son las comunidades hispanas?

_____

_____

_____

2. ¿Qué se puede encontrar en las comunidades hispanas?

_____

_____

_____

3. ¿Cuál es la ventaja de visitar una comunidad hispana?

_____

_____

_____

VI. LECTURA

Los inmigrantes hispanos en los Estados Unidos

La población hispana está estallando (*exploding*) a través de los EE.UU., país que ya ocupa la quinta posición mundial en cuanto al número de hispanos que en el mismo residen. Hay más hispanos solamente en México, España, Argentina y Colombia. Entre 1950 y 1991, la población total de los EE.UU. creció en aproximadamente 100,1 millones de personas, un incremento del 70% durante ese período. Comparativamente, el número de hispanos en los EE.UU. aumentó más del 400% durante ese mismo período —de 4 millones en 1950 a 24,9 millones en 1991. Según el censo del año 2000, la población hispana alcanzó 35,3 millones pasando los 34,2 millones estimados por los expertos en demografía.

De acuerdo con estadísticas de la empresa Strategy Research y del Servicio de Inmigración y Naturalización de los EE.UU., 58,9% de los hispanos que ahora se encuentran en los EE.UU. son de ascendencia mexicana, los centroamericanos representan 13,5%, los puertorriqueños 10,2%, otros sudamericanos 6,8% y los cubanoamericanos 6,2%. El resto está compuesto por hispanos procedentes de otras regiones.

Tres áreas metropolitanas solamente reflejan la presencia de más de la tercera parte del total de la población hispana en los EE.UU.: 5,2 millones residen en el sector de Los Angeles, 2,9 millones residen en el sector de Nueva York y 1,1 millones en el sector de Miami.

El mercado hispano es grande y representa un mercado separado del mercado tradicional. Las familias hispanas son más grandes y más jóvenes que las norteamericanas; se encuentran más geográficamente concentradas alrededor de centros urbanos y continúan creciendo desproporcionadamente en relación con los otros grupos étnicos.

A pesar de las diferencias entre las nacionalidades hispanas, cada nacionalidad hispana retiene (*retains*) similares valores y tradiciones culturales. Cada grupo desea retener su herencia cultural; cada grupo es fuertemente religioso (principalmente católico); cada grupo está fuertemente orientado hacia el núcleo familiar y cada grupo enfatiza la retención del idioma español, particularmente en casa. Estas similitudes abruman (*cloud*) las diferencias.

La combinación de un creciente negativismo norteamericano hacia los inmigrantes y un creciente impacto por parte de los inmigrantes hispanos puede ser volátil. A medida que su influencia se hace sentir más y más, los hispanos van a tener que ejercer su influencia de una manera correcta e iluminada. Si la utilizan con cuidado, lograrán comprobar que en efecto son merecedores (*worthy*) de la oportunidad de participar en el «Sueño Americano».

Adaptado de *Miami Mensual*

A. Comprensión (8 puntos—1 cada una)

Complete las siguientes oraciones utilizando información y estadísticas del artículo.

1. Solamente hay más hispanos en _____,

_____, _____ y _____ que en los EE.UU.

2. La población total de los EE.UU. incrementó _____ % de 1950 a 1991.

3. La población hispana de los EE.UU. incrementó _____ % de 1950 a 1991.

4. En el año 2000 la población hispana alcanzó los _____.

5. _____ por ciento de los hispanos en los EE.UU. son de ascendencia mexicana.

6. _____ por ciento de los hispanos en los EE.UU. son de Centroamérica.

7. _____ por ciento de los hispanos en los EE.UU. son de Puerto Rico.

8. Más de la tercera parte del total de la población hispana en los EE.UU. reside en _____,

_____ y _____.

B. Análisis (5 puntos)

Conteste en español. A pesar de diferencias nacionales, ¿cuáles son los valores y tradiciones culturales que comparten los hispanos?

_____

_____

_____

_____

Nombre _____ **Fecha** _____ **Clase** _____

VII. COMPOSICIÓN (20 puntos)

Actividades bancarias a distancia. *A causa de las obligaciones de su empleo, Ud. tiene que vivir en otra ciudad por cuatro meses. Sin embargo, Ud. no quiere cerrar sus cuentas en su banco local. Escríbale un mensaje por correo electrónico de 10 a 12 frases al gerente de su banco explicándole su situación. Pídale información sobre cómo Ud. puede continuar sus actividades bancarias por correo electrónico. Incluya detalles sobre sus cuentas y los servicios que Ud. necesita durante los próximos cuatro meses.*

_____

_____

_____

_____

_____

_____

_____

_____

_____

_____

_____

_____

_____

_____

_____

_____

_____

_____

_____

Capítulo 10
Examen B

I. COMPRENSIÓN ORAL (24 puntos—3 cada una)

El instituto Beke-Santos. *Escuche la conversación entre un empleado de la compañía Beke-Santos y una especialista en computación. Después decida si las siguientes oraciones son ciertas o falsas. Marque con un círculo **C** (Cierto) o **F** (Falso).*

C   F   **1.** La Compañía Beke-Santos ofrece diferentes cursos de computación.

C   F   **2.** La señora Narváez quiere tomar una serie de cursos.

C   F   **3.** El señor Beke es uno de los jefes de la compañía pero se encuentra fuera del país.

C   F   **4.** La señora Narváez quiere hablar con el señor Santos.

C   F   **5.** Los cursos que se ofrecerán son Introducción a Internet, Windows y Construcción de una Página Web.

C   F   **6.** Cada curso tendrá una duración de un mes.

C   F   **7.** Los horarios de los diferentes cursos ya están listos.

C   F   **8.** El señor Beke deberá comunicarse con la profesora de los cursos lo más pronto posible.

II. VOCABULARIO (8 puntos—1 cada una)

¿Quién lo hace? *¿Quién hace las siguientes actividades?*

1. Explica los reglamentos de comercio.

_____

2. Encuentra nuevos mercados para los productos.

_____

3. Crea los anuncios comerciales.

_____

4. Resuelve problemas con la computadora.

_____

5. Archiva los documentos.

_____

6. Compra acciones y bonos.

_____

7. Resuelve problemas legales.

_____

8. Crea programas para la computadora.

_____

III. ASÍ SE HABLA (16 puntos—4 cada una)

En el banco. *Ud. ha heredado un millón de dólares y quiere hacer una serie de cambios en su cuenta de banco. ¿Qué dice Ud. si quiere...*

1. saber cuánto dinero tiene ahora en el banco?

_____

2. poner $10.000 en su cuenta corriente?

_____

3. abrir una cuenta de ahorros de la cual Ud. no puede sacar el dinero en los primeros cinco años?

_____

4. saber cuánto interés va a ganar esta cuenta?

_____

IV. ESTRUCTURAS

A. Describing Completed Past Actions (21 puntos—3 cada una)

Antes de las cinco. *Explique lo que las siguientes personas han hecho hoy antes de las cinco.*

1. el vendedor / cumplir los pedidos

_____

2. yo / ir a la reunión

_____

3. los abogados / resolver el problema con la aduana

_____

Nombre _____ **Fecha** _____ **Clase** _____

4. la secretaria / escribir las cartas

_____

5. los gerentes / ver el informe sobre las ventas

_____

6. tú / hacer la publicidad para el nuevo producto

_____

7. nosotros / dejar un mensaje con la secretaria

_____

B. Discussing Reciprocal Actions (10 puntos—2 cada una)

Mi amigo y yo. *Usando pronombres recíprocos, describa cinco cosas que Ud. y su amigo(-a) hacen a menudo.*

1. _____

_____

2. _____

_____

3. _____

_____

4. _____

_____

5. _____

_____

C. Explaining Duration of Actions (16 puntos—4 cada una)

¿Cuánto tiempo? *¿Cuánto tiempo hace que el Banco Nacional les ofrece los siguientes servicios a sus clientes?*

1. cambiar dinero / 37 años

_____

2. invertir en acciones / 15 años

_____

3. ofrecer tasas de interés altas / 6 meses

_____

4. dar consejo financiero / 7 años

_____

D. Expressing Quantity (10 puntos—2 cada una)

El informe anual. *Escriba la siguiente información en letras para describir las actividades bancarias del Banco Nacional.*

1. 1.751 hipotecas

_____

2. 5.479 préstamos

_____

3. 7.907 cuentas de ahorros

_____

4. 10.634 cuentas corrientes

_____

5. 15.421 giros al extranjero

_____

V. PERSPECTIVAS (10 puntos—5 cada una)

Las comunidades hispánicas. *Conteste en español las siguientes preguntas.*

1. ¿Qué son las comunidades hispanas y qué se puede encontrar en ellas?

_____

_____

_____

_____

2. ¿Cómo se beneficiaría Ud. si visitara una comunidad hispana?

_____

_____

_____

_____

VI. LECTURA

Vocabulario: los estudios = *movie studios*

Hollywood ¡…en español!

Los hispanos, una de las minorías de más peso en los EE.UU., tienen un enorme impacto cultural y económico. Hasta el presente, a nivel nacional, las grandes compañías de bebidas y comida han tratado de capturar la atención de los hispanos. Ahora, Hollywood está tratando de hacer lo mismo. En menos de un año muchas compañías como Universal, Disney y Columbia han demostrado su interés en este mercado.

Universal fue la primera en lograr que una nueva película «American Tail» fuera sacada al mercado simultáneamente en inglés y español; esto es algo tremendamente difícil y costoso. Por otra parte Universal también se ha comprometido a mostrar cine con temas hispanos, realizado en algunas ocasiones, por hispanos como es el caso de la co-producción de Robert Redford y Moctezuma Esparza de «The Milagro Beanfield War». Columbia, por su parte, presentó «La Bamba», una película escrita y dirigida (*directed*) por el mexicano-americano Luis Valdéz.

Los estudios han descubierto que para tener éxito en un país de distintos grupos étnicos y culturales, deben enfocar sus energías en los distintos segmentos de la población. Los hispanos están concentrados en las grandes áreas urbanas, el mercado es visto con una gran potencialidad. Demográficamente la comunidad hispana es uno de los pocos segmentos de la sociedad norteamericana hoy donde se prevee un crecimiento (*growth*) y un desarrollo muy significativo en los próximos veinte años. Los hispanos también van mucho más al cine que la población general.

El interés de Hollywood en los hispanos es, sin duda, un hecho revolucionario. Si existe alguna institución que representa la esencia de América es Hollywood. Al intentar su conquista (*conquest*) de los corazones y los bolsillos (*purses*) hispanos, los estudios de California alterarán su fórmula norteamericana y quizás aprenderán a soñar en otro idioma. Lo que esto significa es simplemente que habrá lugar para el aprendizaje de otras culturas, para la negación de absurdos estereotipos y para la creación de productos originales. Muchos serán beneficiados.

Adaptado de *Miami Mensual*

A. Comprensión (10 puntos—2 cada una)

Corrija las siguientes oraciones falsas sustituyendo información correcta del artículo.

1. Sólo los estudios pequeños tienen interés en capturar la atención hispana.

_____

_____

2. A los hispanos no les interesa ir al cine.

_____

_____

3. Los hispanos en los EE.UU. no tienen mucha influencia económica.

_____

_____

4. Hay muchas películas que entran en el mercado simultáneamente en inglés y en español porque es muy fácil hacerlo.

_____

_____

5. Para tener éxito Hollywood puede continuar su representación de lo norteamericano.

_____

_____

B. Análisis (5 puntos)

Conteste en español. ¿Qué evidencia hay en el artículo que confirma que es una buena idea económica que los estudios traten de capturar a los hispanos en los EE.UU.?

_____

_____

_____

_____

_____

Nombre _____ **Fecha** _____ **Clase** _____

VII. COMPOSICIÓN (20 puntos)

Me he sacado el gordo. *Ud. acaba de ganar un millón de dólares en la lotería. Escríbale una carta a su contador(-a) personal explicándole lo que piensa hacer con su nueva fortuna. Incluya planes tanto de invertir como de gastar el dinero.*

_____

_____

_____

_____

_____

_____

_____

_____

_____

_____

_____

_____

_____

_____

_____

_____

_____

_____

_____

_____

_____

_____

Capítulo 11
Examen A

I. COMPRENSIÓN ORAL (24 puntos—3 cada una)

En la agencia de viajes. *Escuche las siguientes conversaciones entre unos empleados de una agencia de viajes y unos viajeros. Luego, complete las oraciones que se presentan a continuación.*

A. 1. Lugar donde quiere ir el pasajero: _____

    2. Día cuando él quiere ir: _____

    3. Problema que encuentra: _____

    4. Alternativa que le ofrece la empleada: _____

B. 5. Lugar donde quiere ir la pasajera: _____

    6. Tiempo que quiere permanecer en ese lugar: _____

    7. Número de personas que viajan con esta pasajera: _____

    8. Cantidad que tiene que pagar para el viaje: _____

II. VOCABULARIO (8 puntos—1 cada una)

¡Buen viaje! *Complete las siguientes frases con palabras apropiadas.*

1. El lugar donde el avión aterriza es _____ .

2. Se reclama el equipaje en la _____ .

3. _____ es el precio del billete.

4. Veinticuatro horas antes del viaje es buena idea _____ su reservación.

5. Si Ud. llega tarde al aeropuerto, va a _____ el avión.

6. No es necesario facturar equipaje _____ .

7. Al final del vuelo los pasajeros _____ del avión.

8. Si el vuelo es un vuelo internacional, los pasajeros deben pasar por _____ al final del vuelo.

III. ASÍ SE HABLA (16 puntos—4 cada una)

En la agencia de viajes. *¿Qué diría Ud. en las siguientes situaciones?*

1. Ud. quiere ir a la Ciudad de México por quince días.

_____

_____

2. Ud. no fuma y quiere sentarse al lado de la ventana.

_____

_____

3. Ud. quiere saber la hora de salida del vuelo.

_____

4. Ud. quiere saber la hora de llegada del vuelo a México.

_____

IV. ESTRUCTURAS

A. Describing Past Wants, Advice, and Doubts (21 puntos—3 cada una)

En el aeropuerto. *¿Qué consejos les dio un empleado de una línea aérea a las siguientes personas?*

1. Insistió en que / Ud. poner las etiquetas en las maletas

_____

2. Quería que / María saber el número del vuelo

_____

3. Les aconsejó a todos los pasajeros que / tener lista la tarjeta de embarque

_____

4. Le dijo a Jorge que / abordar el avión a tiempo

_____

5. Te aconsejó que / hacer una reservación

_____

Nombre _____ **Fecha** _____ **Clase** _____

6. Quería que / yo ir a la terminal internacional

_____

7. Insistió en que / los señores Morales pasar por el control de seguridad

_____

_____

B. Discussing Contrary-to-Fact Situations (21 puntos—3 cada una)

Un viaje a Chile. *Utilizando una cláusula con* **si,** *explique bajo qué circunstancias las siguientes personas irían a Chile.*

1. Juana / no tener que estudiar

_____

2. Marta / no trabajar

_____

3. nosotros / conocer a personas en Chile

_____

4. los señores Costa / hablar bien el español

_____

5. tú / tener bastante tiempo

_____

6. yo / ganar más dinero

_____

7. Uds. / estar de vacaciones

_____

C. Explaining When Actions Will Occur (15 puntos—3 cada una)

En el aeropuerto. *Complete las siguientes frases para describir lo que hacen los viajeros.*

1. Los viajeros confirmarán sus reservaciones cuando / tener un vuelo internacional

_____

_____

2. Facturarán el equipaje en cuanto / llegar al aeropuerto

_____

_____

3. Irán a la puerta tan pronto como / pasar por el control de seguridad

_____

_____

4. No perderán el avión a menos que / llegar tarde al aeropuerto

_____

_____

5. Se abrocharán el cinturón de seguridad tan pronto como / sentarse en el avión

_____

_____

V. PERSPECTIVAS (10 puntos—1 cada una)

El transporte en el mundo hispano. *Complete las siguientes oraciones.*

1. El «colectivo» y el «camión» son otros nombres para _____.

2. El AVE es _____ de alta velocidad española que transporta pasajeros

entre _____ y Sevilla.

3. AVIANCA fue la primera línea aérea nacional del país sudamericano llamado _____.

4. Los habitantes de Barcelona, Buenos Aires, Caracas y otras ciudades hispanas pueden utilizar el

sistema de _____ subterráneos llamado _____

para ir de un lugar a otro.

5. En Hispanoamérica la naturaleza dificulta _____. En Sudamérica

_____ forman una barrera natural entre la costa del Pacífico y el interior

del continente.

6. En regiones montañosas la gente depende del transporte _____ porque

es difícil construir vías ferroviarias y _____.

VI. LECTURA

La fuerza de Chile

A través de 4.200 kilómetros, este estrecho país se estira (*stretches*) entre las cumbres (*heights*) de los Andes y el océano Pacífico en la costa sur-occidental de Sudamérica. Es un territorio de contrastes donde se funden (*join*) las más diversas y variadas topografías y climas. En Chile no sólo encontrarán nevados, desiertos, playas y lagos sino también un país rico en historia, cultura, gastronomía, riquezas minerales y, por supuesto, los mejores vinos y frutas. Santiago, la capital, es una gran metrópolis tan sofisticada como cualquier ciudad europea. Hoy en día sirve de sede (*seat*) principal a las actividades comerciales, culturales y financieras del país.

En el mundo de hoy, son muy pocos los países que experimentan la prosperidad económica evidente en Chile. Desde hace algunos años Chile ha disfrutado de una época de afluencia y crecimiento (*growth*). No existe una crisis de deuda exterior. Las inversiones (*investments*) provenientes del exterior proliferan. Las tasas de desempleo son las más bajas en muchos años. Con un futuro prometedor (*promising*) Chile continúa teniendo un movimiento más rápido que ningún otro país sudamericano. Este crecimiento explosivo le ha asegurado a los chilenos un definitivo impacto en la economía mundial.

Para los países y empresas que tienen interés en comerciar con Chile la situación es más que favorable. Las tarifas de importación son bajas; el gobierno apoya el comercio internacional con una política (*policy*) no intervencionista; el sistema financiero es altamente sofisticado y el peso chileno es considerado por muchos como la moneda más estable de Latinoamérica. Además, la industria chilena ofrece una variedad de productos muy ecléctica.

La industria pesquera (*fishing*) chilena se ha convertido en una de las más importantes proveedoras (*providers*) de salmón y pez espada (*swordfish*) a los EE.UU. Los legendarios vinos chilenos son, según los expertos, la mejor adquisición en relación con su precio. La industria textil y de vestido representa uno de los sectores más vitales y dinámicos de la economía chilena. Marcas como Levis, Lee, Wrangler y Liz Claiborne son algunas de las casas de moda que participan en la industria textil chilena.

La industria minera chilena merece una mención separada. Como el principal productor y exportador de cobre (*copper*) en el mundo, Chile es también número uno en la producción y la exportación de nitrato de potasio y nitrato de sodio. Además el suelo chileno es rico en otros minerales incluyendo la plata y el oro.

El turismo es otro sector importante de la economía. Chile cuenta con bellos paisajes (*landscapes*), playas y complejos turísticos de esquí. Pero si se viaja a Chile, con seguridad lo que más le va a sorprender es la gente. Si existe un país en Latinoamérica que se destaca (*stands out*) por la amabilidad, el calor, la belleza y la educación de la gente, sin duda alguna es Chile. No hay que pensarlo dos veces, ayer, hoy y en el futuro, los chilenos siempre serán los perfectos anfitriones.

Adaptado de *Miami Mensual*

A. Comprensión (10 puntos—2 cada una)

Provea (Provide) información del artículo para explicar las siguientes oraciones.

1. Chile es un territorio de contrastes en la topografía y el clima. _____

_____

_____

2. Hay muy pocos países que experimentan la prosperidad económica evidente en Chile. _____

_____

_____

3. La situación para comerciar con Chile es favorable. _____

_____

_____

4. La industria chilena ofrece una variedad de productos. _____

_____

_____

5. El turismo es otro importante sector de la economía. _____

_____

_____

B. Análisis (5 puntos)

Conteste en español. ¿Qué evidencia hay en el artículo de que Chile es una fuerza en la economía mundial?

_____

_____

_____

_____

_____

Nombre _____ **Fecha** _____ **Clase** _____

VII. COMPOSICIÓN (20 puntos)

El viaje de mis sueños. _La agencia de viajes «Buenviaje» les ofrece un concurso a todos sus clientes. El premio es fantástico —el viaje de sus sueños. Para participar en el concurso Ud. tiene que escribir una composición describiendo el viaje ideal y qué haría si Ud. ganara el premio. ¡Buena suerte!_

_____

_____

_____

_____

_____

_____

_____

_____

_____

_____

_____

_____

_____

_____

_____

_____

_____

_____

_____

_____

_____

_____

Capítulo 11
Examen B

I. COMPRENSIÓN ORAL (24 puntos—3 cada una)

En el hotel. *Escuche la siguiente conversación entre una pareja en un hotel en Chile. Luego complete el gráfico con información sobre el hotel y la habitación.*

> **A. Categoría del hotel**
>
>   1. _____
>
> **B. Características de la habitación**
>
>   2. _____
>
>   3. _____
>
>   4. _____
>
>   5. _____
>
>   6. _____
>
>   7. _____
>
> **C. Precio por noche**
>
>   8. _____

II. VOCABULARIO (8 puntos—1 cada una)

¡Buen viaje! *Complete las siguientes frases con palabras apropiadas.*

1. Si una persona quiere volar desde Los Ángeles a Lima y volver a Los Ángeles necesita comprar

   _____.

2. Cada maleta debe tener _____ que tiene la identidad del pasajero.

3. Si Ud. llega tarde al aeropuerto, va a _____ el avión.

4. Antes de abordar el avión hay que conseguir _____.

5. _____ ayuda a los pasajeros a bordo del avión.

6. Un vuelo directo no hace _____.

7. Si el vuelo es un vuelo internacional los pasajeros deben pasar por _____
al desembarcar.

8. Allí _____ hace una inspección del equipaje.

III. ASÍ SE HABLA (16 puntos—4 cada una)

En el hotel. *¿Qué diría Ud. en las siguientes situaciones?*

1. Ud. va al hotel y necesita una habitación.

_____

2. Ud. quiere saber cómo puede pagar.

_____

3. Ud. tiene mucho equipaje y necesita ayuda.

_____

4. Ud. llega a la habitación y tiene muchos problemas con el teléfono, la calefacción, el agua, etc.
Ud. llama a la recepcionista.

_____

IV. ESTRUCTURAS

A. Describing Past Wants, Advice, and Doubts (21 puntos—3 cada una)

En el aeropuerto. *¿Qué consejos les dio un empleado de una línea aérea a las siguientes personas?*

1. Insistió en que / Ud. abordar el avión a tiempo

_____

2. Quería que / María facturar todo el equipaje

_____

3. Les aconsejó a todos los pasajeros que / averiguar la hora del vuelo

_____

4. Le dijo a Jorge que / tener la tarjeta de embarque

_____

5. Te aconsejó que / hacer una reservación

_____

Nombre _____ **Fecha** _____ **Clase** _____

6. Quería que / yo confirmar la reservación

_____

7. Insistió en que / los señores Morales llegar al aeropuerto temprano

_____

B. Discussing Contrary-to-Fact Situations (21 puntos—3 cada una)

Un viaje a Chile. *Utilizando una cláusula con* **si**, *explique bajo qué circunstancias las siguientes personas irían a Chile.*

1. Tomás / ganar más dinero

_____

2. los señores Ponce / estar de vacaciones

_____

3. Ud. / tener más tiempo

_____

4. María / hablar bien el español

_____

5. nosotros / no tener que trabajar

_____

6. yo / no preocuparme por los estudios

_____

7. tú / conocer a alguien en Santiago

_____

C. Explaining When Actions Will Occur (15 puntos—3 cada una)

En el hotel. *Complete las siguientes frases para describir lo que hacen los viajeros.*

1. Los viajeros harán unas reservaciones tan pronto como / saber las fechas de su viaje

_____

_____

2. Llenarán la tarjeta de recepción en cuanto / llegar al hotel

_____

_____

3. Llamarán al servicio de habitación cuando / querer pedir algo

_____

_____

4. Pedirán el servicio de lavandería tan pronto como / tener ropa sucia

_____

_____

5. Necesitarán la ayuda del botones cuando / desocupar la habitación

_____

_____

V. PERSPECTIVAS (10 puntos—1 cada una)

El transporte en el mundo hispano. *Complete las siguientes oraciones.*

1. La «guagua» y el «colectivo» son otros nombres para _____ .

2. En Bolivia hay más _____ que estaciones de tren.

3. A veces los autobuses interurbanos tienen _____ y servicio de

   _____ .

4. Los habitantes de Barcelona, Buenos Aires, Caracas y otras ciudades hispanas pueden utilizar el

   sistema de _____ subterráneos llamado _____

   para ir de un lugar a otro.

5. En Hispanoamérica la naturaleza dificulta _____ . En Sudamérica

   _____ forman una barrera natural entre la costa del Pacífico y el

   interior del continente.

6. En regiones montañosas la gente depende del transporte _____ porque

   es difícil construir vías ferroviarias y _____ .

Nombre _____ **Fecha** _____ **Clase** _____

VI. LECTURA

Vocabulario: **el crucero** = *cruise; cruise ship*

Cruceros… Aventura y diversión

El encanto de tomar un crucero combina el sentido de aventura con una incomparable mezcla de *relax,* turismo, diversión ¡y maravillosas comidas! No hay duda de que un crucero son unas vacaciones completísimas y muy de moda; y es por ello que la industria turística internacional cada día ofrece más opciones de los mismos.

Como regla general —con la excepción de excursiones en tierra cuando se llega a cada puerto, las propinas *(tips)* al final del viaje y bebidas alcohólicas opcionales— todos los gastos están incluidos en el precio global del crucero, lo que facilita calcular su presupuesto *(budget)*. Además, si reservamos con antelación, los precios de los cruceros tienen un descuento muy sustancial y su agente de viajes puede informarle de todos los detalles.

Las compañías de prestigio de Royal Caribbean, Carnival y Celebrity Cruises son los reyes de los cruceros en el mar Caribe, los que siguen siendo los más populares, pues son accesibles a todos los presupuestos y flexibles en cuestión de itinerarios y fechas. Royal Caribbean tiene barcos con todas las comodidades posibles, incluyendo camarotes *(habitaciones grandes)* muy amplios y cómodos (aun los más económicos), una bella piscina con un *solarium* cubierto, modernísimo gimnasio de dos pisos y un divino teatro al estilo de los musicales de Broadway. Sus viajes de siete días al Caribe salen de Miami e incluyen paradas en el puerto de Labadee en Haití, San Juan de Puerto Rico, la isla de St. Thomas, en las Islas Vírgenes, y las Bahamas.

También hay cruceros especializados. Windstar Cruises ofrece cruceros en barcos de vela para un máximo de 150 pasajeros, muy chic por el Mediterráneo y las Islas Griegas. Los cruceros temáticos dedican parte de su viaje a ofrecer a sus viajeros un «tema» a explorar. Así hay cruceros culinarios en los cuales incluso hay lecciones de cocina ofrecidas por cocineros famosos, cruceros dedicados al cine y al teatro, cruceros históricos, cruceros de música clásica, cruceros de compras que visitan los puertos de compras sin impuestos del Caribe, cruceros para los amantes de los vinos y cruceros para los amantes de los deportes.

Muchas compañías de barcos ofrecen viajes que dan la vuelta al mundo, igual que recorridos de larga duración, que pueden tomarse en su totalidad o en segmentos cortos entre puerto y puerto. Un ejemplo entre muchos es Celebrity Cruises, que ofrece en el Meridian un viaje de 57 días a Suramérica que parte de Ft. Lauderdale (Florida) haciendo escalas en Cartagena, el Canal de Panamá, Callao, Arica, Valparaíso, Puerto Montt, cruzando el estrecho de Magallanes rumbo a Punta Arenas, la Tierra del Fuego y más tarde Montevideo, Río de Janeiro, Bahía, Recife, la famosa Isla del Diablo, el río Orinoco, Trinidad, Barbados, Martinica y regreso a Ft. Lauderdale.

La prestigiosa compañía Abercrombie & Kent ofrece viajes exóticos si está buscando un crucero diferente. La compañía ofrece expediciones a la Antártida, cruceros por el río Amazonas y otro que explora los «fiordos» de Chile.

Como es imposible hacer una relación completa de los cientos de cruceros disponibles, sería aconsejable que visitara a un agente de viajes y comenzara a leer folletos para escoger el crucero ideal para usted.

Adaptado de *Vanidades*

A. **Comprensión** (11 puntos—1 cada una)

Nombre las cosas explicadas o descritas en las siguientes frases.

1. tres cosas no incluidas en el precio global de un crucero

_____

_____

_____

2. la ventaja de reservar un crucero con mucha antelación

_____

3. los cruceros más populares

_____

4. la compañía con barcos con todas las comodidades posibles

_____

5. dos cruceros exóticos o diferentes

_____

_____

6. tres escalas en ciudades de habla española en el crucero Meridian

_____

_____

_____

B. **Análisis** (4 puntos)

Conteste en español. ¿Qué evidencia hay en el artículo que confirma que la industria turística internacional cada día ofrece más opciones de cruceros?

_____

_____

_____

_____

_____

Nombre _____ **Fecha** _____ **Clase** _____

VII. COMPOSICIÓN (20 puntos)

Las vacaciones de primavera. _Ud. está tratando de planear un viaje para un grupo de sus amigos durante las vacaciones de primavera pero algunos de sus amigos prefieren quedarse en la universidad y estudiar. Ud. tiene que convencerles que viajen. Escríbales por correo electrónico describiendo el viaje y explicándoles adónde irían, cómo viajarían y lo que harían si viajaran con Ud. Incluya detalles sobre el hotel y las actividades._

_____

_____

_____

_____

_____

_____

_____

_____

_____

_____

_____

_____

_____

_____

_____

_____

_____

_____

_____

Capítulo 12
Examen A

I. COMPRENSIÓN ORAL (24 puntos—3 cada una)

El partido de fútbol. *Escuche los dos siguientes diálogos cortos. Después, decida si las oraciones son ciertas o falsas. Marque con un círculo C (Cierto) o F (Falso).*

C   F   **1.** José se fracturó la mano.

C   F   **2.** José dice que él será más cuidadoso en el futuro.

C   F   **3.** Doña Leo cree que José podrá jugar al fútbol pronto.

C   F   **4.** José está contento porque podrá descansar un tiempo.

C   F   **5.** La mujer cree que el hombre tomó dos aspirinas esta mañana.

C   F   **6.** La mujer cree que el hombre no podrá ir al partido de fútbol al día siguiente.

C   F   **7.** El hombre tiene una fiebre muy alta y mucha tos.

C   F   **8.** El hombre está contento de que la mujer se preocupe por él.

II. VOCABULARIO (9 puntos—3 cada una)

Los deportes. *¿Qué deportes puede Ud. practicar en los siguientes lugares? Mencione tres deportes para cada lugar y no repita ninguna respuesta.*

1. en el campo deportivo: _____

_____

2. en el estadio: _____

_____

3. en el gimnasio: _____

_____

III. ASÍ SE HABLA (16 puntos—4 cada una)

¿Cómo te expresas? *¿Qué diría Ud. en las siguientes situaciones?*

1. Ud. quiere saber si el partido de fútbol fue bueno o no.

   _____

2. Su amigo le dice que su equipo favorito perdió.

   _____

3. Ud. dice que tiene esperanza de que su equipo gane el próximo partido.

   _____

4. Ud. hace un comentario negativo sobre el resultado del partido.

   _____

IV. ESTRUCTURAS

A. Explaining What You Would Have Done (21 puntos—3 cada una)

Con más tiempo. *Explique lo que habrían hecho las siguientes personas con más tiempo.*

1. Tomás y Miguel / ir al gimnasio cada día

   _____

2. nosotros / ver más partidos

   _____

3. tú / practicar más deportes

   _____

4. Beatriz / asistir al campeonato

   _____

5. Ud. / hacer ejercicios aeróbicos

   _____

6. Uds. / mantenerse en forma

   _____

7. yo / aprender a jugar al tenis

   _____

Nombre _____ **Fecha** _____ **Clase** _____

B. Discussing What You Hoped Would Have Happened (21 puntos—3 cada una)

¡Perdimos el campeonato! *Explique lo que era necesario que las siguientes personas hubieran hecho antes de llegar a los partidos finales.*

1. yo / mantenerme en forma

_____

2. el equipo / querer ganar

_____

3. los jugadores / practicar más

_____

4. tú / entrenarte más

_____

5. todos / escuchar al entrenador

_____

6. Uds. / correr cada día

_____

7. el entrenador / ser más estricto

_____

C. Discussing Unexpected Events (14 puntos—2 cada una)

¡Qué mala suerte! *Explique lo que les pasó a las siguientes personas. Use un pronombre reflexivo en sus respuestas.*

1. Jorge / acabar / las píldoras

_____

2. yo / olvidar / la cita con el médico

_____

3. Uds. / perder / la receta

_____

4. tú / romper / las botellas

_____

5. la señora Puente / caer / las gafas

_____

6. nosotros / ocurrirse / una idea

_____

7. el atleta / romper / el dedo

_____

V. PERSPECTIVAS (10 puntos—2 cada una)

En la farmacia. *Conteste en español las siguientes preguntas.*

1. ¿Por qué es importante el farmacéutico?

_____

_____

2. ¿Qué remedios se puede adquirir en una farmacia hispana?

_____

_____

3. ¿Qué quiere decir que una «farmacia está de turno»?

_____

_____

4. ¿Dónde puede Ud. conseguir información acerca de las farmacias de turno?

_____

_____

5. Nombre una diferencia entre las farmacias hispanas y las farmacias de los Estados Unidos.

_____

_____

Nombre _____ **Fecha** _____ **Clase** _____

VI. LECTURA

La magia de Evita

Siempre se ha dicho que la mujer de un alto dignatario tiene al menos tanta influencia en la vida política de su país como su esposo. En algunos casos esta afirmación podría ser una exageración, pero en el caso de Eva Duarte de Perón no se puede dudar. Todos los momentos históricos importantes de la presidencia de Juan Domingo Perón están salpicados (*sprinkled*) de la presencia y personalidad de Eva Duarte —Evita, como ha sido inmortalizada por la historia.

Eva Duarte nació en Los Toldos, Argentina, en 1919. Hija natural (*illegitimate*) de un estanciero (*landowner*) de la provincia de Buenos Aires, a los quince años se trasladó (*she moved*) a la capital para dedicarse a la actividad teatral. Después de pasar algunos años de dificultades logró (*she attained*) por fin un cierto nombre en el mundo del teatro más por su belleza que por su talento.

El primer encuentro de Eva Duarte con el coronel Juan Domingo Perón, en 1944, cambió totalmente su vida. Se casaron en el otoño de 1945 y unos meses más tarde ella se convirtió en la primera dama de la Argentina. A partir de ese momento adquirió (*acquired*) un poder creciente, y cumplió (*fulfilled*) sus compromisos (*promises*) de asistencia social con los sectores más pobres de la población. Los centros sociales que se crearon durante los primeros años del gobierno de Perón tuvieron en Evita un personaje capaz de llevar a buen fin, y con energía, las empresas (*works*) más difíciles. Ella ayudó a crear las miles de escuelas públicas, centros de salud públicos, hogares (*homes*) para ancianos y centros vacacionales para los obreros.

El poder de Evita llegó a ser tan grande como el de Perón: manejaba (*she directed*) ministros, legisladores, gobernadores y hombres de negocios. Era la propia voluntad (*will*) popular la que le otorgaba tal poder.

Amada y odiada por igual, Eva Duarte murió de cáncer el 26 de junio de 1952. Su velatorio (*mourning period*) duró un mes. Después de su muerte, el régimen peronista entró en crisis y fue derrocado (*overthrown*) por un golpe militar en 1955.

Adaptado de *Miami Mensual*

A. Comprensión (10 puntos—1 cada una)

Complete las oraciones siguientes para narrar la biografía de Evita.

Nació en _____ en 1919. Fue _____ de un estanciero. A los

quince años se fue a Buenos Aires para trabajar en el _____. En 1944 conoció a

_____. Este hombre fue elegido _____ de la Argentina y

Evita se convirtió en _____. Cumplió sus compromisos de asistencia social para los

pobres y ayudó a crear _____. También manejaba _____. El 26

de junio de 1952 Evita _____ y el gobierno de su esposo _____.

B. Análisis (5 puntos)

Conteste en español. ¿Qué evidencia hay en el artículo de que Eva Duarte de Perón tuvo tanta influencia como su esposo?

_____

_____

_____

_____

_____

VII. COMPOSICIÓN (20 puntos)

¡Que se mejore! *Acaba de oír que un(-a) amigo(-a) suyo(-a) está en el hospital después de tener un accidente con su bicicleta. Escríbale expresando su conmiseración y dándole ánimo.*

_____

_____

_____

_____

_____

_____

_____

_____

_____

_____

_____

_____

_____

_____

_____

_____

Capítulo 12

Examen B

I. COMPRENSIÓN ORAL (24 puntos—4 cada una)

El fútbol. *Escuche la siguiente conversación entre un médico y un paciente. Luego, decida si las oraciones son ciertas o falsas. Marque con un círculo C (Cierto) o F (Falso).*

C   F   **1.** Omar se rompió la rodilla jugando al fútbol.

C   F   **2.** El doctor piensa que Omar va a estar enyesado seis meses.

C   F   **3.** Si Omar hubiera tenido más cuidado, no le habría pasado nada.

C   F   **4.** El médico le va a poner una inyección a Omar para calmarle el dolor.

C   F   **5.** El doctor es muy amable con Omar.

C   F   **6.** Omar está de muy mal humor porque tiene mucho dolor.

II. VOCABULARIO (9 puntos—3 cada una)

Los deportes. *¿Qué deportes puede Ud. practicar en los siguientes lugares? Mencione tres deportes para cada lugar y no repita ninguna respuesta.*

1. en el estadio: _____

_____

2. en el gimnasio: _____

_____

3. en el campo deportivo: _____

_____

III. ASÍ SE HABLA (16 puntos—4 cada una)

¿Cómo te expresas? *¿Qué diría Ud. en las siguientes situaciones?*

1. Su mejor amiga se va de vacaciones la próxima semana.

_____

2. Su compañero le dice que su tío ha muerto.

_____

3. Una amiga suya está muy enferma.

_____

4. Es el 31 de diciembre y Ud. saluda a unos amigos suyos.

_____

IV. ESTRUCTURAS

A. Explaining What You Would Have Done (21 puntos—3 cada una)

Con más tiempo. *Explique lo que habrían hecho las siguientes personas con más tiempo.*

1. yo / hacer ejercicios todos los días

_____

2. Paco / aprender a jugar al golf

_____

3. Ud. / practicar más

_____

4. Carmen / mantenerse en forma

_____

5. tú / ir al gimnasio más

_____

6. Uds. / ver más partidos

_____

7. nosotros / jugar en el campeonato

_____

B. Discussing What You Hoped Would Have Happened (21 puntos—3 cada una)

¡Perdimos el campeonato! *Explique lo que era necesario que las siguientes personas hubieran hecho antes de llegar a los partidos finales.*

1. el equipo / ponerse en forma

_____

2. yo / correr cada día

_____

3. los jugadores / entrenarse bastante

_____

4. nosotros / hacer ejercicios

_____

5. todos / querer ganar

_____

6. el entrenador / resolver el problema con los uniformes

_____

7. tú / escuchar al entrenador

_____

C. Discussing Unexpected Events (14 puntos—2 cada una)

¡Qué mala suerte! *Explique qué cosas inesperadas les pasó a las siguientes personas.*

1. el jugador / romper / la pierna

_____

2. yo / ocurrirse / una idea

_____

3. Paco / caer / las botellas

_____

4. nosotros / perder / el dinero

_____

5. tú / olvidar / los números

_____

6. el señor Ochoa / acabar / la gasolina

_____

7. María / romper / las gafas

_____

V. PERSPECTIVAS (10 puntos—2 cada una)

En la farmacia. *Conteste en español las siguientes preguntas.*

1. ¿Qué productos se puede adquirir en una farmacia hispana?

_____

_____

2. ¿Qué productos se puede adquirir en una farmacia hispana que no se puede adquirir en una farmacia norteamericana?

_____

_____

3. ¿Cuál es el horario de las farmacias durante la semana? ¿Y durante el fin de semana?

_____

_____

4. ¿Dónde se puede conseguir información acerca de los horarios de las farmacias?

_____

_____

5. ¿Qué es un farmacéutico y cuál es su importancia?

_____

_____

Nombre _____ **Fecha** _____ **Clase** _____

VI. LECTURA

Vocabulario: el desencanto = *disenchantment*

La ilusión y el desencanto de la Argentina

Según unos economistas, la Argentina vive ciclos sucesivos de ilusión y desencanto. Cuando el presidente argentino Carlos Menem ocupó su cargo (*puesto*) en 1989, la inflación se encontraba desenfrenada (*uncontrolled*), corriendo al espantoso (*appalling*) ritmo de 200 por ciento al mes. El país, que tanta riqueza y cultura tiene y al cual tan mal le ha ido, anticipaba que bajo Menem el problema financiero continuaría a similar nivel o empeoraría.

Pero durante el transcurso (*passing*) de los años un milagro (*miracle*) ocurrió. Las cifras inflacionarias bajaron a tan sólo el 1,5 por ciento, el peso argentino continuó manteniéndose estable y el gobierno se tropezó con (*runs across*) exceso de dinero en vez de continuos déficits.

Los expertos han llamado a todo esto una verdadera revolución capitalista. La Argentina ha logrado (*accomplished*) en tan sólo tres años lo que otras naciones latinoamericanas batallaron largos años por lograr y muchas no han logrado todavía.

Simultáneamente, la democracia aparenta estar floreciendo (*flowering*). Esto no significa que el país ha resuelto todos los problemas. Los inversionistas (*investors*) extranjeros continúan notables por su ausencia, las reyertas (*quarrels*) sociales abundan y la corrupción continúa. En efecto, dicen los expertos, lo que la Argentina ha logrado hacer es frenar (*brake*) la precaria situación financiera que tanto le afectó a través de los 80. Ahora, dicen todos, la nación tiene que reparar los daños (*damage*) y mantener el nuevo enfoque (*focus*).

No fue hasta que Menem encontró a su cuarto ministro de economía, Domingo Cavallo, que el Presidente pudo comenzar con su nueva trayectoria. Cavallo, con estudios de economía en Harvard, revolucionó el país con sus ideas. La principal de éstas fue la convertibilidad del peso argentino. Antes la vida era tan cara que el más sencillo viaje por taxi costaba cientos de miles de australes (la antigua moneda argentina). Un poco después el peso argentino (Cavallo le cambió el nombre) se encontró a la par con el dólar. Esto inmediatamente estimuló la economía y la confianza del público creció.

Así al final de la presidencia de Menem, el país disfrutaba su mejor oportunidad de finalmente alcanzar (*reach*) lo que a través de las largas décadas ha prometido alcanzar: convertirse en una de las principales naciones del mundo. Pero, desgraciadamente mientras los pasados años 90 fueron tiempos de ilusión, el nuevo milenio encontró desencantados (*disenchanted*) a los argentinos. Otra vez hay una crisis económica y una falta de esperanza. La ilusión de los 90 es sólo historia.

Adaptado de *Miami Mensual*

A. Comprensión (10 puntos—2 cada una)

Provea (Provide) información del artículo para explicar las siguientes oraciones.

1. La Argentina anticipaba que bajo Menem los problemas financieros continuarían.

_____

_____

2. Un milagro ocurrió durante los primeros años de la presidencia de Menem.

_____

_____

3. La Argentina no ha resuelto todos sus problemas.

_____

_____

4. La nación tiene que continuar con el nuevo enfoque.

_____

_____

5. Domingo Cavallo revolucionó el país con sus ideas.

_____

_____

B. Análisis (5 puntos)

Conteste en español. ¿Qué evidencia hay en el artículo que había un renacimiento en la Argentina?

_____

_____

_____

_____

_____

_____

_____

Nombre _____ **Fecha** _____ **Clase** _____

VII. COMPOSICIÓN (20 puntos)

Un desastre. *Su amigo es el jugador más importante del equipo universitario de fútbol. Desgraciadamente, estaba herido y no pudo jugar ni asistir al partido del sábado. Escríbale un mensaje por correo electrónico describiéndole ese partido. Explíquele cómo habría salido el partido si él hubiera jugado. Exprese su conmiseración y déle ánimo.*

_____

_____

_____

_____

_____

_____

_____

_____

_____

_____

_____

_____

_____

_____

_____

_____

_____

_____

Examen final A

I. COMPRENSIÓN ORAL (40 puntos—5 cada una)

En la oficina. *Escuche la siguiente conversación y luego complete el gráfico.*

1. Situación económica de la compañía: _____
   _____

2. Obligación inmediata de la compañía: _____
   _____

3. Problema de la compañía para cumplir con esta obligación: _____
   _____

Sugerencias del consejero financiero:

4. _____

5. _____

6. _____

7. Reacción del empresario: _____

8. Fecha de la próxima reunión entre el empresario y el asesor financiero: _____

II. VOCABULARIO (20 puntos—5 cada una)

Buscando trabajo. *¿Qué puede Ud. hacer cuando busca trabajo?*

1. dos maneras de informarse de las posibilidades de empleo: _____
   _____
   _____

2. tres aptitudes personales: _____
   _____
   _____

3. dos cosas que se hace antes de solicitar un puesto: _____

_____

_____

4. tres cosas sobre las cuales no se debe hablar al principio de una entrevista: _____

_____

_____

III. ASÍ SE HABLA (45 puntos—9 cada una)

¿Cómo respondería Ud.? *¿Qué diría Ud. en las siguientes situaciones?*

1. Ud. tiene una idea para solucionar el problema financiero de la compañía donde Ud. trabaja: hacer un reajuste de salarios. Luego, pida la opinión de sus compañeros.

Ud. dice: _____

_____

_____

2. Uno de sus compañeros de trabajo no entiende lo que Ud. dice.

Él dice: _____

_____

_____

3. Ud. quiere hacer una cita con el Dr. González y llama por teléfono a su oficina.

Ud. dice: _____

_____

_____

4. El Dr. González no se encuentra. La secretaria le dice a qué hora él va a regresar y le pregunta si quiere dejar algún mensaje.

Ella dice: _____

_____

_____

Nombre _____ **Fecha** _____ **Clase** _____

5. Ud. dice su nombre y dice que quiere que él lo (la) llame a su casa al día siguiente.

Ud. dice: _____

_____

_____

IV. ESTRUCTURAS

A. Discussing Present Activities (21 puntos—3 cada una)

El nuevo empleo. *Complete la siguiente conversación con la forma apropiada de los verbos según el caso. Use el presente del indicativo o el presente del subjuntivo.*

—Ojalá que Ud. (estar) _____ contenta trabajando con nosotros aquí

en la Empresa Internacional. (Hacer) _____ mucho tiempo que buscamos

una secretaria que (tener) _____ su experiencia. Yo sé que (ser)

_____ difícil dejar un empleo y empezar otro inmediatamente, pero me

alegro de que Ud. (poder) _____ empezar tan pronto.

—Sí, quiero empezar a trabajar tan pronto como (poder) _____. Estoy segura de

que me (ir) _____ a gustar este empleo.

B. Discussing Past Experiences (39 puntos—3 cada una)

El último empleo. *Complete el siguiente párrafo con la forma apropiada de los verbos según el caso. Use el pretérito o el imperfecto.*

Recuerdo el primer día en mi último empleo. (Ser) _____ un desastre. Como yo no

(tener) _____ mucha experiencia no (saber) _____ la rutina de

la oficina. Pronto yo (saber) _____ lo que (tener) _____ que

hacer. Yo (trabajar) _____ para una compañía pequeña; por eso, yo (hacer)

_____ muchas cosas. Yo (tener) _____ que hacer el trabajo de

recepcionista, oficinista y vendedor. También (reparar) _____ las máquinas de la

oficina. Si yo no las (arreglar) _____, nosotros no (poder) _____ seguir trabajando. Cuando yo (saber) _____ que había posibilidad de conseguir un

nuevo empleo y dejar esa compañía, yo (estar) _____ muy contento. ¡No sé qué

habría hecho si yo hubiera tenido que continuar trabajando en esa compañía!

C. Discussing Future Activities (18 puntos—3 cada una)

El año 2025. *Escriba seis frases describiendo un empleo típico en el año 2025. Incluya detalles sobre las responsabilidades y los beneficios. Use su imaginación.*

_____

_____

_____

_____

_____

_____

_____

_____

D. Avoiding Repetition of Previously Mentioned People and Things
(12 puntos—2 cada una)

En la oficina. *El oficinista está muy ocupado hoy. Usando pronombres de complemento directo e indirecto explique a quién o a quiénes él lleva las siguientes cosas.*

1. a los jefes / los informes

_____

2. a nosotros / el software

_____

3. a la secretaria / las grapas

_____

4. a ti / el disco

_____

5. a mí / las carpetas

_____

Nombre _____ **Fecha** _____ **Clase** _____

6. a Ud. / la calculadora

_____

E. Telling Others What to Do (20 puntos—2 cada una)

Consejos. *Explique lo que las siguientes personas deben o no deben hacer. Use los mandatos según las indicaciones.*

1. Ud. / no despedir al contador

_____

2. Ud. / archivar los documentos

_____

3. Uds. / conseguir más pedidos

_____

4. Uds. / no hacer llamadas personales

_____

5. tú / no hacer ruido

_____

6. tú / ser cuidadoso

_____

7. tú / encargarse de las ventas

_____

8. nosotros / resolver el problema

_____

9. nosotros / ofrecer nuestros servicios al gobierno

_____

10. nosotros / no cumplir los pedidos

_____

V. PERSPECTIVAS (15 puntos—3 cada una)

Trabajar en el extranjero. *Si Ud. trabajara en una oficina de un país hispano, ¿cómo cambiaría su vida? Conteste las siguientes preguntas.*

1. ¿Cómo sería su nombre completo?

    _____

    _____

2. ¿Cuál sería su horario?

    _____

    _____

3. ¿Qué comería a la hora del almuerzo? ¿Y en la cena?

    _____

    _____

4. En la oficina, ¿cómo se dirigiría a su jefe? Dé un ejemplo.

    _____

    _____

    Y, ¿cómo se dirigiría a sus compañeros de trabajo? Dé un ejemplo.

    _____

    _____

5. ¿Adónde iría de vacaciones en el verano y qué haría?

    _____

    _____

    _____

    _____

Nombre _____ Fecha _____ Clase _____

VI. LECTURA

Nota: la UE = la Unión Europea. *El autor de este artículo es un ejecutivo de una empresa ubicada en Miami, Florida.*

España: Nuestro amigo en Europa

La unidad de Europa parecía un sueño cuando en 1953 seis naciones desarrollaron *(developed)* el primer acuerdo *(agreement)* comercial para crear la UE. Pero esta unidad europea es una realidad a partir de 1992. Países con diferentes lenguas, costumbres, culturas, sistemas legales y problemas de antipatías históricas, están trabajando conjuntamente a fin de completar un proyecto tan ambicioso como desarrollar el mayor mercado consumidor en el mundo.

Europa con su mercado de 320 millones de consumidores, tiene casi el tamaño *(size)* de los EE.UU. y Japón conjuntamente y goza de un tremendo potencial de crecimiento *(growth)*.

Las compañías estadounidenses, que no se caracterizan por su timidez a la hora de atacar nuevos mercados y defender los existentes, invirtieron *(invested)* muchísimo en nuevas fábricas y equipos en la UE. España está siendo beneficiada. Ford ha destinado 68 millones de dólares para una fábrica de repuestos *(parts)* en Cádiz, ATT está poniendo 200 millones en una fábrica de microchips en los alrededores de Madrid y General Electric está invirtiendo *(investing)* 1.700 millones para fabricar plásticos cerca de Cartagena. Factores a favor de España son un nivel inferior de salarios-beneficios en relación con sus vecinos europeos y una mayor flexibilidad en las condiciones laborales.

España puede significar para las compañías hispanas de América un eficaz *(efficient)* punto de introducción y una plataforma de distribución de sus productos en Europa. Aparte de una mayor facilidad de comunicación idiomática y cultural a la hora de establecer relaciones personales, existe también una mayor comunicación comercial y una misma mentalidad al enfocar *(approaching)* las relaciones con clientes proveedores *(suppliers)*.

Si las compañías americanas ya han tomado la iniciativa en Europa, las empresas latinoamericanas con intereses en el mercado europeo no pueden permanecer *(to remain)* ajenas a los cambios europeos. España se puede revelar como un importante aliado (amigo) a la hora de buscar soluciones para la renegociación de la deuda *(debt)* externa o servir de portavoz *(spokesperson)* para los intereses de los países de América Latina en Europa y facilitar la apertura *(opening)* de mercados y vías *(ways)* de colaboración.

España tradicionalmente ofrece una mayor receptividad por parte de sus consumidores a los productos de países hispanos, lo que puede facilitar su utilización como mercado de prueba *(test market)* de nuevos productos que se quieran introducir en Europa.

Europa está consolidándose como un gran bloque comercial y ofreciéndose como un excitante mercado lleno de posibilidades y recompensas *(rewards)* para los que deseen servirlo. Éste es un gran reto *(challenge)* de expansión para las compañías hispanas; pero el viaje es siempre más llevadero *(tolerable)* cuando sentimos que tenemos en Europa un amigo llamado España.

Adaptado de *Miami Mensual*

A. Comprensión (20 puntos—4 cada una)

Corrija las oraciones falsas sustituyendo información correcta del artículo.

1. Los países de Europa no tienen que hacer cambios para formar la UE.

_____

_____

_____

2. La UE no representa un mercado importante.

_____

_____

_____

3. Las compañías americanas no toman la iniciativa en la Europa unida.

_____

_____

_____

4. España recibe beneficios de las compañías estadounidenses en su defensa de mercados europeos.

_____

_____

_____

5. España no puede ayudar a los países latinoamericanos.

_____

_____

_____

Nombre _____ **Fecha** _____ **Clase** _____

B. Análisis (10 puntos)

Conteste en español. ¿Qué evidencia hay en el artículo que España puede ser un amigo en Europa para las empresas latinoamericanas?

_____

_____

_____

_____

_____

_____

_____

_____

_____

_____

_____

VII. COMPOSICIÓN (40 puntos)

Mi primer empleo. *Describa su primer empleo. Incluya detalles sobre las responsabilidades, las condiciones de trabajo y los beneficios. Explique por qué le gustó o no le gustó ese trabajo.*

_____

_____

_____

_____

_____

_____

_____

_____

_____

_____

_____

_____

_____

_____

_____

_____

_____

_____

_____

_____

_____

_____

_____

_____

Examen final B

I. COMPRENSIÓN ORAL (45 puntos—5 cada una)

En busca de trabajo. *Escuche la siguiente conversación telefónica acerca de un puesto. Luego complete el gráfico con información sobre el puesto.*

1. Nombre de la compañía

   _____

2. Motivo de la llamada

   _____

3. Nombre de la persona que llama

   _____

4. Nombre de la persona con quien quiere hablar

   _____

5. Puesto anunciado

   _____

6. Habilidades deseadas

   _____

7. Habilidades del aspirante

   _____

8. Lo que debe hacer el aspirante

   _____

9. Dirección de la compañía

   _____

II. VOCABULARIO (20 puntos—2 cada una)

Buscando trabajo. *Complete la siguiente narración con las palabras apropiadas.*

Una manera de informarse de las posibilidades de empleo es leer los _____. Después

de encontrar algunas posibilidades debe _____ de qué piden para los puestos.

¿Cuáles son las aptitudes personales que requieren del aspirante? Es necesario que Ud. haga una

evaluación honesta de lo que Ud. puede ofrecer. Luego, tiene que llamar al _____

de la compañía para pedir una _____ y una _____. Lleve a la

entrevista su _____ y las _____.

   Al principio de la entrevista no hable de los _____ ni del

_____. Espere hasta que le ofrezca el puesto. Si le ofrece el puesto, Ud. debe

_____ pronto.

III. ASÍ SE HABLA (40 puntos—5 cada una)

¿Qué dirían Uds.? *Escriba los diálogos que corresponderían a las siguientes situaciones.*

  1. Ud. quiere invitar a una amiga a su fiesta de cumpleaños.

   Ud. dice: _____

   _____

   Su amiga no puede ir.

   Ella dice: _____

   _____

  2. Ud. está en un restaurante hispano pero no sabe qué pedir. Ud. le pide ayuda al camarero.

   Ud. dice: _____

   _____

   El camarero le hace una sugerencia.

   Él dice: _____

   _____

  3. Ud. está perdido(-a) en Caracas y quiere saber cómo llegar a su hotel.

Ud. dice: _____

_____

Una señora le dice que tiene que caminar dos cuadras y tomar el metro.

Ella dice: _____

_____

4. Ud. quiere hablar por teléfono con el Sr. Rojas que trabaja en Quiroga y Compañía.

Ud. dice: _____

_____

La secretaria le dice que el Sr. Rojas está hablando por teléfono con otra persona.

Ella dice: _____

_____

IV. ESTRUCTURAS

A. Discussing Present Activities (21 puntos—3 cada una)

El nuevo empleo. *Complete el siguiente párrafo con la forma apropiada de los verbos según el caso. Use el presente del indicativo o el presente del subjuntivo.*

Esperamos que el señor Caja (estar) _____ contento aquí con nosotros. (Hacer)

_____ mucho tiempo que buscamos un gerente que (tener) _____

su experiencia. No hay duda de que (ser) _____ difícil dejar un empleo y empezar

otro inmediatamente, pero es magnífico que él (poder) _____ empezar tan pronto.

Me dijo que él quiere empezar a trabajar tan pronto como él (poder) _____ . Él está

seguro de que le (ir) _____ a gustar este empleo.

B. Discussing Past Experiences (39 puntos—3 cada una)

El último empleo. *Complete el siguiente párrafo con la forma apropiada de los verbos según el caso. Use el pretérito o el imperfecto.*

El primer día en su último empleo (ser) _____ un desastre. Como él no (tener)

_____ mucha experiencia no (saber) _____ la rutina de la

oficina. Pronto él (saber) _____ lo que (tener) _____ que

hacer. Él (trabajar) _____ para una compañía pequeña; por eso, él (hacer)

_____ muchas cosas. (Tener) _____ que hacer el trabajo de

recepcionista, oficinista y vendedor. También él (reparar) _____ las máquinas de la

oficina. Si él no las (arreglar) _____ la compañía no (poder) _____

seguir trabajando. Cuando él (saber) _____ que había posibilidad de conseguir un

nuevo empleo y dejar esa compañía, él (estar) _____ muy contento. Él no sabe lo

que haría si tuviera que continuar trabajando en esa compañía.

C. Discussing Future Activities (18 puntos—3 cada una)

Mi empleo futuro. *Escriba seis frases describiendo un empleo que Ud. tendrá en el futuro. Incluya detalles sobre las responsabilidades y los beneficios.*

_____

_____

_____

_____

_____

_____

D. Avoiding Repetition of Previously Mentioned People and Things (12 puntos—2 cada una)

En la oficina. *El oficinista está muy ocupado hoy. Usando pronombres de complemento directo e indirecto explique a quién o a quiénes él lleva las siguientes cosas.*

1. a mí / el correo

_____

Nombre _____ **Fecha** _____ **Clase** _____

2. a la jefa / la nueva computadora

_____

3. a Ud. / el informe

_____

4. al gerente / los documentos

_____

5. a nosotros / los discos

_____

6. a ti / el software

_____

E. Telling Others What to Do (20 puntos—2 cada una)

Consejos. *Dígales a las siguientes personas lo que deben o no deben hacer. Use los mandatos según las indicaciones.*

1. Ud. / encargarse de las ventas

_____

2. Ud. / no ejecutar los pedidos

_____

3. Uds. / resolver el problema

_____

4. Uds. / no hacer ruido

_____

5. tú / no hacer llamadas personales

_____

6. tú / ser cuidadoso

_____

7. tú / archivar los documentos

_____

8. nosotros / ofrecer nuestros servicios a la Empresa Rumasa

_____

9. nosotros / no despedir al contador

_____

10. nosotros / conseguir más pedidos

_____

V. PERSPECTIVAS (15 puntos—3 cada una)

La vida en un país hispano. *Si Ud. viviera en un país hispano, ¿cómo cambiaría su vida? Conteste las siguientes preguntas.*

1. ¿Cuál sería su nombre completo?

_____

_____

2. ¿Cómo sería su horario?

_____

_____

3. ¿Qué comería a la hora del almuerzo? ¿Y en la cena?

_____

_____

4. En clase, ¿cómo se dirigiría a su profesor(-a)? Dé un ejemplo.

_____

_____

5. ¿Adónde iría para que le recetaran un remedio o le pusieran una inyección?

_____

_____

VI. LECTURA

Nuevos horizontes para la mujer

En toda la América Latina se manifiesta *(is becoming apparent)* cada vez más que los papeles tradicionales del hombre y la mujer están cambiando. Lo más notable es que hay más mujeres que trabajan fuera de la casa, que terminan su educación, y que limitan el número de hijos. En algunos países se ha legalizado el divorcio. Muchas organizaciones a nivel local y mundial discuten públicamente los problemas que afectan a la mujer y vigilan *(watch over)* su progreso.

En la actualidad en toda América Latina las mujeres están entrando en la fuerza laboral y ocupan puestos que antes les estaban vedados *(forbidden)*. Las mujeres están haciendo sentir su influencia, particularmente en las ciudades grandes, como ejecutivas de empresas y empleadas de gasolineras, como médicas y policías de tráfico.

La cantidad de mujeres en la América Latina y el Caribe que participan en la economía ha aumentado mucho desde 1960. Según las proyecciones, la fuerza laboral femenina latinoamericana aumentará a razón del *(at the rate of)* 3,5% al año, aproximadamente. Esto significa que esta fuerza laboral, que era de unos 23.000.000 en 1980, será de 55.000.000 para el año 2005. Como el aumento proyectado para la fuerza laboral masculina es mucho menor, las mujeres constituirán una mayor proporción del total de la fuerza laboral.

Un factor que impulsa el crecimiento *(growth)* de la fuerza laboral femenina es la rápida urbanización de muchas partes de la América Latina. En los últimos años, más mujeres que hombres se han trasladado *(moved)* del campo a la ciudad, lo cual resulta en una mayor proporción de mujeres en las zonas urbanas. El aumento de la migración es fácil de comprender. En las zonas rurales hay pocas oportunidades de trabajo para las mujeres, mientras que en las ciudades hay una variedad de empleos posibles. En las zonas rurales los hombres encuentran trabajo en las fincas *(farms)* pero en las ciudades se les dificulta hallar empleos, mientras que las mujeres en seguida encuentran puesto en el servicio doméstico. En los últimos años muchas latinoamericanas se han hecho profesionales. En varios países abundan las médicas, dentistas, abogadas, arquitectas, ingenieras y químicas. Hay que señalar *(to point out)*, sin embargo, que en todos los países la fuerza laboral masculina es mucha mayor que la femenina.

La educación es otro campo en el que la situación de la mujer está cambiando. El número de niñas matriculadas en las escuelas primarias y secundarias se duplicó *(doubled)* de 1965 a 1977. En las escuelas primarias hay un poco más de niñas que de niños y en las escuelas secundarias el número de chicos y chicas es casi igual.

En las universidades y escuelas vocacionales predominan los hombres, pero las cosas van cambiando. En 1960 sólo el 27% de los estudiantes de las universidades latinoamericanas eran mujeres. Para 1970 el porcentaje había aumentado al 35% y para 1980, al 45%. Se calcula que pronto el porcentaje sea del 50%.

Las razones para el aumento del estudiantado *(student body)* son económicas y sociales. La inflación y la inestabilidad de la economía han obligado a las mujeres a trabajar, incluso a las de la clase media y clase alta, y la educación se considera un requisito para ingresar en el mercado laboral. Además, la actitud hacia la educación femenina está cambiando. Muchos padres latinoamericanos de clase media y clase alta consideran que asistir a la universidad da prestigio a las muchachas.

Las latinoamericanas, igual que las norteamericanas y las europeas, están empezando a asumir una nueva actitud y a desempeñar *(to play)* nuevos papeles. De una región a otra varían los factores sociales, históricos y económicos, lo cual determina que no todas las mujeres progresen de la misma manera ni a la misma velocidad. Sin embargo, no cabe duda de que la situación está cambiando.

Adaptado de *Las Américas*

A. Comprensión (21 puntos—3 cada una)

Corrija las siguientes oraciones falsas utilizando información del artículo.

1. Las mujeres están haciendo sentir su influencia más en las regiones rurales que en las ciudades.

   _____

   _____

2. Los hombres van a constituir una mayor proporción del total de la fuerza laboral para el año 2005.

   _____

   _____

3. En los últimos años más hombres que mujeres se han trasladado del campo a la ciudad.

   _____

   _____

4. En las ciudades los hombres encuentran trabajo más fácilmente que las mujeres.

   _____

   _____

5. Hay pocas mujeres latinoamericanas en puestos profesionales.

   _____

   _____

6. En las universidades predominan las mujeres.

   _____

   _____

7. La mayoría de los padres de clase media y clase alta consideran que asistir a la universidad es una frivolidad poco necesaria para las muchachas.

   _____

   _____

Nombre _____ **Fecha** _____ **Clase** _____

B. Análisis (9 puntos)

Dé ejemplos de la nueva conducta femenina y la nueva conciencia de los problemas de la mujer en Latinoamérica.

_____

_____

_____

_____

_____

_____

_____

_____

_____

_____

_____

_____

_____

VII. COMPOSICIÓN (40 puntos)

Busco trabajo. *Ud. está buscando empleo con una empresa multinacional. Escríbale una carta a un(-a) consejero(-a) en una agencia de empleos explicándole el tipo de trabajo que Ud. prefiere. Incluya detalles sobre sus estudios, su experiencia, sus aptitudes personales y sus empleos anteriores.*

_____

_____

_____

_____

_____

_____

_____

_____

_____

_____

_____

_____

_____

_____

_____

_____

_____

_____

_____

_____

_____

_____

_____

_____

Testing Program
Answer Key

Testing Program
Answer Key

Capítulo preliminar: Prueba A

I. Comprensión oral

A. c, e   **B.** a, c, d

II. Vocabulario

Answers vary.

III. Así se habla

1. ¿Cómo se (te) llama(-s)? / ¿Cuál es su (tu) nombre?

2. ¿Cuál es su (tu) nacionalidad? / ¿De dónde es (eres)?

3. ¿Cuál es su (tu) profesión? / ¿A qué se (te) dedica(-s)?

4. ¿Cuál es su (tu) pasatiempo favorito?

5. ¿Cuántos años tiene(-s)?

IV. Estructuras

A.
1. cuarenta y tres cuadernos
2. noventa y cinco revistas
3. cien lápices
4. cincuenta y cuatro calculadoras
5. setenta y seis novelas
6. ochenta y ocho bolígrafos
7. treinta y un libros de texto

B.
1. María llega a las siete y cinco de la mañana.
2. Julio llega a las nueve y cuarto (las nueve y quince) de la mañana.
3. Isabel llega a la una y media (la una y treinta) de la tarde.
4. Óscar llega a las tres menos cuarto (las tres menos quince) de la tarde.
5. Pilar llega a las ocho menos diez de la noche.

C.
1. (Nosotros) Damos paseos.
2. Susana escribe cartas.
3. (Yo) Hago ejercicios.
4. Pedro lee novelas.
5. Tico charla con amigos.
6. (Tú) Tocas el piano.
7. Anita y Teresa practican deportes.
8. Marta y yo bailamos.

V. Perspectivas

1. Uds.   **2.** Vosotros(-as)   **3.** Ud.   **4.** vos   **5.** tú

Capítulo preliminar: Prueba B

I. Comprensión oral

A. a, c, e   **B.** a, b, d

II. Vocabulario

Answers vary.

III. Así se habla

1. ¿Cómo se llama? / ¿Cuál es su nombre?   **4.** ¿Dónde trabaja?

2. ¿A qué se dedica? / ¿Cuál es su profesión?   **5.** ¿Cuál es su pasatiempo favorito?

3. ¿Dónde nació?

IV. Estructuras

A. **1.** setenta y una novelas   **5.** cien bolígrafos

   2. ochenta y cinco libros de texto   **6.** cuarenta y tres revistas

   3. veintisiete cuadernos   **7.** diecinueve calculadoras

   4. sesenta y seis lápices

B. **1.** Jacinto llega a las ocho y quince (las ocho y cuarto) de la mañana.

   2. Carmen llega a las diez menos veinticinco de la mañana.

   3. Antonio llega a la una y veinte de la tarde.

   4. Micaela llega a las tres y media (las tres y treinta) de la tarde.

   5. Timoteo llega a las seis menos quince (las seis menos cuarto) de la tarde.

C. **1.** Carmen baila.   **5.** Tico charla con amigos.

   2. (Nosotros) Hacemos ejercicios.   **6.** Iván escribe poemas.

   3. (Tú) Practicas deportes.   **7.** (Yo) Toco la guitarra.

   4. Julio y Marcos leen novelas.   **8.** Susana da paseos.

V. Perspectivas

1. Uds.   **2.** vos   **3.** Ud.   **4.** vosotros   **5.** tú

Capítulo 1: Examen A

I. Compresión oral

A. **1.** muy temprano

   2. ir a clases

   3. un poco los fines de semana, pero no mucho

      Profesión: estudiante

B. **4.** está en la biblioteca

   5. los estudiantes a conseguir libros

   6. echar una siesta

   Profesión: bibliotecaria / empleada de biblioteca

C. **7.** comprar estampillas o enviar una carta

   8. hace la limpieza y prepara la cena

   9. toma clases de pintura en el Centro de Arte

   Profesión: ama de casa

II. Vocabulario

Answers vary.

III. Así se habla

Answers vary.

IV. Estructuras

A. **1.** María sale de la casa temprano.

   2. (Yo) Llevo ropa a la tintorería.

   3. Pedro tiene muchas diligencias.

   4. (Nosotros) Vamos de compras.

   5. Paco hace la tarea.

   6. José y Tomás construyen un modelo.

   7. (Tú) Conduces al centro comercial.

   8. Todos están muy ocupados.

B. **1.** Susana y Tomás prefieren bailar.

   2. (Yo) Duermo.

   3. Marta sigue estudiando.

   4. Paco quiere ir al cine.

   5. (Nosotros) Pedimos ayuda con el trabajo.

   6. Arturo recomienda un concierto.

   7. (Tú) Muestras las fotos de tus vacaciones.

C. *Answers vary.*

D. *Answers may vary.*

   1. ¿Adónde vas?

   2. ¿Con quién vas?

   3. ¿Cómo es Anita?

   4. ¿Qué quieren comprar?

   5. ¿A qué hora salen?

   6. ¿Cuánto cuesta el regalo?

V. Perspectivas

1. Los españoles generalmente almuerzan entre las dos y las cuatro de la tarde y cenan entre las diez y las once de la noche.

2. Las oficinas y tiendas están abiertas desde las diez de la mañana a las dos de la tarde y de las cuatro de la tarde hasta las ocho de la noche.

3. Por lo general, están en su casa almorzando, hablando con la familia o descansando.

4. En la América Latina se come entre el mediodía y las dos de la tarde y entre las siete y las nueve de la noche.

VI. Lectura

A. **1.** F   **2.** C   **3.** C   **4.** F   **5.** F   **6.** C

B. *Answers vary.*

VII. Composición

Answers vary.

Capítulo 1: Examen B

I. Comprensión oral

A. **1.** ir a la escuela

    2. el periódico

    3. bailar en una discoteca
       Profesión: estudiante

B. **4.** mucho tiempo para descansar

    5. supermercado

    6. correo
       Profesión: profesora

C. **7.** el banco

    8. computadora

    9. mirar las noticias en la televisión
       Profesión: empleado de banco / banquero

II. Vocabulario

Answers vary.

III. Así se habla

Answers vary.

IV. Estructuras

A. **1.** (Nosotros) Hacemos la tarea.

    2. Julio construye un modelo.

    3. Mariana lleva ropa a la tintorería.

    4. (Tú) Tienes muchas actividades.

    5. Pedro y Patricia están muy ocupados.

    6. María conduce al centro comercial.

    7. (Yo) Salgo de la casa temprano.

    8. Todos van de compras.

B. **1.** (Yo) Quiero descansar.

    2. Susana prefiere salir.

    3. Pedro duerme.

    4. (Tú) Muestras las fotos del viaje a un amigo.

    5. Carmen pide ayuda con la tarea.

    6. (Nosotros) Recomendamos una película.

    7. José y Tomás siguen trabajando.

C. *Answers vary.*

D. *Answers may vary.*

1. ¿Adónde vas?
2. ¿Quién juega?
3. ¿Cómo es este equipo?
4. ¿Qué espera ganar?
5. ¿Cuándo empieza el partido?
6. ¿Cuánto cuestan las entradas?

V. Perspectivas

1. Almorzamos en casa generalmente entre las dos y las cuatro de la tarde.
2. Después del almuerzo hablamos o descansamos.
3. Nuestro horario de trabajo es de las diez de la mañana a las dos de la tarde y de las cuatro de la tarde a las ocho de la noche.
4. Después del trabajo vamos a pasear por el centro de la ciudad y cenamos entre las diez y las once de la noche.

VI. Lectura

A.   **1.** F   **2.** F   **3.** C   **4.** F   **5.** C   **6.** F

B. *Answers vary.*

VII. Composición

Answers vary.

Capítulo 2: Examen A

I. Comprensión oral

1. básquetbol, pesas, natación / A
2. tenis, vólibol / A
3. tenis, pesas / D
4. natación, tenis, vólibol / B

II. Vocabulario

Answers vary.

III. Así se habla

1. Por favor, ¿está Teresa? / Quisiera hablar con Teresa.
2. Por favor, dígale que me llame. / Si fuera tan amable de decirle que me llame.
3. Muchas gracias. Hasta luego.
4. ¿Aló? / Dígame. / Bueno.

   Lo siento, pero no está.

IV. Estructuras

A.
1. (Tú) Fuiste a navegar.
2. Pilar tuvo un accidente.
3. Me puse loción.
4. Marta y Marcos hicieron windsurf.
5. Juan estuvo bajo el sol todo el día.
6. Todos anduvieron por la playa.

B.   **1.**   Anoche María se sintió cansada.

    2.   Anoche Ud. pidió ayuda con la tarea.

    3.   Anoche nos divertimos en casa.

    4.   Anoche te despediste de tus amigos temprano.

    5.   Anoche yo oí el ruido.

    6.   Anoche Tomás prefirió ver la televisión.

    7.   Anoche Paco durmió.

C.   *Answers vary.*

D.   **1.**   Sí, las trajo.   **3.**   Sí, los trajo.   **5**.   Sí, lo trajo.

    2.   No, no las trajo.   **4.**   No, no las trajo.   **6.**   No, no la trajo.

V.   Perspectivas

1.   En España se celebra el día de la Asunción el 15 de agosto.

2.   No, también es un día festivo con diversiones de todo tipo.

3.   *Answers must include two of the following activities:* bailes / carreras / competiciones / concursos / desfiles / exhibiciones / fuegos artificiales

4.   Hay una gran variedad de actividades para la gente de toda edad.

VI.   Lectura

A.   **1.**   la Rambla de San José o de las Flores   **6.**   el museo de Pablo Picasso

    2.   el Barrio Gótico / la antigua muralla   **7.**   la Plaza de Cataluña

    3.   la Plaza San Jaime   **8.**   la Rambla de los Estudios o de los Pájaros

    4.   Tibidabo / el parque de atracciones   **9.**   el Barrio Gótico

    5.   junto al puerto   **10.**   Montjuich

B.   *Answers vary.*

VII. Composición

Answers vary.

Capítulo 2: Examen B

I.   Comprensión oral

1.   Verónica Angulo: nadó; la playa

                                 practicó esquí acuático; la playa

                                 navegó en velero; la playa

2.   Jorge Ramos: vio (vieron) muchos espectáculos; club nocturno

                              fue a bailar; discoteca

                              fue a ver / vio películas; cine

3. Rosana Gómez: fue a conciertos; teatro
nadó; club
jugó al golf; club

4. José Medina: tuvo que trabajar / trabajó; oficina
montó a caballo; complejo turístico
jugó al tenis; complejo turístico

II. Vocabulario

Answers vary.

III. Así se habla

Answers vary.

IV. Estructuras

A.
1. José hizo windsurf.
2. (Yo) Anduve buscando conchas.
3. María y Susana leyeron una novela.
4. (Nosotros) Estuvimos bajo el sol todo el día.
5. Isabel tuvo un accidente.
6. (Tú) Te pusiste loción.

B.
1. Anoche dormí.
2. Anoche Ud. oyó los ruidos.
3. Anoche Carlos se divirtió.
4. Anoche te sentiste enfermo.
5. Anoche pedimos ayuda con el trabajo.
6. Anoche Ud. se despidió de los amigos a las ocho.

C. *Answers vary.*

D.
1. Sí, las trajo.
2. No, no los trajo.
3. Sí, las trajo.
4. No, no la trajo.
5. Sí, lo trajo.
6. No, no la trajo.

V. Perspectivas

1. Se celebra el día de la Asunción.
2. *Answers must include three of the following activities:* bailes / carreras / competiciones / concursos / desfiles / exhibiciones / fuegos artificiales
3. (A mí) Me gustaría participar en…

VI. Lectura

A.
1. SJ
2. B
3. SJ
4. SJ
5. B
6. B / SJ
7. SJ
8. B / SJ
9. B
10. SJ

B. *Answers vary.*

VII. Composición

Answers vary.

Capítulo 3: Examen A

I. **Comprensión oral** *Students must include any three of the activities listed.*

A. Jorge Valdez   País: España

Actividades: los sábados iban de excursión al campo o a la playa, visitaban los museos, jugaban a las damas; los domingos iban a la casa de sus abuelos, jugaban al fútbol

B. Elena Morales   País: El Perú

Actividades: iba a la playa con amigos, nadaban, se paseaban en velero, comían helados

C. Fernando Arce   País: El Ecuador

Actividades: practicaba deportes, jugaba al básquetbol, nadaba, organizaba fiestas donde bailaba, conversaba y se reía

II. **Vocabulario**

1. abuelo

2. primos

3. madre (madrastra)

4. hermano (hermanastro)

5. tío

6. cuñada

7. suegros

III. **Así se habla**

1. Estoy preparando / organizando una fiesta y me gustaría que Uds. vinieran. / ¿Creen que podrían venir a mi fiesta?

2. ¡Qué lástima / pena que no puedan venir!

3. Será un placer. / Muy gentil de tu parte. / Cómo no, con mucho gusto.

4. Qué lástima, pero no puedo. / Me encantaría, pero no puedo.

IV. **Estructuras**

A. **1.** La familia hacía la sobremesa.

2. (Yo) Escribía muchas cartas.

3. Timoteo veía a su familia cada semana.

4. (Nosotros) Éramos buenos amigos.

5. Todos iban al cine cada sábado.

6. Ud. jugaba al fútbol.

B. *Answers vary.*

C. había, estaban, eras, era, eran, Había, estaba

V. **Perspectivas**

1. Acevedo

2. Ortega

3. Gutiérrez

4. Frías

5. Gutiérrez de Acevedo

6. Acevedo Gutiérrez

VI. Lectura

A.
1. el Palacio de Cortés / el Museo Cuauhnáhuac
2. la Catedral / la Parroquia de San José del Calvario
3. el Centro Cultural Mascarones
4. el Jardín Borda
5. el Instituto Regional de Bellas Artes

B. *Answers vary.*

VII. Composición

Answers vary.

Capítulo 3: Examen B

I. Comprensión oral

A. cumpleaños de Marielita; viernes

B. despedida para Jaime; sábado

C. aniversario de los abuelos; sábado

II. Vocabulario

1. abuela
2. sobrinos
3. padre (padrastro)
4. hermana (hermanastra)
5. tía
6. cuñado
7. primos

III. Así se habla

1. ¿Cómo están Uds.? / ¡Cuánto gusto (en) verlos!
2. ¿Qué hay / tal / hubo?
3. Tanto tiempo sin verte. / ¡Qué milagro!
4. ¿Qué hay de nuevo? / ¿Qué me cuentas?

IV. Estructuras

A.
1. (Nosotros) Íbamos a misa cada domingo.
2. La familia hacía la sobremesa.
3. Susana y José eran buenos amigos.
4. (Yo) Jugaba al tenis.
5. María veía a sus abuelos.
6. Ud. escribía muchas cartas.

B. *Answers vary.*

C. era, era, era, estaban, estaban, Había, estaban

V. Perspectivas

1. Vivanco
2. Gallego
3. Montalvo
4. Castañeda
5. Montalvo de Vivanco
6. Vivanco Montalvo

VI. Lectura

A.
1. hace calor; hace fresco
2. volcanes y montañas
3. pájaros y mariposas
4. la capital; los fines de semana
5. *Answer must include two of the following:* tratamientos de belleza; un excelente gimnasio; masajes; tratamientos faciales; programas de adelgazamiento; Cocina Spa

B. *Answers vary.*

VII. Composición

Answers vary.

Capítulo 4: Examen A

I. Comprensión oral

1. el fin de los exámenes
2. mariscos
3. un arroz con pollo
4. está a dieta
5. La Estancia

II. Vocabulario

Answers vary.

III. Así se habla

1. **a.** ¿Qué les puedo ofrecer? / ¿Qué les puedo ofrecer hoy?
   b. Les recomiendo…

2. **a.** El almuerzo está servido. / La cena está servida. / Pasemos a la mesa, por favor.
   b. ¿Quisiera(-s) un vino / whisky / refresco?

IV. Estructuras

A. hacía, estaba, se levantó, quería, supo, necesitaba, organizaba, estaba, había, trabajó, pudo, llegó, empezó

B.
1. (El camarero) Le trae la sopa de aguacate (a María).
2. Les trae las cervezas (a Miguel y a Paco).
3. Me trae el flan.
4. Nos trae el gazpacho (a Susana y a mí).
5. Te trae el ceviche.
6. Le trae la ensalada (a Ud.).
7. Les trae las enchiladas (a Uds.).

C. **1.** (A mí) Me gustan los postres.

   2. A Susana y a María les cae bien el vino.

   3. A Tomás le interesa la comida mexicana.

   4. (A nosotros) Nos fascinan las pirámides de México.

   5. (A ti) Te encantan las empanadas.

V. Perspectivas

1. Hay una gran diferencia en los menús en el mundo hispánico. La consecuencia de esto es que las personas de diferentes países no pueden comprender los menús en todas partes.

2. En un restaurante venezolano: parrilla mixta, pabellón criollo. (*Answers may vary. See text p. 140.*) En un restaurante peruano: ceviche, arroz con pato. (*Answers may vary. See text p. 139.*)

3. flan y helados (*Answers may vary.*)

VI. Lectura

A. **1.** C   **4.** C   **7.** C

   2. F   **5.** C   **8.** F

   3. F   **6.** F   **9.** C

B. *Answers may vary but should include the following:* La calidad de la comida rápida es cuestionada constantemente. La comida rápida ha invadido España. La clientela de la comida rápida es juvenil. La comida rápida, especialmente las hamburguesas, está cargada de calorías. El hombre que vive de la comida rápida se enferma y engorda. Muchas personas frecuentan restaurantes de comida rápida por falta de tiempo.

VII. Composición

Answers vary.

Capítulo 4: Examen B

I. Comprensión oral

1. Sí   **2.** No   **3.** No   **4.** Sí   **5.** Sí   **6.** No

II. Vocabulario

Answers vary.

III. Así se habla

1. Abuelo, abuela, les presento a mi amigo José.

2. Permíteme presentarme / que me presente. (Yo) Soy…

3. Mucho gusto, Rosaura. / Un placer. / Encantado(-a).

4. Tengan la bondad de pasar. / ¡Bienvenidos!

IV. Estructuras

A. se levantó, Hacía, estaba, quería, supo, salió, entró, estaban, estaba, dio, estaba, Pudo, hizo

B.   **1.** (El camarero) Le trae el ceviche (a Paco).

   2. Nos trae las ensaladas mixtas (a Mario y a mí).

   3. Te trae los chiles rellenos.

   4. Les trae el menudo a Uds.

   5. Le trae el flan a Carmen.

   6. Me trae la cerveza.

   7. Les trae el pollo asado a los estudiantes.

C.   **1.** (A mí) Me importa mi familia.

   2. Nos encantan los tamales.

   3. Te molestan las noticias.

   4. (A José y a Paco) Les cae bien una cerveza fría.

   5. (A Susana) Le disgustan los mariscos.

V. Perspectivas

1. No, porque la comida varía de país a país.

2. En un restaurante español: jamón serrano, paella, cocido a la madrileña. (*Answers may vary. See text p. 140.*) En un restaurante peruano: ceviche, arroz con pato. (*Answers may vary. See text p. 139.*)

3. flan y helados (*Answers may vary.*)

VI. Lectura

A.   **1.** México, D.F., es la ciudad más poblada y contaminada del mundo. Hay muchos problemas.

   2. Hay más de 24 canales de televisión en español e inglés.

   3. Raúl Cuéllar defiende a su familia con pistola y comparte su vivienda con una cuñada.

   4. La escuela en la Colonia Avándaro no es buena. El director no suele ir. Los maestros tardan dos horas en llegar.

   5. Felipe Ruiz de Velasco dice que es necesario ceder el paso a los ejecutivos mejor preparados y no es necesario dar los puestos a los hijos.

B. *Answers vary.*

VII. Composición

Answers vary.

Capítulo 5: Examen A

I. Comprensión oral

A. Personas: la profesora, Emilio
Lugar: la clase de la universidad

B. Personas: Elena, la madre / mamá
Lugar: la casa

C. Personas: Roberto, el padre / papá
Lugar: la casa

II. Vocabulario

Answers vary.

III. Así se habla

1. No comprendo. ¿Puede repetir lo que dice?
2. Abran su libro, por favor, y lean (en voz alta).
3. Escriban una composición.
4. ¡Me muero de calor! / ¡Qué calor hace!

IV. Estructuras

A. Por, por, para, por, para, para, Por, para

B.
1. Quiere que (nosotros) salgamos bien en la clase.
2. Espera que todos se diviertan.
3. Le dice a Ricardo que aprenda el vocabulario.
4. Insiste en que Uds. organicen los apuntes.
5. Te aconseja que hagas la tarea con cuidado.
6. Les sugiere a sus amigos que duerman bien antes del examen.
7. Espera que nadie fume.
8. Insisten en que ellos paguen la matrícula.
9. Me recomienda que elija las clases con cuidado.

C.
1. La biblioteca es más tranquila que el estadio.
2. El teatro es más grande que la residencia estudiantil.
3. Aprobar un examen es mejor que salir mal.
4. Comprar un libro es menos barato que sacar prestado un libro.
5. Ser aplicado es menos fácil que ser perezoso.
6. Un curso electivo es más interesante que un curso obligatorio.

V. Perspectivas *(Answers may vary.)*

1. Hay tres niveles de enseñanza en el mundo hispano: el primario, el secundario y el universitario.

2. El liceo y el colegio son para alumnos de doce a dieciocho años; son escuelas del nivel secundario.

3. El Ministerio de Educación decide qué materias deben estudiar en cada año. Los estudiantes no pueden escoger sus cursos ni su horario.

4. Las universidades están divididas en facultades.

5. La relación entre los profesores y los estudiantes es más formal que en los EE.UU. No es normal pasar tiempo con un(-a) profesor(-a) en su oficina o en una situación social.

6. En clase los profesores dictan una conferencia y los estudiantes toman apuntes; no hay mucha interacción o discusión de la materia.

VI. Lectura

A. 1. un millón

2. universidades públicas

3. Madrid y Barcelona

4. La Universidad Complutense de Madrid

5. el suelo

6. entre nueve y once años

7. profesionales y técnicos

8. Ley de Reforma Universitaria

9. el financiero

10. toda la sociedad pero especialmente de las empresas

B. *Answers vary.*

VII. Composición

Answers vary.

Capítulo 5: Examen B

I. Comprensión oral

1. Personas: un estudiante, una profesora / una señora
   Lugar: en la universidad

2. Personas: el esposo, la esposa
   Lugar: en casa

3. Personas: José, Martín
   Lugar: en casa

II. Vocabulario

Answers vary.

III. Así se habla

1. ¿Cómo está el día? / ¿Qué tiempo hace?

2. Hace calor. / ¡Me muero de calor!

3. Está nevando. / Nieva.

4. No sé.

IV. Estructuras

A. por, para, por, para, para, Por, para, por

B.
    1. Quiere que María sea sobresaliente.

    2. Espera que (José y yo) podamos aprobar el examen.

    3. Le dice al profesor que explique la lección.

    4. Insiste en que (yo) vaya a clase todos los días.

    5. Les aconseja a los alumnos que no pierdan los apuntes.

    6. Recomienda que (nosotros) paguemos la matrícula a tiempo.

    7. Desea que (tú) vivas en la residencia estudiantil.

    8. Sugiere que ellos traigan los libros a clase.

    9. Espera que todos estén contentos.

C.
    1. La licenciatura es más avanzada que el bachillerato.

    2. El gimnasio es menos tranquilo que la biblioteca.

    3. Estar débil es peor que estar fuerte.

    4. El laboratorio es más pequeño que el estadio.

    5. Faltar a clase es peor que asistir a clase.

    6. El semestre es más corto que el año.

V. Perspectivas *(Answers may vary.)*

1. Hay mucha diversidad en el sistema de enseñanza en el mundo hispano.

2. Hay tres niveles de enseñanza en el mundo hispano: el primario, el secundario y el universitario.

3. El nivel primario consiste en seis años de estudios básicos.

4. En el nivel secundario los estudiantes no pueden escoger ni sus clases ni su horario. El Ministerio de Educación de cada país determina qué materias deben estudiar en cada año.

5. Al graduarse de la universidad los estudiantes reciben una licenciatura. Al graduarse del nivel secundario los alumnos reciben un bachillerato.

6. No es normal pasar tiempo con un(-a) profesor(-a) en su oficina o en una situación social. Las relaciones entre los estudiantes y los profesores son mucho más formales en la cultura hispana que en los EE.UU.

VI. Lectura

A. *(Answers may vary.)*

    1. Costa Rica no gasta dinero en sus fuerzas armadas porque no tiene ejército.

    2. La educación en Costa Rica es excelente; Costa Rica es uno de los países con menor porcentaje de población analfabeta del mundo.

    3. Los nicaragüenses, salvadoreños, ecuatorianos y peruanos van en busca de pan y tranquilidad.

4. El gobierno tiene que vigilar sus fronteras para que los refugiados de otros países no traten de colarse / entrar ilegalmente.

5. Costa Rica no es la utopía. Tiene problemas como otros países: la deuda externa, el subdesarrollo económico, etc.

B. *Answers vary.*

VII. Composición

Answers vary.

Capítulo 6: Examen A

I. Comprensión oral

1. limpiar los baños

2. poner toallas limpias

3. arreglar todos los cuartos

4. colgar la ropa

5. poner la mesa

6. comprar flores frescas

II. Vocabulario

Answers vary.

III. Así se habla *(Answers may vary.)*

1. ¿Crees que sería posible que me ayudes a limpiar la habitación?

2. Disculpe, pero ¿sería tan amable de explicarme este tema?

3. Por supuesto. / Está bien.

4. Creo que me va a ser imposible.

IV. Estructuras

A. 1. Sara es tan bonita como Susana.

2. Sara tiene tantas clases como Susana.

3. Sara tiene tanta tarea como Susana.

4. Sara tiene tantos libros como Susana.

5. Sara lee tanto como Susana.

B. 1. Necesito aquélla.

2. Necesito ése.

3. Necesito ésas.

4. Necesito aquélla.

5. Necesito éste.

C. 1. (No) Me sorprende que el Restaurante Brisas del Mar sirva comida colombiana.

2. (No) Me sorprende que sea un restaurante de lujo.

3. (No) Me sorprende que las comidas sean sabrosas.

4. (No) Me sorprende que Juan esté loco por las empanadas.

5. (No) Me sorprende que comamos allá cada semana.

D. el, las, O, O, O

V.   Perspectivas

1. En el mundo hispano la mayoría de los pobres vive en las afueras de la ciudad.

2. Los hispanos que viven en una ciudad prefieren vivir en el centro.

3. Como las ciudades suelen ser muy grandes con poco espacio, la vivienda más típica es el apartamento.

4. Los edificios de apartamentos ofrecen comodidades modernas y muchos servicios como boutiques y tiendas en la planta baja.

VI.   Lectura

A.   **1.** café, banano, productos químicos, flores, moluscos, azúcar, plástico, cacao y tabaco.

2. pieles y productos de cuero, papel y derivados, maquinaria y equipo, esmeraldas, textiles, minerales y productos metálicos.

3. el crecimiento en el número y la variedad de exportaciones y la situación para exportar.

4. está a sólo dos horas de los EE.UU., tiene acceso a dos océanos y la mayoría de sus productos entrarán al mercado norteamericano y europeo libres de impuestos.

5. la igualdad, la universalidad y la automatización.

B.   *Answers vary.*

VII. Composición

Answers vary.

Capítulo 6: Examen B

I.   Comprensión oral

1. traerle el periódico.

2. prepararle el almuerzo.

3. preparar la cena

4. pasó la aspiradora / limpió la casa.

5. lavó la ropa.

II.   Vocabulario

Answers vary.

III. Así se habla

1. Gracias. No te molestes.

2. No es necesario, gracias.

3. No te preocupes (por eso).

4. ¡No te hubieras molestado!

IV.   Estructuras

A.   **1.** Sara es tan alta como Susana.

2. Sara tiene tantas amigas como Susana.

3. Sara tiene tanto dinero como Susana.

4. Sara tiene tantos quehaceres como Susana.

5. Sara estudia tanto como Susana.

B. **1.** Necesito ésta. **4.** Necesito aquéllas.

 2. Necesito ése. **5.** Necesito ésa.

 3. Necesito aquéllos.

C. **1.** Prefiero que limpiemos la cocina cada día.

 2. Prefiero que nadie riegue el césped durante las vacaciones.

 3. Prefiero que Paco ponga la mesa.

 4. Prefiero que mamá prepare la cena cada noche.

 5. Prefiero que freguemos los platos después de comer.

D. el, el, O, O, los

V. Perspectivas

1. Los hispanos que viven en una ciudad prefieren vivir en el centro cerca del trabajo, las tiendas, las escuelas y las diversiones.

2. Hay casas privadas con jardín en algunos barrios de las ciudades hispanas pero no son tan numerosas como en los EE.UU.

3. Los edificios de apartamentos ofrecen comodidades modernas y muchos servicios como boutiques y tiendas en la planta baja.

4. Algunos de los pobres viven en apartamentos construidos por el gobierno pero la mayoría de la gente compra o alquila apartamentos.

VI. Lectura

A. **1.** Ciudad Perdida es una antigua ciudad de la civilización tairona y está en las selvas de Colombia.

 2. La Ciudad Perdida fue descubierta hace 18 años vía satélite.

 3. Los arqueólogos han descubierto muchos tesoros de oro y piedras preciosas.

 4. El grupo ha entrado en la Ciudad Perdida por una escalera de 2.000 escalones.

 5. El grupo ha descubierto otras ciudades escondidas en la selva.

B. *Answers vary.*

VII. Composición

Answers vary.

Capítulo 7: Examen A

I. Comprensión oral

A. **1.** un regalo para su madre / mamá

 2. la talla

 3. cinco mil pesos

B. **1.** (unos) zapatos (de cuero de color marrón)

    2. once y medio

    3. otros modelos

C. **1.** no le queda bien

    2. aceptan cambios

    3. la misma blusa en una talla más grande

II. Vocabulario

Answers vary.

III. Así se habla

1. **a.** ¿Qué desearía ver? / ¿En qué puedo servirle? / ¿A la orden?

    b. ¿Qué número / talla necesita?

2. **a.** Hágame el favor de mostrarme unos zapatos.

    b. ¡Esto no puede ser!

IV. Estructuras

A. **1.** María estaba haciendo compras.

    2. José y yo no estábamos gastando mucho.

    3. Iván estaba buscando las gangas.

    4. (Yo) Estaba pagando al contado.

    5. (Tú) Estabas escogiendo marcas conocidas.

    6. Jorge y Teresa estaban leyendo las etiquetas.

B. **1.** Tiene los precios más (menos) bajos.

    2. Tiene la ropa más (menos) barata.

    3. Tiene las marcas más (menos) conocidas.

    4. Tiene las liquidaciones más (menos) frecuentes.

    5. Tiene los mejores (peores) dependientes.

C. **1.** Se la compró (a Luisa).

    2. Te las compró.

    3. Se la compró (a Pedro).

    4. Nos las compró.

    5. Me los compró.

    6. Se lo compró (a Susana y a Diego).

D. **1.** Nunca busca las gangas.

    2. No paga ni con cheque ni en efectivo.

    3. No pide consejos de ningún dependiente.

    4. No le gusta comprar nada en liquidación.

    5. Tampoco lee las etiquetas.

    6. Nadie dice que Adela es la compradora perfecta.

V. Perspectivas

1. Se puede hacer compras en una tienda pequeña especializada o en un centro comercial.

2. Los vendedores ambulantes se sitúan en muchas partes de la ciudad en lugares cerca de la casa. Generalmente sus precios son más económicos y se puede regatear.

3. *Answers may vary but should include many of the items in the following list.* Se puede comprar todo tipo de ropa, joyas, adornos de oro y plata, pinturas, muebles, cerámica, alfombras, hamacas, sarapes, etc.

VI. Lectura

A.
1. el archipiélago de Colón
2. las costas de Sudamérica
3. 50.000; ecológicas
4. la acción de piratas, cazadores y pescadores
5. ha desarrollado una habilidad o característica especial
6. las comodidades de la vida moderna
7. 61 (sesenta y una)
8. el 50% de los pájaros, el 32% de las plantas y el 86% de los reptiles

B. *Answers vary.*

VII. Composición

Answers vary.

Capítulo 7: Examen B

I. Comprensión oral

A.
1. para su esposa
2. es su primer aniversario
3. un collar de oro

B.
1. un sándwich de jamón y queso y un café
2. otra mesa / un cóctel de camarones y un vaso de vino
3. la señora tiene que ir / alguien la espera

C.
1. el cumpleaños de su hermanito
2. la matrícula de la universidad / los libros
3. dinero

II. Vocabulario

Answers vary.

III. Así se habla

1.
  a. Hágame el favor de mostrarme la ropa deportiva.
  b. No me gusta.

2.
  a. ¿Desearía algo más / otra cosa?
  b. Siento decirle que este billete es falso. / Me parece que hay un error.

IV. Estructuras

A. **1.** (Ud.) Estaba haciendo muchas compras.

2. (Nosotros) No estábamos gastando mucho.

3. Ricardo estaba buscando las gangas.

4. (Uds.) Estaban pagando al contado.

5. (Tú) No estabas usando las tarjetas de crédito.

6. María estaba escogiendo marcas conocidas.

7. Mis amigos se estaban divirtiendo / estaban divirtiéndose.

B. **1.** Tiene los precios más (menos) altos.

2. Tiene los dependientes más (menos) simpáticos.

3. Tiene las mejores (peores) liquidaciones.

4. Tiene los vestidos más (menos) caros.

5. Tiene las marcas más (menos) finas.

C. **1.** Me los compró.

2. Se las compró (a Susana).

3. Nos los compró.

4. Se la compró (a Diego).

5. Se los compró (a Paco y a María).

6. Te lo compró.

D. **1.** Nunca ayuda a los clientes.

2. No les informa ni de las gangas ni de las liquidaciones.

3. No tiene ningún consejo para los clientes.

4. No le gusta vender nada en liquidación.

5. Tampoco le gusta bajar los precios.

6. Nadie dice que Marcos es el dependiente perfecto.

V. Perspectivas *Answers may vary.*

1. Los hispanos que viven en la ciudad hacen las compras en una tienda pequeña especializada (una boutique), en un centro comercial, o de un vendedor ambulante.

2. Se puede encontrar tiendas de ropa, restaurantes, tiendas por departamentos (almacenes) y cines.

3. Venden comida, ropa, cosméticos, artículos para el hogar, herramientas, pinturas, productos para la construcción de viviendas, etc.

4. Los mercados artesanales venden artesanía local. Existen principalmente en los países con una población indígena grande.

VI. Lectura

A. **1.** F **2.** C **3.** C **4.** F **5.** F

B. *Answers vary.*

VII. Composición

Answers vary.

Capítulo 8: Examen A

I. Comprensión oral

1. Nombres de las personas que hablan: Sra. Marta y Susana

2. Lugar adonde van a ir: el museo

3. Exposición que van a ver: la de Soto

4. Fecha en que cierra la exposición: el 15 de diciembre

5. Restaurante donde van a almorzar: La Estancia

6. Hora en que las dos personas se van a encontrar: las once y media

7. Medio de transporte que van a usar: el taxi

II. Vocabulario

Answers vary.

III. Así se habla

Answers vary.

IV. Estructuras

A. **1.** Visite el Museo de Antropología.

2. Haga una excursión por el barrio histórico.

3. Diviértase mucho.

4. Consigan un plano de la ciudad.

5. Busquen un restaurante típico.

6. Den un paseo por el centro.

B. **1.** Se consigue información turística en la oficina de turismo.

2. Se compran aspirinas en la farmacia.

3. Se espera el autobús en la parada de autobús.

4. Se cambian cheques de viajero en el banco.

5. Se compran periódicos en el quiosco.

C. **1.** María irá al parque de atracciones.

2. (Tú) Visitarás los sitios de interés histórico.

3. (Yo) Podré ver una corrida.

4. (Nosotros) Reservaremos los asientos para el espectáculo.

5. Uds. querrán asistir al concierto del nuevo conjunto musical.

D. **1.** Tomemos el metro al centro.

2. Demos un paseo por la Plaza Mayor.

3. Saquemos fotos del barrio colonial.

4. Veamos la catedral.

5. Vamos al Museo de Bellas Artes.

V. Perspectivas

1. una calle principal

2. una plaza

3. *Answers can include any two of the following:* el palacio nacional / el ayuntamiento / la catedral / los bancos y negocios importantes / los hoteles de lujo

4. romana o griega

5. extensión geográfica

VI. Lectura

A. 1. El sol era la deidad suprema de los incas.

  2. El Inti Raymi coincidía con el solsticio de invierno (20 o 21 de junio en el Perú).

  3. El propósito principal de la celebración era asegurar la vuelta del sol hacia el sur.

  4. Los incas bailaban, comían, bebían y tocaban música durante Inti Raymi.

  5. Los españoles prohibieron la celebración del Inti Raymi por considerarla pagana o poco cristiana.

B. *Answers vary.*

VII. Composición

Answers vary.

Capítulo 8: Examen B

I. Comprensión oral

1. Lugar adonde la señorita quiere ir: el centro comercial más cercano

2. Medio de transporte más conveniente: el autobús

3. Número de la primera línea que tiene que tomar: tres

4. La primera línea va hacia: la Plaza Central

5. Número de la segunda línea que tiene que tomar: uno

6. La segunda línea va hacia: el norte

7. Otra alternativa de transporte: taxi

8. Problema(s) con esta alternativa: el tráfico de Lima es muy congestionado / son las seis de la tarde y el tráfico va a estar muy congestionado / es muy caro.

II. Vocabulario

Answers vary.

III. Así se habla

1. *Answers vary.*

2. *Answers vary.*

3. ¿No creen que sería mejor ir al cine?

4. *Answers vary.*

IV. Estructuras

A.
1. Vea la nueva exposición.
2. Vaya al parque de atracciones.
3. Haga compras.
4. Visiten el barrio colonial.
5. Miren una corrida de toros.

B.
1. Se ve una exposición de arte en el centro cultural.
2. Se compra una guía turística en una librería.
3. Se ven muchos animales en el jardín zoológico.
4. Se cambia dinero en el banco.
5. Se compra gasolina en la estación de servicio.

C.
1. Paco pasará una semana en Lima.
2. (Yo) Iré a Machu Picchu.
3. (Nosotros) Querremos ir al Cuzco.
4. Uds. harán una excursión a Chosica.
5. (Tú) Caminarás por el parque Las Leyendas.

D.
1. Veamos la nueva exposición.
2. Vamos al parque de atracciones.
3. Hagamos las compras.
4. No vayamos a la biblioteca.
5. Miremos una corrida de toros.

V. Perspectivas

1. una calle principal
2. una plaza
3. antiguas
4. *Answers can include any two of the following:* el palacio nacional / el ayuntamiento / la catedral / los bancos y negocios importantes / los hoteles de lujo
5. extensión geográfica

VI. Lectura

A.
1. productos de la ciudad
2. el automóvil
3. La calle
4. la policía
5. la violencia

B. *Answers vary.*

VII. Composición

Answers vary.

Capítulo 9: Examen A

I. Comprensión oral

A. *Order of answers may vary but must include the following five items:* dos computadoras (IBM); dos impresoras (IBM); un teclado; una pantalla; una docena de discos.

B. *Order of answers may vary but must include the following personnel:* dos secretarias; un contador; un representante de ventas.

II. Vocabulario

Answers vary.

III. Así se habla

1. Tengo una idea. / Se me ocurrió una idea para este fin de semana.

2. ¿Qué les parece si vamos a comer a un restaurante fuera de la ciudad?

3. Por otro lado…

4. Como decía, ¿por qué no vamos a comer a un restaurante fuera de la ciudad?

IV. Estructuras

A.
  1. Mucha gente leería los anuncios clasificados.

  2. (Tú) Llenarías las solicitudes.

  3. Juan y José escribirían un curriculum vitae.

  4. (Nosotros) Conseguiríamos una entrevista.

  5. Uds. pedirían cartas de recomendación.

  6. Ud. hablaría de las aptitudes personales.

  7. (Yo) Me enteraría de las condiciones del trabajo.

B.
  1. María Ortiz trabajaría pacientemente.

  2. El contador trabajaría eficazmente.

  3. Jorge Morales trabajaría atentamente.

  4. La secretaria trabajaría rápidamente.

  5. Los vendedores trabajarían responsablemente.

C.
  1. Buscan una secretaria que tenga experiencia.

  2. Quieren un contador que sepa comprar y vender acciones.

  3. Necesitan una gerente que resuelva los problemas con los clientes.

  4. Buscan una vendedora que trabaje los fines de semana.

  5. Necesitan alguien que sea eficiente.

  6. Quieren un especialista que se encargue de la publicidad.

  7. Buscan un empleado que se lleve bien con todos.

D. **1.** Que resuelva los problemas legales la administración.

   2. Que cree los anuncios comerciales la publicidad.

   3. Que ejecuten pedidos las ventas.

   4. Que cree nuevos programas la informática.

   5. Que paguen las cuentas las finanzas.

V. Perspectivas

Answers vary. See text p. 328.

VI. Lectura

A. **1.** la guayabera

   2. *Answers vary but should include one of the following:* el mango / la papaya / el mamey / el coco / el plátano / la banana / la naranja / la toronja

   3. el guarapo

   4. el flamenco

   5. la fabricación de cigarros

   6. el dominó

   7. *Answers vary but should include one of the following:* un cabaret / una discoteca / una sala de espectáculos

   8. la Calle Ocho

   9. una tapa

B. *Answers vary.*

VII. Composición

Answers vary.

Capítulo 9: Examen B

I. Comprensión oral

A. **1.** asistente de contador

B. *Order of answers may vary but must include the following four characteristics:* (una persona) recién graduado(-a); serio(-a); responsable; trabajador(-a)

C. atractivo (de acuerdo a las aptitudes personales)

D. *Order of answers may vary but must include the following two benefits:* excelentes beneficios sociales; 21 días de vacaciones

II. Vocabulario

Answers vary.

III. Así se habla

1. Se me ocurrió esta idea.

2. Cambiando de tema…

3. Un momento / Antes que me olvide…

4. Por otro lado… / En cambio…

IV. Estructuras

A. **1.** Marta y Susana serían responsables.

    2. (Yo) Demostraría iniciativa.

    3. Julio trabajaría cuidadosamente.

    4. (Tú) Tendrías recomendaciones excelentes.

    5. José y yo hablaríamos de las aptitudes personales.

    6. Ud. estaría listo para trabajar.

    7. Marcos y Alberto tomarían una decisión pronto.

B. **1.** El señor Torre trabajaría eficientemente.

    2. La señora Ortiz trabajaría rápidamente.

    3. La señora Costa trabajaría cuidadosamente.

    4. El señor Ochoa trabajaría responsablemente.

    5. La señorita Flores trabajaría pacientemente.

C. **1.** Buscan una secretaria que sea eficiente.

    2. Quieren un contador que sepa algo de la bolsa.

    3. Necesitan una gerente que se encargue de ventas.

    4. Buscan una vendedora que se lleve bien con los clientes.

    5. Necesitan alguien que resuelva los problemas con las computadoras.

    6. Quieren un especialista que tenga conocimientos técnicos.

    7. Buscan un empleado que trabaje mucho.

D. **1.** Que haga los nuevos anuncios la sección de publicidad.

    2. Que cumplan los pedidos las vendedoras.

    3. Que venda las acciones el financista.

    4. Que atiendan al público los gerentes.

    5. Que resuelva los problemas con las computadoras la sección de informática.

V. Perspectivas

Answers vary. See text p. 328.

VI. Lectura

A.
1. los padres cubanos
2. Jackie
3. Ricco
4. la familia Sorrentino
5. Tina

6. Jackie
7. Ricco
8. Jackie
9. Tina

B. *Answers vary.*

VII. Composición

Answers vary.

Capítulo 10: Examen A

I. Comprensión oral

1. C   2. F   3. F   4. C   5. C   6. F   7. F   8. F

II. Vocabulario

1. el (la) representante de ventas
2. el (la) especialista en computadoras
3. el (la) oficinista
4. el (la) contador(-a) / financista

5. el (la) publicista
6. el (la) recepcionista
7. el (la) accionista
8. el (la) ejecutivo(-a) / jefe(-a)

III. Así se habla   *(Answers may vary.)*

1. Consultorio del Dr. González, buenas tardes.
2. Buenas tardes, señorita. Habla *(name)*. Quisiera hablar con el Dr. González, por favor.
3. El Dr. González no se encuentra. Salió a almorzar. ¿Quisiera dejar algún encargo?
4. Sí, por favor. Dígale que me llame a mi casa esta tarde. Mi teléfono es el 34-35-98-76.

IV. Estructuras

A.
1. (Yo) He contestado las cartas.
2. El gerente ha resuelto los problemas.
3. (Nosotros) Hemos conseguido un préstamo.
4. La recepcionista ha atendido al público.
5. Juan ha pagado los derechos de aduana.
6. El Sr. Gómez ha planeado el presupuesto.
7. Las oficinistas han archivado los documentos.

B. *Answers vary.*

C. **1.** Hace diez años que alquila cajas de seguridad.

2. Hace cinco años que da consejo financiero.

3. Hace tres años que invierte en bonos.

4. Hace ocho años que ofrece hipotecas.

D. **1.** dos mil ciento sesenta y siete hipotecas

2. ocho mil setecientos noventa y ocho préstamos

3. nueve mil ciento veintitrés cuentas de ahorros

4. trece mil setecientas diecisiete cuentas corrientes

5. diecisiete mil quinientos cuarenta y seis giros al extranjero

V. Perspectivas

1. Las comunidades hispanas son los sitios donde vive gente de diversos países de la América Latina.

2. Se puede encontrar mercados, restaurantes, periódicos y agencias de servicios sociales para el público latino.

3. La ventaja de visitar una comunidad hispana es que se puede practicar español con personas de distintos países y también disfrutar de su cultura desde muy cerca.

VI. Lectura

A. **1.** México, España, Argentina y Colombia

2. 70%

3. 400%

4. 35,3 millones

5. 58,9

6. 13,5

7. 10,2

8. Los Ángeles, Nueva York y Miami

B. *Answers vary.*

VII. Composición

Answers vary.

Capítulo 10: Examen B

I. Comprensión oral

1. C **2.** F **3.** C **4.** F **5.** C **6.** F **7.** F **8.** C

II. Vocabulario

1. el (la) abogado(-a)

2. el (la) representante de ventas

3. el (la) publicista

4. el (la) especialista en computadoras

5. el (la) oficinista

6. el (la) accionista

7. el (la) abogado(-a)

8. el (la) programador(-a)

III. Así se habla

1. ¿Me podría dar mi estado de cuenta?
2. Quisiera depositar $10.000 en mi cuenta corriente.
3. Quisiera abrir una cuenta de ahorros a plazo fijo.
4. ¿Qué interés paga una cuenta a plazo fijo?

IV. Estructuras

A.
1. El vendedor ha cumplido los pedidos.
2. (Yo) He ido a la reunión.
3. Los abogados han resuelto el problema con la aduana.
4. La secretaria ha escrito las cartas.
5. Los gerentes han visto el informe sobre las ventas.
6. (Tú) Has hecho la publicidad para el nuevo producto.
7. (Nosotros) Hemos dejado un mensaje con la secretaria.

B. *Answers vary.*

C.
1. Hace treinta y siete años que cambia dinero.
2. Hace quince años que invierte en acciones.
3. Hace seis meses que ofrece tasas de interés altas.
4. Hace siete años que da consejo financiero.

D.
1. mil setecientas cincuenta y una hipotecas
2. cinco mil cuatrocientos setenta y nueve préstamos
3. siete mil novecientas siete cuentas de ahorros
4. diez mil seiscientas treinta y cuatro cuentas corrientes
5. quince mil cuatrocientos veintiún giros al extranjero

V. Perspectivas

1. Son los sitios donde vive mucha gente de origen hispano. En ellas se puede encontrar mercados, restaurantes, periódicos y agencias de servicios sociales para el público latino.
2. Podría practicar español con personas de distintos países y observar su cultura.

VI. Lectura

A. *Answers may vary.*
1. Muchos estudios grandes como Universal, Disney y Columbia tratan de capturar el mercado hispano.
2. Los hispanos van mucho más al cine que la población general.
3. Los hispanos representan una de las minorías de más peso en los EE.UU.

4. Hay pocas películas que entran en el mercado simultáneamente en inglés y en español porque es muy difícil y costoso.

5. Para tener éxito Hollywood necesita enfocar sus energías en los distintos grupos étnicos, eliminar los estereotipos y representar otras culturas y temas étnicos.

B. *Answers vary.*

VII. Composición

Answers vary.

Capítulo 11: Examen A

I. Comprensión oral

A. **1.** Cuzco

    2. este fin de semana

    3. Es imposible ir este fin de semana. Todos los vuelos están llenos.

    4. Puede conseguirle una reservación para el próximo mes.

B. **5.** Nueva York   **7.** tres (sus tres hijos)

    6. un mes   **8.** $6.300

II. Vocabulario

1. la pista   **5.** perder

2. sala de reclamación de equipaje   **6.** de mano

3. El pasaje / la tarifa   **7.** bajan

4. confirmar   **8.** la aduana

III. Así se habla

1. Señor (Señorita), quisiera un pasaje de ida y vuelta a México por quince días.

2. Quisiera un asiento en la sección de no fumar y al lado de la ventana, por favor.

3. ¿A qué hora sale el vuelo?

4. ¿A qué hora llega el avión a México?

IV. Estructuras

A. **1.** Insistió en que Ud. pusiera las etiquetas en las maletas.

    2. Quería que María supiera el número del vuelo.

    3. Les aconsejó a todos los pasajeros que tuvieran lista la tarjeta de embarque.

    4. Le dijo a Jorge que abordara el avión a tiempo.

    5. Te aconsejó que hicieras una reservación.

    6. Quería que yo fuera a la terminal internacional.

    7. Insistió en que los señores Morales pasaran por el control de seguridad.

B. **1.** Si Juana no tuviera que estudiar, iría a Chile.

  2. Si Marta no trabajara, iría a Chile.

  3. Si (nosotros) conociéramos a personas en Chile, iríamos a Chile.

  4. Si los señores Costa hablaran bien el español, irían a Chile.

  5. Si (tú) tuvieras bastante tiempo, irías a Chile.

  6. Si yo ganara más dinero, iría a Chile.

  7. Si Uds. estuvieran de vacaciones, irían a Chile.

C. **1.** Los viajeros confirmarán sus reservaciones cuando tengan un vuelo internacional.

  2. Facturarán el equipaje en cuanto lleguen al aeropuerto.

  3. Irán a la puerta tan pronto como pasen por el control de seguridad.

  4. No perderán el avión a menos que lleguen tarde al aeropuerto.

  5. Se abrocharán el cinturón de seguridad tan pronto como se sienten en el avión.

V. Perspectivas

1. el autobús   **3.** Colombia   **5.** el transporte, los Andes

2. un tren, Madrid   **4.** trenes, el metro   **6.** aéreo, carreteras

VI. Lectura

A. **1.** En Chile se puede encontrar nevados, desiertos, playas, lagos y montañas.

  2. No existe crisis de deuda exterior, las inversiones extranjeras son abundantes y las tasas de desempleo son bajas.

  3. Las tarifas de importación son bajas, el gobierno apoya el comercio internacional, el sistema financiero es sofisticado, el peso chileno es estable y la industria chilena ofrece una variedad de productos.

  4. Las industrias y productos importantes incluyen la industria pesquera con el salmón y el pez espada, los vinos, los textiles, la industria minera con cobre y nitratos y el turismo.

  5. Hay bellos paisajes, playas y complejos turísticos de esquí.

B. *Answers vary.*

VII. Composición

Answers vary.

Capítulo 11: Examen B

I. Comprensión oral

A. de cinco estrellas

B. *Answers must include seven of the following:* una maravilla; una habitación doble; camas grandes y cómodas; vista al mar; baño completo; toallas frescas; aire acondicionado; televisor a colores

C. $550 (quinientos cincuenta dólares) la (por) noche

II. Vocabulario

1. un billete (boleto) de ida y vuelta

2. una etiqueta

3. perder

4. una tarjeta de embarque

5. el (la) aeromozo(-a) (el [la] camarero[-a], la azafata)

6. escalas

7. la aduana

8. el (la) aduanero(-a)

III. Así se habla

1. Quisiera una habitación sencilla con baño, por favor.

2. ¿Acepta tarjeta de crédito / dinero en efectivo / cheques de viajero?

3. ¿Me podría enviar el equipaje a mi habitación?

4. Quisiera hablar con el gerente, por favor.

IV. Estructuras

A. 1. Insistió en que Ud. abordara el avión a tiempo.

2. Quería que María facturara todo el equipaje.

3. Les aconsejó a todos los pasajeros que averiguaran la hora del vuelo.

4. Le dijo a Jorge que tuviera la tarjeta de embarque.

5. Te aconsejó que hicieras una reservación.

6. Quería que yo confirmara la reservación.

7. Insistió en que los señores Morales llegaran al aeropuerto temprano.

B. 1. Si Tomás ganara más dinero, iría a Chile.

2. Si los señores Ponce estuvieran de vacaciones, irían a Chile.

3. Si Ud. tuviera más tiempo, iría a Chile.

4. Si María hablara bien el español, iría a Chile.

5. Si (nosotros) no tuviéramos que trabajar, iríamos a Chile.

6. Si (yo) no me preocupara por los estudios, iría a Chile.

7. Si (tú) conocieras a alguien en Santiago, irías a Chile.

C. 1. Los viajeros harán unas reservaciones tan pronto como sepan las fechas de su viaje.

2. Llenarán la tarjeta de recepción en cuanto lleguen al hotel.

3. Llamarán al servicio de habitación cuando quieran pedir algo.

4. Pedirán el servicio de lavandería tan pronto como tengan ropa sucia.

5. Necesitarán la ayuda del botones cuando desocupen la habitación.

V. Perspectivas

1. el autobús   **3.** televisores, comida   **5.** el transporte, los Andes

2. aeropuertos   **4.** trenes, el metro   **6.** aéreo, carreteras

VI. Lectura

A. **1.** las excursiones en tierra cuando se llega a cada puerto, las propinas al final del viaje, las bebidas alcohólicas opcionales

2. un descuento muy sustancial

3. los cruceros en el mar Caribe

4. Royal Caribbean

5. Answer must include two of the following: una expedición a la Antártida / cruceros por el río Amazonas / un crucero por los «fiordos» de Chile

6. Answer must include three of the following cities: Cartagena (Colombia) / Callao (Perú) / Arica (Chile) / Valparaíso (Chile) / Puerto Montt (Chile) / Punta Arenas (Chile) / Montevideo (Uruguay)

B. *Answers vary.*

VII. Composición

Answers vary.

Capítulo 12: Examen A

I. Comprensión oral

1. F   **2.** C   **3.** F   **4.** F   **5.** F   **6.** C   **7.** F   **8.** F

II. Vocabulario

Answers vary.

III. Así se habla

1. ¿Qué tal el partido?   **3.** La próxima será.

2. ¡No me digas! / ¡Ni me cuentes! / ¡Qué terrible!   **4.** ¡Cuánto lo siento! / ¡Qué mala suerte!

IV. Estructuras

A. **1.** Tomás y Miguel habrían ido al gimnasio cada día.

2. (Nosotros) Habríamos visto más partidos.

3. (Tú) Habrías practicado más deportes.

4. Beatriz habría asistido al campeonato.

5. Ud. habría hecho ejercicios aeróbicos.

6. Uds. se habrían mantenido en forma.

7. (Yo) Habría aprendido a jugar al tenis.

B. **1.** Era necesario que yo me hubiera mantenido en forma.

 2. Era necesario que el equipo hubiera querido ganar.

 3. Era necesario que los jugadores hubieran practicado más.

 4. Era necesario que (tú) te hubieras entrenado más.

 5. Era necesario que todos hubieran escuchado al entrenador.

 6. Era necesario que Uds. hubieran corrido cada día.

 7. Era necesario que el entrenador hubiera sido más estricto.

C. **1.** A Jorge se le acabaron las píldoras.

 2. A mí se me olvidó la cita con el médico.

 3. A Uds. se les perdió la receta.

 4. A ti se te rompieron las botellas.

 5. A la señora Puente se le cayeron las gafas.

 6. (A nosotros) Se nos ocurrió una idea.

 7. Al atleta se le rompió el dedo.

V. Perspectivas

1. Es importante porque da consejos a la gente del vecindario acerca de las medicinas que debe tomar.

2. Inyecciones, vacunas, variedad de remedios sin necesidad de receta médica.

3. Quiere decir que está abierta. Generalmente se refiere a las horas de la noche o durante el fin de semana.

4. En los periódicos o en la guía telefónica.

5. *Answers vary.* Se puede conseguir remedios sin receta médica / pedir consejo al(a la) farmacéutico(-a) / recibir inyecciones o vacunas.

VI. Lectura

A. **1.** Los Toldos, Argentina

 2. hija natural

 3. mundo del teatro

 4. Juan Domingo Perón

 5. presidente

 6. la primera dama (de la Argentina)

 7. *Answer must include one of the following:* escuelas públicas / centros de salud públicos / hogares para ancianos / centros vacacionales para los obreros

 8. *Answer must include one of the following:* ministros / legisladores / gobernadores / hombres de negocios

 9. murió de cáncer

 10. entró en crisis y fue derrocado

B. *Answers vary.*

VII. Composición

 Answers vary.

Capítulo 12: Examen B

I.   Comprensión oral

1. C   **2.** F   **3.** C   **4.** F   **5.** C   **6.** F

II.   Vocabulario

Answers vary.

III.   Así se habla

1. Felices vacaciones. / Que lo pases bien. / Que disfrutes.

2. ¡Cuánto lo siento! / ¡Mi sentido pésame! / Lo siento mucho.

3. ¡Que te mejores!

4. ¡Feliz Año Nuevo!

IV.   Estructuras

A.   **1.** (Yo) Habría hecho ejercicios todos los días.

     2. Paco habría aprendido a jugar al golf.

     3. Ud. habría practicado más.

     4. Carmen se habría mantenido en forma.

     5. (Tú) Habrías ido al gimnasio más.

     6. Uds. habrían visto más partidos.

     7. (Nosotros) Habríamos jugado en el campeonato.

B.   **1.** Era necesario que el equipo se hubiera puesto en forma.

     2. Era necesario que yo hubiera corrido cada día.

     3. Era necesario que los jugadores se hubieran entrenado bastante.

     4. Era necesario que (nosotros) hubiéramos hecho ejercicios.

     5. Era necesario que todos hubieran querido ganar.

     6. Era necesario que el entrenador hubiera resuelto el problema con los uniformes.

     7. Era necesario que (tú) hubieras escuchado al entrenador.

C.   **1.** Al jugador se le rompió la pierna.   **5.** A ti se te olvidaron los números.

     2. A mí se me ocurrió una idea.   **6.** Al señor Ochoa se le acabó la gasolina.

     3. A Paco se le cayeron las botellas.   **7.** A María se le rompieron las gafas.

     4. A (nosotros) se nos perdió el dinero.

V.   Perspectivas

1. En una farmacia hispana se puede adquirir remedios o artículos de tocador.

2. Se puede adquirir remedios sin receta médica.

3. El horario de las farmacias durante la semana es igual que el de los otros establecimientos comerciales. Durante el fin de semana las farmacias se turnan para abrir y atender al público.

4. Se puede conseguir información acerca de los horarios de las farmacias en los periódicos de la ciudad o la guía telefónica.

5. El farmacéutico es una persona que trabaja en la farmacia y es de confianza en el vecindario. Las personas de la comunidad muchas veces le preguntan qué remedio deben tomar para una enfermedad sencilla.

VI. Lectura

A. 1. La inflación se encontraba desenfrenada corriendo al ritmo de 200% mensual.

2. Las cifras inflacionarias han bajado, el peso argentino era estable, el gobierno ya no tenía déficits y era posible que la economía creciera.

3. Hay pocos inversionistas extranjeros y continúan las reyertas sociales y la corrupción.

4. Tienen que seguir las ideas de Menem y Cavallo para resolver los problemas económicos.

5. Cavallo convirtió el austral al peso que se encontró a la par con el dólar; esto estimuló la economía.

B. *Answers vary.*

VII. Composición

Answers vary.

Examen final A

I. Comprensión oral

1. muy seria / La compañía está atravesando por una situación económica muy difícil.

2. la fecha de vencimiento de los préstamos se acerca

3. La compañía no tiene dinero para pagar los préstamos.

Order of answers 4–6 may vary.

4. pedir otros préstamos

5. despedir a empleados

6. hacer un reajuste de salarios

7. Es una solución muy seria; la solución tiene graves consecuencias para todos y se necesita pensar un poco más;

8. al día siguiente / mañana

II. Vocabulario

Answers vary.

III. Así se habla

1. (Yo) Propongo que hagamos un reajuste de salarios. ¿Qué les parece? / ¿Está bien? / ¿Qué opinan?

2. No comprendo lo que dices.

3. Buenos días. / Buenas tardes. Si fuera tan amable, quisiera hablar con el Dr. González.

4. El Dr. González no se encuentra. Él regresará a las tres de la tarde *(time may vary)*. ¿Quisiera dejar algún mensaje?

5. Sí, por favor. Si fuera tan amable, dígale que me llame a mi casa mañana. Mi nombre es…

IV. Estructuras

A. esté, Hace, tenga, es, pueda, pueda, va

B. Fue, tenía, sabía, supe, tenía, trabajaba, hacía, tenía, reparaba, arreglaba, podíamos, supe, estaba

C. *Answers vary; all verbs should be in the future tense.*

D.
1. Se los lleva (a los jefes).
2. Nos lo lleva.
3. Se las lleva (a la secretaria).
4. Te lo lleva.
5. Me las lleva.
6. Se la lleva (a Ud.).

E.
1. No despida al contador.
2. Archive los documentos.
3. Consigan más pedidos.
4. No hagan llamadas personales.
5. No hagas ruido.
6. Sé cuidadoso.
7. Encárgate de las ventas.
8. Resolvamos el problema.
9. Ofrezcamos nuestros servicios al gobierno.
10. No cumplamos los pedidos.

V. Perspectivas

1. *Answers vary but include the father's last name + mother's last name.*

2. Mi horario sería de las 9 de la mañana a las 12 del mediodía y de las 2 de la tarde a las 6 de la tarde o de las 4 de la tarde a las 8 de la noche.

3. *Answers vary but should include Hispanic foods.*

4. A mi jefe me dirigiría usando usted y lo llamaría por su apellido, por ejemplo, Sr. Gómez. A mis compañeros me dirigiría usando tú y los llamaría por su nombre, por ejemplo, José.

5. *Answers vary.*

VI. Lectura

A.
1. Los países europeos tienen que resolver diferencias de lenguas, costumbres, culturas, sistemas legales y problemas de antipatías históricas.
2. La UE representa el mayor mercado consumidor del mundo con 320 millones de consumidores y un tremendo potencial de crecimiento.
3. Las compañías estadounidenses defienden sus mercados e invierten muchísimo en nuevas fábricas y equipos en la UE.
4. España recibe muchos beneficios: Ford ha invertido 68 millones de dólares para una fábrica de repuestos en Cádiz, ATT ha invertido 200 millones en una fábrica de microchips cerca de Madrid y General Electric está invirtiendo 1.700 millones para fabricar plásticos cerca de Cartagena.
5. España puede ayudar con soluciones para la renegociación de la deuda externa, servir de portavoz a los intereses de los países de Latinoamérica y facilitar vías de colaboración.

B. *Answers vary.*

VII. Composición

Answers vary.

Examen final B

I.   Comprensión oral

1. Romero y Compañía

2. Está llamando en relación al aviso publicado en el periódico de hoy.

3. Martín Peña

4. Eduardo Flores

5. representante de ventas

6. *Answer must include two of the following:* una persona que sea enérgica / una persona que sea trabajadora / una persona que sea responsable / una persona que tenga experiencia

7. *Answer must include two of the following:* tiene cinco años de experiencia / ha trabajado tanto aquí en el país como en el extranjero / tiene experiencia en el negocio de la importación y exportación

8. Debe enviarle una copia de su curriculum vitae a la compañía.

9. Avenida Bolívar, Centro Plaza, Oficina 144.

II.   Vocabulario

anuncios clasificados, enterarse, jefe de personal, solicitud, entrevista, curriculum vitae, cartas de recomendación, beneficios sociales, sueldo, tomar una decisión

III. Así se habla

Answers vary.

IV. Estructuras

A. esté, Hace, tenga, es, pueda, pueda, va

B. fue, tenía, sabía, supo, tenía, trabajaba, hacía, Tenía, reparaba, arreglaba, podía, supo, estaba

C. Answers vary; all verbs should be in the future tense.

D.   **1.** Me lo lleva.

2. Se la lleva (a la jefa).

3. Se lo lleva (a Ud.).

4. Se los lleva (al gerente).

5. Nos los lleva.

6. Te lo lleva.

E. **1.** Encárguese de las ventas.

2. No ejecute los pedidos.

3. Resuelvan el problema.

4. No hagan ruido.

5. No hagas llamadas personales.

6. Sé cuidadoso.

7. Archiva los documentos.

8. Ofrezcamos nuestros servicios a la Empresa Rumasa.

9. No despidamos al contador.

10. Consigamos más pedidos.

V. Perspectivas

1. *Answers vary but include the father's last name + mother's last name.*

2. Mi horario sería muy diferente. Comería la comida principal entre las 12 del mediodía y las 2 de la tarde o entre las 2 y las 4 de la tarde.

3. *Answers vary but should include Hispanic foods.*

4. A mi profesor(-a) me dirigiría usando usted y lo llamaría por su apellido. EJEMPLO: Buenos días, profesor Gómez.

5. Iría a la farmacia para que el (la) farmacéutico(-a) me recetara un remedio o me pusiera una inyección.

VI. Lectura

A. **1.** Las mujeres están haciendo sentir su influencia particularmente en la grandes ciudades.

2. Las mujeres van a constituir una mayor proporción del total de la fuerza laboral para el año 2005.

3. En los últimos años más mujeres que hombres se han trasladado del campo a la ciudad.

4. En las ciudades las mujeres encuentran trabajo más fácilmente que los hombres.

5. Hay más y más mujeres que ocupan puestos profesionales.

6. En las universidades predominan los varones pero las mujeres están ganando terreno.

7. Muchos padres latinoamericanos de clase media y clase alta consideran que asistir a la universidad da prestigio a las muchachas.

B. *Answers vary.*

VII. Comprensión

Answers vary.

Testing Program
Tapescript for Listening Comprehension

Capítulo preliminar
Prueba A

I. COMPRENSIÓN ORAL

¿Cómo estás? *Algunos estudiantes están intercambiando información personal. Escuche sus conversaciones. Luego, en su hoja de examen ponga un círculo alrededor de las oraciones que indican de qué hablan los estudiantes. (¡Ojo! Puede haber más de una respuesta correcta.)*

A.

MALE 1	Feliz cumpleaños, José. Hoy es tu cumpleaños, ¿no?
MALE 2	No, mi cumpleaños es el dieciséis de julio.
MALE 1	Ay, disculpa.
MALE 2	No te preocupes. Muchas gracias de todas maneras.

B.

FEMALE 1	Hola, Mariana. ¿Cómo estás?
FEMALE 2	Bien, ¿y tú?
FEMALE 1	Mira, quiero preguntarte una cosa, por favor. Como tú conoces a Jorge Bustamante, ¿me puedes decir cómo es él?
FEMALE 2	Claro que sí. Es alto, moreno, de ojos negros; tiene veintiún años y es muy serio. Pero, ¿por qué me preguntas?
FEMALE 1	Porque yo no lo conozco y esta noche voy a salir con él y con unos amigos.
FEMALE 2	Jorge es muy buena persona. No te preocupes.

Capítulo preliminar
Prueba B

I. COMPRENSIÓN ORAL

¿Cuál es su pasatiempo favorito? *Unos estudiantes intercambian información personal. Escuche sus conversaciones. Luego en su hoja de examen ponga un círculo alrededor de las oraciones que indican de qué hablan los estudiantes. (¡**Ojo**! Puede haber más de una respuesta.)*

A. FEMALE   Hola, Juan, ¿cómo estás? ¿Qué estás haciendo?

  MALE   Hola, Olga, aquí haciendo un crucigrama. Tú sabes que es mi pasatiempo favorito.

  FEMALE   ¡No me digas! ¡Qué interesante!

  MALE   Sí. ¿Cuál es tu pasatiempo favorito?

  FEMALE   A mí me gusta leer novelas, tocar la guitarra y jugar al tenis. Y tú, ¿practicas algún deporte?

  MALE   Sí, yo también juego al tenis.

  FEMALE   ¡No me digas! ¡Qué sorpresa!

B. MALE   Hola, Susana. ¿Te gusta bailar?

  FEMALE   Me gusta mucho. Bailar y hacer ejercicios son mis pasatiempos favoritos.

  MALE   A mí también me gusta bailar, pero no me gustan los deportes. Yo prefiero tocar el piano y la guitarra.

  FEMALE   No sabía que te gustaba tanto la música, Omar.

  MALE   Sí, me gusta mucho. Mira, ¿quieres ir a una fiesta conmigo este sábado? Podremos bailar bastante. Además podremos charlar con los amigos y contar chistes.

  FEMALE   ¡Fabuloso!

Capítulo 1
Examen A

I. COMPRENSIÓN ORAL

¿Cuál es su ocupación? *Escuche a las siguientes personas. Luego, decida qué ocupación tiene cada persona y complete las oraciones en su hoja de examen con información de los monólogos.*

A. MALE Esta vida es muy difícil. Todos los días me tengo que levantar muy temprano, bañarme y arreglarme para ir a clases. Después de clases generalmente tengo que ir a la biblioteca porque tengo mucho que estudiar. Sólo puedo descansar un poco los fines de semana, pero no mucho. Desafortunadamente todavía falta mucho tiempo para las próximas vacaciones.

B. FEMALE 1 A mí me gusta mucho mi trabajo aunque me tengo que levantar muy temprano todos los días. Como tengo que estar en la biblioteca a las siete de la mañana, tengo que levantarme aproximadamente a las cinco todos los días. Los estudiantes van a la biblioteca durante todo el día y yo los ayudo a conseguir los libros que necesitan para leer y hacer sus trabajos de investigación. En este trabajo, sin embargo, no tengo tiempo ni para echar una siesta.

C. FEMALE 2 Muchas personas piensan que mi vida es muy aburrida, pero no es así. Me levanto a las seis de la mañana, preparo el desayuno para toda la familia y luego, mientras mis hijos están en la escuela y mi esposo en la oficina, yo hago una serie de diligencias: voy al correo a comprar estampillas o enviar una carta, hago las compras en el almacén y paso por la tintorería a dejar o recoger la ropa. Cuando regreso a casa hago la limpieza y preparo la cena. Algunas veces, después del almuerzo tomo una pequeña siesta o leo una revista. Por las noches, tres veces por semana, tomo clases de pintura en el Centro de Arte de mi ciudad. Los fines de semana salgo a pasear fuera de la ciudad con mi esposo e hijos. Algunas veces vamos a la playa, otras al campo. Cuando mis hijos estén mayores, buscaré un trabajo como enfermera en un hospital cerca de mi casa.

Capítulo 1

Examen B

I.   COMPRENSIÓN ORAL

¿Qué hacen estas personas? *Escuche a las siguientes personas. Luego, complete las oraciones en su hoja de examen con información de los monólogos y decida qué ocupación tiene cada persona.*

A.   MALE 1   Estoy muy feliz. Ya no tengo que ir a la escuela, ni hacer la tarea, ni prepararme para los exámenes. Mi vida es muy sencilla. Todos los días me levanto a las diez de la mañana, me ducho, me visto, me peino, desayuno y leo el periódico. A las dos de la tarde más o menos almuerzo, y después de una corta siesta, me reúno con los amigos en la casa de uno de ellos. Ahí charlamos, jugamos fútbol o tenis. En la noche después de cenar, salimos nuevamente y vamos a bailar en una discoteca. ¡Qué buena vida! ¡A mí sí me gustan las vacaciones!

B.   FEMALE   Hoy no tengo que enseñar en la escuela pero no creo que tenga mucho tiempo para descansar. Tengo que hacer una serie de diligencias tanto para mí como para mis padres. Mi madre quiere que vaya al supermercado y que le haga las compras. Ella está muy débil y no puede hacerlo. Mi padre quiere que lo lleve al centro comercial. Quiere comprar zapatos. Yo tengo que ir al correo, comprar estampillas y enviar un paquete a mi tía Julia. Tengo que hacer todo esto antes de las seis de la tarde porque quiero lavarme y rizarme el pelo porque voy a salir con Alan esta noche.

C.   MALE 2   Yo trabajo tiempo completo en un banco y siempre estoy muy ocupado. Casi todos los días trabajo horas extra porque siempre hay un problema. A veces la computadora no funciona y esto retrasa nuestro trabajo. Otras veces algunos empleados no van a trabajar y yo tengo que hacer su trabajo. Cuando salgo estoy tan cansado y es tan tarde que no tengo tiempo para reunirme con mis amigos, ni para mirar las noticias en la televisión. ¡No sé qué voy a hacer!

Capítulo 2

Examen A

I. COMPRENSIÓN ORAL

Las actividades atléticas. *Un profesor de educación física está hablando de los deportes favoritos de sus estudiantes y las notas que ellos recibieron. Mientras escucha lo que dice, escriba en su hoja de examen los deportes que practican y la nota que cada estudiante recibió.*

MALE   El semestre pasado tuve algunos estudiantes que fueron muy buenos atletas pero también tuve otros que fueron muy ociosos. Los mejores fueron Mario y Omar y los peores fueron Guillermo y David. Mario jugó en el equipo de básquetbol. Además levantó pesas y practicó natación. Todo lo hizo muy bien y yo le di una A. Omar practicó el tenis y el vólibol. Siempre llegó temprano a las prácticas y tomó muy en serio los deportes. Por eso también recibió una A. Guillermo, sin embargo, no fue tan bueno. Muchas veces él prefirió divertirse y pasarlo bien. Dos veces se emborrachó y no pudo jugar con el equipo de tenis. Fue al gimnasio varias veces a levantar pesas pero siempre llegó tarde. No quiso tomar en serio los deportes y por eso le di una D. David, por otro lado, tampoco tuvo mucha dedicación a los deportes. Siempre tenía una excusa para llegar tarde a la práctica de natación. En el tenis, sin embargo, fue muy bueno y también en el vólibol. Por eso le di una B.

Capítulo 2

Examen B

I.   COMPRENSIÓN ORAL

Vacaciones de verano. *Escuche a cuatro amigos hablar de sus actividades durante las vacaciones de verano. Mientras escucha lo que dicen, escriba en su hoja de examen las actividades en que participaron y el lugar en que lo hicieron.*

1.   FEMALE 1   Hola. Mi nombre es Verónica Angulo. Durante las vacaciones de verano participé en muchas actividades deportivas. Fui a pasar un mes y medio en la playa y ahí nadé, practiqué esquí acuático y navegué en velero.

2.   MALE 1   ¿Qué tal? Yo soy Jorge Ramos. Durante el verano gocé muchísimo. Fui al club nocturno con mis amigos y vimos muchos espectáculos. También fui muchas veces con mi novia a bailar en la discoteca y a ver películas románticas y de aventuras en el cine.

3.   FEMALE 2   Yo soy Rosana Gómez. Mis vacaciones fueron muy tranquilas. Fui a conciertos de música clásica en el teatro de mi ciudad. También fui al club con mis amigos y ahí nadé mucho y también jugué al golf.

4.   MALE 2   Me llamo José Medina. Yo no me divertí mucho estas vacaciones. Tuve que trabajar en la oficina de mi padre. Sólo un fin de semana largo fui a un complejo turístico y ahí monté a caballo y jugué al tenis. Lo pasé muy bien.

Capítulo 3

Examen A

I. COMPRENSIÓN ORAL

Cuando era niño... *Las siguientes personas están hablando de su niñez. Mientras escucha lo que cada persona dice, llene los espacios en su hoja de examen con el país de donde es y tres (3) de las actividades mencionadas que antes hacía cuando era niño(-a).*

A. MALE 1   Me llamo Jorge Valdez y soy de España. Cuando era niño vivía con mis padres y hermanos en una casa muy grande y antigua cerca del centro de Madrid. Los fines de semana eran muy divertidos. Los sábados, por lo general, íbamos de excursión al campo o a la playa. Algunas veces visitábamos los museos o simplemente jugábamos a las damas en casa. Los domingos íbamos a la casa de mis abuelos. Ahí comíamos un almuerzo delicioso que preparaba mi abuela y luego mientras mis padres conversaban con mis tíos y abuelos, mis hermanos, mis primos y yo jugábamos al fútbol. Ay, ¡qué tiempos aquellos! ¡Esa sí era vida!

B. FEMALE   Yo soy Elena Morales y soy peruana. Cuando era niña, vivía con mis padres, dos tías y mi hermano menor en una casa muy vieja pero muy linda. Recuerdo que cuando era pequeña iba a la playa todos los días del verano con mis amigas Carmencita y Rosita. En la playa nadábamos, nos paseábamos en velero y comíamos helados. A las seis de la tarde regresábamos a la casa cansadas, pero contentas. Hace mucho tiempo que no veo a Carmencita. Rosita se murió muy jovencita. Sin embargo, yo las recuerdo siempre con mucho cariño.

C. MALE 2   Yo soy Fernando Arce. Soy del Ecuador. Cuando era joven, practicaba muchos deportes. Jugaba al básquetbol todos los días y además nadaba. A veces organizaba una fiesta en mi casa e invitaba a todos mis amigos. Bailábamos hasta muy tarde en la noche, conversábamos y nos reíamos mucho. Ahora no practico ningún deporte, sólo trabajo todo el día y veo televisión por la noche.

Capítulo 3
Examen B

I.   COMPRENSIÓN ORAL

Te invito a mi fiesta. *Escuche las siguientes conversaciones. Preste atención a las invitaciones que se hacen y llene el cuadro en su hoja de examen.*

A.   FEMALE 1   Mira, qué bien que te encuentro, Josefina. Estoy organizando una fiesta para el viernes de la próxima semana, y me gustaría mucho que fueras.

    FEMALE 2   Gracias, Marielita. ¿Y cuál es el motivo de la fiesta?

    FEMALE 1   Es mi cumpleaños. Mira, no dejes de ir. Van a estar todos nuestros amigos, José, Eduardo, Roberto.

    FEMALE 2   No, de todas maneras voy. Gracias por invitarme.

B.   MALE 1   Mira, Armando, ¿crees que podrías venir este sábado a mi casa? Va a haber una pequeña reunión. Quiero reunir a algunos amigos de la escuela secundaria para despedir a Jaime que se va a España por un año.

    MALE 2   Cuánto lo lamento, pero tengo otro compromiso.

C.   MALE 1   Mi amor, este sábado hay un almuerzo en la casa de mis abuelos y quisiera que tú fueras conmigo.

    FEMALE 1   Me encantaría, pero dime, ¿quiénes van a estar ahí?

    MALE 1   Toda mi familia y quieren conocerte.

    FEMALE 1   ¿Y cuál es el motivo del almuerzo? ¿Llevo algún regalo?

    MALE 1   Es el aniversario de mis abuelos, pero no te preocupes por comprarles regalo.

    FEMALE 1   Muy bien, Joaquín. Tú me recoges, ¿no?

Capítulo 4

Examen A

I. COMPRENSIÓN ORAL

¿A qué restaurante? *Escuche la siguiente conversación. Luego, complete las oraciones en su hoja de examen.*

MALE 1   ¿Qué les parece, vamos al Todo Fresco o a La Estancia para celebrar el fin de los exámenes?

MALE 2   Yo prefiero ir al Todo Fresco, porque me encantan los mariscos.

MALE 3   Francamente, yo quisiera ir al Tucán porque prefiero la comida allá. Además los cocineros del Tucán son mejores que los del Todo Fresco.

MALE 2   Sí, pero el Tucán es más caro.

MALE 1   Yo creo que el Todo Fresco y La Estancia son mejores que el Tucán. Las carnes de La Estancia son deliciosas y ese arroz con pollo que preparan es muy sabroso. Pero tenemos que decidir pronto. Yo me muero de hambre.

MALE 3   Calma, calma. Además tú estás a dieta y no puedes comer arroz con pollo, ni mariscos, ni nada de eso.

MALE 1   Tienes razón. Bueno entonces, ¿qué les parece si vamos a La Estancia? Ahí puedo pedir una ensalada mixta y un café.

MALE 2   Bueno, vamos. Ahí todos podemos comer algo.

MALE 3   Tienes razón. Vamos.

Capítulo 4

Examen B

I.   COMPRENSIÓN ORAL

En un restaurante. *Escuche la siguiente conversación entre un grupo de personas en un restaurante. Circule* **SÍ** *si las oraciones presentadas en su hoja de examen parafrasean apropiadamente lo que Ud. oyó, y* **NO** *si no lo hacen.*

MALE 1	Bueno, finalmente vinimos al Plata Grande. Ya había oído bastante acerca de este restaurante. Me han dicho que la comida es excelente.
FEMALE	Así es. Tienen unos platos exquisitos. El pollo en mole, por ejemplo, es delicioso.
MALE 2	Siempre que yo vengo acá tomo una margarita y luego pido enchiladas verdes.
MALE 1	Por lo visto Uds. saben qué van a pedir. Yo no tengo la menor idea. ¿Tienen comida internacional o solamente comida mexicana?
FEMALE	Tienen algunos platos de comida internacional, pero no muchos. Éste es un restaurante mexicano. ¿No sabías?
MALE 1	No.
MALE 2	Pero no pensarás comer comida internacional, ¿no? ¿No te gusta la comida mexicana?
MALE 1	No mucho. Yo creo que voy a pedir una ensalada mixta y un pollo asado.
MALE 2	Bueno, al menos tomarás un vino, ¿no?
MALE 1	No, no puedo. Tengo que regresar al trabajo. Voy a pedir un agua mineral.
FEMALE	Tú sí eres un aguafiestas. Pero, bueno, como yo no tengo que regresar al trabajo, yo sí voy a tomarme un vino y para comer voy a pedir arroz con pollo.
MALE 2	Yo tampoco tengo que regresar al trabajo. Voy a tomarme una margarita. ¡Mesero!

Capítulo 5
Examen A

I. COMPRENSIÓN ORAL

¿Quiénes son y dónde están? *Escuche las siguientes conversaciones y complete el gráfico en su hoja de examen con el nombre de las personas que hablan y el lugar donde están.*

A. MALE 1   Profesora, ¿puede hablar más despacio, por favor? No comprendo lo que dice.

       FEMALE 1   Emilio, tienes que prestar atención.

       MALE 1   Disculpe, por favor, pero es que no oí bien.

B. FEMALE 1   Elena, por favor, dime, ¿cómo va a estar el día hoy? No sé si tengo que llevar mi abrigo o mejor un impermeable.

       FEMALE 2   Espera. A ver… Muy bien. Parece que vas a tener que llevar tu impermeable porque va a llover.

       FEMALE 1   ¡Ay! ¡No encuentro mi impermeable!

       FEMALE 2   No te preocupes, mamá. Lleva el mío, que yo no voy a salir hoy.

       FEMALE 1   Gracias. Nos vemos.

C. MALE 1   El año pasado tuve mucho trabajo. Tomé muchas materias difíciles. No descansé nada. Este año quiero divertirme. Por eso voy a escoger las clases fáciles.

       MALE 2   Ten mucho cuidado, Roberto, porque si quieres graduarte en ingeniería, tienes que cumplir con los requisitos y además tienes que sacar buenas notas.

       MALE 1   Sí, yo sé, pero todavía soy joven y quiero divertirme un poco, papá.

       MALE 2   Te comprendo, pero también tienes que estudiar. No te olvides.

Capítulo 5

Examen B

I. COMPRENSIÓN ORAL

¿Quiénes son y dónde están? *Escuche las siguientes conversaciones y complete el gráfico en su hoja de examen con el nombre de las personas que hablan y el lugar donde están.*

A. MALE 1   Disculpe, señora, pero dentro de unos minutos tengo clase y no sé dónde está el departamento de español. ¿Me podría decir cómo llegar allí?

        FEMALE 1   Sí, cómo no. No está lejos de aquí. Camine dos cuadras y luego doble a la derecha. El departamento de español está ahí, en el edificio Irvin.

        MALE 1   Gracias, señora. Muy amable.

B. MALE 1   Mi amor, ¿has oído el pronóstico del clima para el día de hoy?

        FEMALE 1   Sí, cariño. Va a caer un aguacero espantoso. Espero que hayas comprado un nuevo paraguas.

        MALE 1   ¿Ya empezó a llover?

        FEMALE 1   No, todavía no. Ahorita está nublado pero va a llover esta tarde, cuando regresemos del trabajo.

C. MALE 1   Este año todo es diferente. Hace dos años tenía un trabajo muy interesante, ganaba un buen sueldo, tenía un buen carro y tenía dinero para divertirme. Ahora, no tengo trabajo, no tengo dinero, no tengo ni amigos siquiera.

        MALE 2   José, no te quejes tanto. Tú sabes que la situación económica del país ha cambiado mucho. No tendrás dinero, pero amigos sí tienes. Tienes que ser menos pesimista.

        MALE 1   Sí, Martín, lo sé. Tú eres mi amigo y vivo aquí en tu casa, pero mi novia me dejó y mis otros amigos de antes ni me llaman.

        MALE 2   No te preocupes por eso. Mira, aquí tienes el periódico. De repente ves algún aviso que te interesa.

Capítulo 6

Examen A

I. COMPRENSIÓN ORAL

Trabajos de la casa. *Escuche la siguiente conversación entre una madre y su hija. Luego, escriba en su hoja de examen lo que la hija Julia va a hacer.*

FEMALE 1	Julia, tengo muchas cosas que hacer y es necesario que me ayudes a preparar las cosas para la fiesta de esta noche.
FEMALE 2	Muy bien, mamá, no te preocupes. ¿Qué quieres que haga?
FEMALE 1	Limpia bien los baños y pon toallas limpias. Arregla todos los cuartos y cuelga toda la ropa. También quiero que pongas la mesa y compres flores frescas.
FEMALE 2	Muy bien, pero dime, ¿quién va a cocinar?
FEMALE 1	¿Quién crees tú? ¡Yo, por supuesto! Dudo que tu papá quiera hacerlo.
FEMALE 2	¡Papá! ¡Eso sí sería horrible! Además, nadie cocina tan rico como tú.

Capítulo 6

Examen B

I.   COMPRENSIÓN ORAL

Ayuda a una amiga. *Escuche la siguiente conversación entre dos amigas. Luego, explique en su hoja de examen la ayuda que Irma y Eduardo le dan a Irene.*

FEMALE 1	Disculpa, Irma, quiero pedirte un favor. ¿Crees que podrías traerme el periódico de hoy? Edmundo lo dejó abajo y no lo he leído. Como no puedo subir ni bajar escaleras, no puedo traerlo.
FEMALE 2	Ay, Irene, no faltaba más. Te lo traigo inmediatamente. ¿Se te ofrece cualquier otra cosa? ¿Quisieras una taza de té? ¿un jugo?
FEMALE 1	Tráeme un jugo de naranja, si fueras tan amable.
FEMALE 2	¡Por supuesto! Ya te lo traigo.
FEMALE 1	No me gusta molestarte tanto, Irma.
FEMALE 2	No te preocupes. Dime, ¿has almorzado?
FEMALE 1	En realidad, no, pero no quiero molestarte.
FEMALE 2	Ya te he dicho que no es ninguna molestia. Mira, voy a traer el periódico; mientras tanto piensa qué quieres comer para preparártelo. Ya vuelvo.
FEMALE 1	No sé qué haría sin tu ayuda.
FEMALE 2	No hables tonterías. Bueno, aquí está el periódico. Dime, ¿qué quieres que te prepare para almorzar?
FEMALE 1	Algo muy sencillo. Tráeme unas frutas, una manzana, una pera y unas galletas. Eso es todo. Esta noche, cuando regrese Edmundo, preparará la cena, y quizás entonces tenga un poco más de hambre. Dijo que iba a preparar arroz con pollo. ¡Imagínate!
FEMALE 2	Me alegro que te esté ayudando con la comida.
FEMALE 1	Sí, también me ayuda con la limpieza de la casa. Ayer pasó la aspiradora y lavó la ropa.
FEMALE 2	¡Qué bien!

Capítulo 7

Examen A

I. COMPRENSIÓN ORAL

De compras. *Escuche las siguientes conversaciones entre unos vendedores y sus clientes. Luego complete las oraciones en su hoja de examen.*

A. FEMALE 1   Señorita, estoy buscando un regalo para mi madre. Hágame el favor de mostrarme algunas blusas.

FEMALE 2   ¿Qué talla necesita, señorita?

FEMALE 1   Francamente no sé, pero supongo que una talla grande.

FEMALE 2   Aquí tiene una. ¿Qué le parece?

FEMALE 1   Está muy bonita. Estoy segura que le gustará. ¿Cuánto cuesta?

FEMALE 2   Cinco mil pesos.

FEMALE 1   ¡Ay, Dios mío! ¿Tiene otras blusas?

FEMALE 2   Sí, cómo no. Venga por acá.

B. MALE 1   Señor, sería tan amable, necesito unos zapatos de cuero de color marrón.

MALE 2   ¿Qué número necesita?

MALE 1   Once y medio.

MALE 2   Aquí los tiene. ¿Qué le parecen?

MALE 1   Pues… ¿Tiene otros modelos?

MALE 2   Sí, cómo no. Ya se los traigo.

C. FEMALE 1   ¿En qué puedo ayudarle?

FEMALE 2   Señorita, esta blusa me la regalaron mis suegros para mi cumpleaños, pero no me queda bien y quisiera cambiarla.

FEMALE 1   Cuánto lo siento, pero no aceptamos cambios.

FEMALE 2   Señorita, pero todo lo que yo necesito es una blusa más grande que ésta. Yo no quiero que me dé otra cosa; yo sólo quiero esta misma blusa en una talla más grande.

FEMALE 1   Lo siento, señora, pero no puedo hacer nada.

FEMALE 2   ¿Y ahora qué voy a hacer? Tiene que cambiármela.

FEMALE 1   Disculpe, pero tengo que atender a los otros clientes.

Capítulo 7

Examen B

I. COMPRENSIÓN ORAL

En las tiendas. *Escuche las siguientes conversaciones entre unos vendedores y sus clientes. Luego complete las oraciones en su hoja de examen.*

A.   MALE 1   Señorita, estoy buscando un regalo para mi esposa. Hoy es nuestro primer aniversario y quisiera comprarle algo especial.

   FEMALE 1   ¿Quisiera comprarle una pulsera, un collar, una sortija?

   MALE 1   Un collar. En la vitrina vi unos collares de oro que me gustaron mucho. ¿Me los podría mostrar?

   FEMALE 1   Con mucho gusto. Aquí los tiene.

   MALE 1   Éste me gusta mucho. Me lo llevo.

   FEMALE 1   Es muy elegante. Es de oro de 18 kilates. Estoy segura que le encantará a su esposa.

B.   FEMALE 1   Disculpe, señor, pero aquí hay un error. Yo pedí un sándwich de jamón y queso y un café y en la cuenta que Ud. me ha traído figura un cóctel de camarones y un vaso de vino. De algún modo se han confundido con la cuenta de otra mesa.

   MALE 1   Es muy raro, porque eso no pasa nunca, pero déjeme ver.

   FEMALE 1   Sí, por favor. Debe haber habido un error. Le agradecería que arreglara esto rápidamente porque me están esperando y me tengo que ir.

C.   MALE 1   ¿Le compraste los juguetes a tu hermanito para su cumpleaños?

   MALE 2   No, no se los compré. No me han pagado todavía y no tengo ni un centavo. Estoy pensando en comprarle sólo un juguete en vez de varios porque están carísimos.

   MALE 1   Comprendo, además tú también tienes que pagar la matrícula de la universidad pronto, comprarte libros y todo eso.

   MALE 2   Sí, estoy preocupado porque se me viene una serie de gastos. Creo que voy a pedirle dinero a mis padres porque no sé qué hacer.

   MALE 1   Buena suerte.

Capítulo 8

Examen A

I. COMPRENSIÓN ORAL

¿Adónde vamos hoy? *Escuche la siguiente conversación entre dos amigas que tratan de decidir adónde ir. Llene el formulario que se presenta en su hoja de examen con la información necesaria.*

FEMALE 1	Señora Marta, almorcemos juntas hoy y luego vámonos al museo a ver la exposición de Soto. ¿Qué le parece?
FEMALE 2	Me parece muy bien, Susana, pero ¿cómo vamos? ¿en metro, en taxi o en tu carro?
FEMALE 1	Mejor vámonos en taxi porque así no tenemos que buscar estacionamiento ni luchar con el tráfico.
FEMALE 2	Muy bien.
FEMALE 1	¿Dónde quisiera almorzar hoy?
FEMALE 2	¿Dónde se come bien cerca del museo? Yo no conozco muchos restaurantes en esa zona.
FEMALE 1	Bueno, ¿qué le parece si vamos a La Estancia, por la Plaza Bolívar? Luego, de ahí tomamos un taxi.
FEMALE 2	Perfecto. Y dime, Susana, ¿tú crees que todavía podamos ver la exposición de Soto?
FEMALE 1	Claro que sí, señora Marta. La exposición va a estar abierta hasta el 15 de diciembre.
FEMALE 2	Muy bien. En ese caso ven a recogerme a las once y media.
FEMALE 1	Ahí estaré. Adiós, señora Marta.
FEMALE 2	Gracias, Susana.

Capítulo 8

Examen B

I.   COMPRENSIÓN ORAL

¿Cómo voy a... ? *Escuche la siguiente conversación entre una turista en Lima y un caballero. Luego, llene el formulario que se presenta en su hoja de examen con la información necesaria.*

FEMALE	Señor, por favor, ¿me podría decir cómo llegar al centro comercial más cercano?
MALE	Mire, lo más conveniente es que tome un autobús. Primero tiene que tomar la línea tres con dirección a la Plaza Central. Se baja en la Plaza Central y ahí toma la línea uno con dirección al norte. Dos paradas más adelante es la parada del centro comercial. Al bajarse lo verá.
FEMALE	¿Ud. sabe por casualidad si el autobús está muy congestionado a esta hora?
MALE	A ver, déjeme ver, ¿qué hora es? Sí, son las seis de la tarde. Desafortunadamente, señorita, sí lo va a encontrar muy congestionado.
FEMALE	Y, ¿qué otra alternativa tengo?
MALE	Bueno, tomar un taxi solamente. Pero eso le va a salir muy caro y Ud. sabe cómo es el tráfico de Lima. Quizás se demore aún más yendo en taxi.
FEMALE	Muchas gracias, señor.

Capítulo 9

Examen A

I. COMPRENSIÓN ORAL

En la oficina. *Escuche la siguiente conversación y complete el gráfico en su hoja de examen con el equipo y el personal que necesitan.*

MALE	Señorita Méndez, la llamé a mi oficina porque necesito que haga una serie de cosas rápidamente, por favor.
FEMALE	Sí, señor Gutiérrez, dígame.
MALE	En primer lugar, necesitamos adquirir el siguiente equipo: dos computadoras IBM, una para el jefe del departamento de finanzas y otra para el jefe de mercadeo; compre también dos impresoras IBM. Yo necesito un nuevo teclado, una pantalla nueva y una docena de discos.
FEMALE	Muy bien, señor. ¿Otra cosa más?
MALE	Sí, por favor. Como Ud. sabe, necesitamos contratar dos secretarias más que hablen inglés, español y francés. También necesitamos un contador y un representante de ventas con experiencia en ventas internacionales. Hágame el favor de poner dos avisos en el periódico. ¿Cree que podrá hacer todo eso?
FEMALE	Cómo no, señor Gutiérrez.
MALE	Bueno, muchas gracias, señorita Méndez.

Capítulo 9
Examen B

I.   COMPRENSIÓN ORAL

Un puesto nuevo. *Escuche la siguiente conversación y complete el gráfico en su hoja de examen con información sobre un puesto nuevo.*

MALE   Señorita Moya, por favor tome apunte de lo siguiente.

FEMALE   Sí, señor Canseco, dígame.

MALE   Como Ud. sabe, necesitamos contratar un asistente de contador y quiero que me redacte un aviso para enviar al periódico. Necesitamos una persona que sea recién graduada, seria, responsable y trabajadora. Ofrecemos un sueldo atractivo de acuerdo a las aptitudes personales, excelentes beneficios sociales y 21 días de vacaciones. Los interesados deben enviar su curriculum vitae acompañado de tres cartas de recomendación. ¿Tomó nota?

FEMALE   Sí, señor Canseco. ¿Algo más?

MALE   No, eso es todo. Y por favor, redacte ese aviso hoy mismo.

FEMALE   Sí, señor Canseco.

Capítulo 10
Examen A

I.   COMPRENSIÓN ORAL

En el banco. *Escuche el siguiente anuncio comercial acerca de un banco. Después de escuchar el anuncio, decida si las oraciones en su hoja de examen son ciertas o falsas. Marque con un círculo* **C** *(Cierto) o* **F** *(Falso) en su hoja de examen.*

MALE   ¿Ha ido ya al Banco América? Si todavía no ha ido, vaya ahora mismo y disfrute de todos los servicios que el Banco América le ofrece. Abra su cuenta corriente o cuenta de ahorros en el Banco América y gane altos intereses. Las cuentas corrientes le ofrecen hasta un 8% de interés mensual. Y las cuentas de ahorros le ofrecen hasta un 9% de interés mensual dependiendo de la cantidad que Ud. deposite. Si abre Ud. una cuenta de ahorros con un mínimo de $5.000 por un plazo de seis meses, el Banco América le paga 6,9% de interés mensual. Si prefiere abrir una cuenta por un año con un mínimo de $10.000, el Banco América le ofrece 8% de interés mensual. Si por otra parte necesita solicitar una hipoteca o cualquier otro tipo de préstamo, el Banco América le facilita el dinero a bajo interés. Venga al Banco América y haga que su dinero trabaje para Ud. El Banco América lleva 10 años trabajando al servicio de la comunidad hispana en Miami.

Capítulo 10
Examen B

I. COMPRENSIÓN ORAL

El instituto Beke-Santos. *Escuche la conversación entre un empleado de la compañía Beke-Santos y una especialista en computación. Después decida si las oraciones en su hoja de examen son ciertas o falsas. Marque con un círculo **C** (Cierto) o **F** (Falso) en su hoja de examen.*

MALE	Instituto Beke-Santos, buenos días.
FEMALE	Buenos días, señor. Quisiera hablar con el señor Beke, por favor.
MALE	El señor Beke está fuera del país. Regresará a fines de la próxima semana. ¿Quiere dejar algún mensaje o prefiere hablar con el señor Santos?
FEMALE	No. Prefiero dejarle el mensaje. No es nada urgente, pero sí es importante que se comunique conmigo cuando regrese.
MALE	¿Me quiere dar su nombre, por favor?
FEMALE	Dígale, por favor, que llamó Daniela Narváez, la especialista en computadoras. Quería hablar con él para fijar los horarios de los cursos que voy a dar el próximo mes. Nosotros ya hemos hablado de esto pero no hemos fijado los horarios y yo necesito hacerlo a la brevedad posible porque tengo otros compromisos profesionales.
MALE	Sí, comprendo. ¿Qué cursos va a dictar Ud., profesora?
FEMALE	Introducción a Internet, que será un curso de 4 horas; Windows, que será un curso de 20 horas, y Construcción de una Página Web, que será un curso de 8 horas.
MALE	Muy bien, tomé nota. Le haré llegar esta información al señor Beke. ¿Me da su número de teléfono, por favor?
FEMALE	Sí, cómo no. Siete, seis, nueve, noventa y nueve, setenta y uno. Por si acaso mi número de fax es siete, seis, dos, treinta y siete, cero, cinco.
MALE	Muy bien. El señor Beke se pondrá en contacto con Ud.
FEMALE	Muchas gracias y no se olvide, que me llame lo más pronto posible.

Capítulo 11

Examen A

I. COMPRENSIÓN ORAL

En la agencia de viajes. *Escuche las siguientes conversaciones entre unos empleados de una agencia de viajes y unos viajeros. Luego, complete las oraciones que se presentan en su hoja de examen.*

A.

FEMALE 1	Buenos días. ¿En qué pudiera ayudarlo?
MALE 1	Buenos días, señorita. Quisiera comprar un boleto de ida y vuelta a Cuzco, por favor.
FEMALE 1	Muy bien. Y, ¿cuándo quisiera ir, señor?
MALE 1	Si pudiera conseguirme un pasaje para este fin de semana, se lo agradecería.
FEMALE 1	¡Ay! Cuánto lo siento, pero me parece que para este fin de semana va a ser imposible. Sólo puedo conseguirle una reservación para el próximo mes. Todos los vuelos están llenos.
MALE 1	Bueno, en ese caso voy a tener que pensarlo. Los amigos con quienes me iba a quedar me pidieron que fuera este fin de semana a visitarlos, pero si no puedo conseguir reservaciones, voy a tener que cancelar mis planes.
FEMALE 1	Cuánto lo siento, señor. Si necesita cualquier otra reservación, no dude en venir por aquí.
MALE 1	Muchas gracias, señorita. Ud. es muy amable.

B.

FEMALE 1	Buenos días. ¿En qué puedo servirle?
FEMALE 2	Quiero un pasaje de ida y vuelta a los Estados Unidos para el próximo mes.
FEMALE 1	Muy bien. ¿Cuánto tiempo quisiera quedarse en los Estados Unidos?
FEMALE 2	Bueno, ¿por qué lo quiere saber?
FEMALE 1	Disculpe, pero lo que pasa es que el precio del pasaje varía de acuerdo al tiempo que Ud. se quede en el país. Si se queda 17 días, el pasaje cuesta $1.000, pero si se queda un mes, el pasaje cuesta $1.350.
FEMALE 2	¿Y eso es en primera clase?
FEMALE 1	No, señora, clase turista. En primera clase el precio es más caro.
FEMALE 2	Yo quiero ir en primera clase. Además viajo con mis tres hijos pequeños. Nos vamos a quedar un mes. Hágame la reservación Lima–Nueva York–Miami–Lima.
FEMALE 1	Muy bien, señora. Aquí tiene sus pasajes. El precio total es $6.300.
FEMALE 2	Tome.
FEMALE 1	Muchas gracias, señora. Ya le traigo su recibo.
FEMALE 2	Apúrese, porque tengo una cita.
FEMALE 1	Sí, señora.

Capítulo 11
Examen B

I. COMPRENSIÓN ORAL

En el hotel. *Escuche la siguiente conversación entre una pareja en un hotel en Chile. Luego, complete el gráfico en su hoja de examen con información sobre el hotel y la habitación.*

MALE   ¡Ay, Juanita! Este hotel es demasiado caro. Te he dicho una y mil veces que nosotros no tenemos tanto dinero como para venir a un hotel de cinco estrellas.

FEMALE   ¡Ay, José! ¡Ya basta, por favor! ¡Te has quejado todo el día! Mira, esta habitación que tenemos es una maravilla. En primer lugar, es una habitación doble; las camas son grandes y cómodas. Tenemos vista al mar, un baño completo, toallas frescas, aire acondicionado y un televisor a colores. ¿Qué más puedes pedir? No quiero que esta vez tengamos los problemas que tuvimos en el hotel el año pasado. ¿Te acuerdas?

MALE   ¡Cómo me voy a olvidar! Ésa tiene que haber sido la experiencia más espantosa que cualquier ser humano haya tenido en su vida.

FEMALE   ¿Ves que te digo? Yo no quería que pasáramos por lo que pasamos el año pasado y por eso hice las reservaciones en el Ritz. La habitación sólo va a costar quinientos cincuenta dólares por noche.

MALE   ¿Quinientos cincuenta dólares por noche has dicho? ¡Ay, Dios mío! ¡Esta mujer me va a matar! ¿Pero, tú estás loca? ¿Has perdido la razón?

FEMALE   Cálmate, cálmate, José. Mira, ahí está el botones.

Capítulo 12

Examen A

I. COMPRENSIÓN ORAL

El partido de fútbol. *Escuche los dos siguientes diálogos cortos. Después, decida si las oraciones en su hoja de examen son ciertas o falsas. Marque con un círculo* **C** *(Cierto) o* **F** *(Falso).*

A. FEMALE   Si hubieras tenido cuidado no te habrías fracturado el pie, José.

MALE   Sí, yo sé, doña Leo. Voy a tener más cuidado la próxima vez. Se lo prometo.

FEMALE   ¿Próxima vez? Pero si no podrás jugar en mucho tiempo, muchacho.

MALE   No diga eso, doña Leo.

B. FEMALE   Te sentirías mejor si hubieras tomado dos aspirinas esta mañana como te dije.

MALE   Déjame en paz. Yo sé lo que hago.

FEMALE   Pero es por tu bien. Mira el catarro que tienes. Ahora no podrás ir al partido de fútbol mañana.

MALE   Cállate, te he dicho.

Capítulo 12
Examen B

I.   COMPRENSIÓN ORAL

El fútbol. *Escuche la siguiente conversación entre un médico y un paciente. Después, decida si las oraciones en su hoja de examen son ciertas o falsas. Marque con un círculo* **C** *(Cierto) o* **F** *(Falso).*

MALE 1   Hola, Omar. ¿Cómo está esa pierna?

MALE 2   Me duele muchísimo, doctor. Tengo la rodilla hinchada y casi no puedo caminar. Creo que me la he roto. ¿Habría algo que Ud. pudiera hacer, doctor? No puedo más con este dolor.

MALE 1   A ver, vamos a ver, vamos a ver. Sí, sí, te la has roto. Voy a tener que ponerte un yeso, Omar.

MALE 2   Y, ¿cuánto tiempo tendré que tener el yeso, doctor?

MALE 1   Por lo menos seis semanas. Esta rodilla está muy mal. Pero dime, ¿qué hiciste para romperte la rodilla?

MALE 2   Estaba jugando al fútbol, doctor. Esto no me hubiera pasado si hubiera sido más cuidadoso.

MALE 1   Está bien. No te preocupes. Ya te vas a mejorar. Para el dolor te voy a dar una receta. Son unas aspirinas muy fuertes que vas a tomar tres veces al día. Si tienes cualquier problema, vienes a verme.

MALE 2   Gracias, doctor Gonzaga.

Examen final A

I.   COMPRENSIÓN ORAL

En la oficina. *Escuche la siguiente conversación y luego complete el gráfico en su hoja de examen.*

MALE 1   Buenos días, señor González. En primer lugar, quiero agradecerle por venir a la oficina tan temprano. Quería hablar con Ud., ya que la situación por la que está atravesando la compañía es muy seria. Como Ud. sabe, el año pasado pedimos préstamos a los bancos. La fecha de vencimiento de los préstamos está cerca y no tenemos dinero para pagarlos. Por eso lo he llamado, porque quiero pedirle consejo financiero.

MALE 2   Yo opino que tenemos una serie de posibilidades. Podemos pedir otros préstamos para solucionar la situación del momento; pero si pedimos más préstamos, la situación puede empeorar. Otra solución podría ser despedir a algunos empleados y hacer un reajuste de salarios. ¿Qué le parece esta solución?

MALE 1   Bueno, es una solución muy seria, de graves consecuencias para todos y creo que necesitaríamos pensar un poco más. Quisiera reunirme con Ud. otra vez mañana temprano para discutir en más detalle esta situación.

Examen final B

I. COMPRENSIÓN ORAL

En busca de trabajo. *Escuche la siguiente conversación telefónica acerca de un puesto. Luego complete el gráfico en su hoja de examen con información sobre el puesto.*

FEMALE	Romero y Compañía, buenas tardes.
MALE 1	Buenas tardes, señorita. Estoy llamando en relación al aviso publicado en el periódico de hoy. Quisiera hablar con el señor Flores, por favor.
FEMALE	El señor Flores está en este momento en la otra línea. ¿Quisiera esperar un momento o prefiere dejar un mensaje?
MALE 1	No, yo espero.
FEMALE	Muy bien, señor. Un momentito, por favor. ¿Me puede dar su nombre, por favor?
MALE 1	Martín Peña.
FEMALE	Muy bien, señor Peña, ya lo comunico.
MALE 2	Eduardo Flores, a su orden.
MALE 1	Buenas tardes, señor Flores. Habla Martín Peña. Yo llamo por el aviso publicado en el periódico de hoy, donde se anuncia la apertura de un puesto para un representante de ventas.
MALE 2	Sí, así es efectivamente. Necesitamos una persona que sea enérgica, trabajadora, responsable y que tenga experiencia. ¿Cuántos años de experiencia tiene Ud., señor Peña?
MALE 1	Cinco años. He trabajado tanto aquí en el país como en el extranjero. Tengo experiencia en el negocio de la importación y exportación.
MALE 2	Muy bien. Es lo que necesitamos. Mire, señor Peña, hágame un favor, envíeme una copia de su curriculum vitae a la siguiente dirección: Avenida Bolívar, Centro Plaza, oficina 144. En lo que nosotros revisemos su curriculum, lo llamaremos para una entrevista.
MALE 1	Muy bien, así lo haré.

Video Program

Using the Video Program

In recent years video has become a standard component of the second language classroom. Research and practice have shown that video is an effective tool for the teaching of listening comprehension and for providing cultural information. In addition, video enhances classroom teaching and learning in a number of ways since video segments present or illustrate the following:

- authentic models of spoken language
- authentic cultural context
- appropriate language for a variety of situations
- appropriate behavior for a variety of situations
- connotative meaning of vocabulary items
- models of pronunciation, dialects, and accents
- models of gestures and body language

In addition, the use of video in the classroom relates to the national *Standards for Foreign Language Learning*. Video can be used to teach the interpretive mode of communication, thus helping to meet Standard 1.2: Students understand and interpret written and spoken language on a variety of topics. Video can also be effectively used to help meet the Cultures standard; Students demonstrate an understanding of the relationship between the practices and perspectives of the culture studied and between the products and perspectives of the culture studied.

Description of the Video Program

The *Interacciones* program contains a text-specific video that is an important and integral feature. The video program is available for instructors upon adoption of the *Interacciones* program.

The *Interacciones* video contains segments that correlate with the *Capítulo preliminar* and each of the twelve chapters of the textbook. The episodes are related to the culture, grammar, vocabulary or general theme of the chapter and emphasize real-life situations. The student textbook section *Panorama cultural* consists of two exercises that generally focus on global understanding of the video segment. Additional exercises for the Video Program are provided in the *Instructor's Resource Manual*.

The exercises that accompany the video segments have been planned to develop the listening comprehension skill and reinforce cultural awareness and understanding. Each segment is accompanied by exercises and activities that represent three stages. The first set of exercises and activities includes pre-viewing exercises and activities that are designed to activate student background knowledge and listening strategies. The second set includes exercises to complete while viewing the video segment or immediately afterward and help the student focus on content and meaning. The concluding set of exercises and activities ask the viewers to think about what they have seen and draw conclusions about cultural elements and information or linguistic elements such as register and tone.

Suggestions for Using the Video Program

One of the advantages of the *Interacciones* video program is that the video can be made available to the students as well as to the instructor. In this way instructors can use the video program within the classroom or assign segments for viewing outside the classroom. Another advantage is that the introductory exercises for each segment of *Panorama cultural* are contained within the student textbook while additional exercises and video segments are located in the *Instructor's Resource Manual*. Thus, the video program is seen to be an integral part of the course since it is introduced in the textbook and expanded upon in an ancillary as are other skills and components of the *Interacciones* program.

Pre-Viewing Exercises

As previously stated, the *Interacciones* video is designed to teach cultural information and to develop the listening comprehension skill. Teaching listening comprehension is much like teaching reading. It is a process that depends upon activating students' background knowledge so that they can learn new material. To be effective this background knowledge must be activated prior to viewing the video and listening to the content.

The *Interacciones* video program contains many pre-viewing exercises that are designed to activate this background knowledge. The pre-viewing stage in the development of listening comprehension is vital. It is this step that teaches students how to listen and allows students to listen effectively. Skipping the pre-viewing or pre-listening exercises will frequently turn the video viewing into a frustrating experience for students and instructor alike.

Showing the Video

It will be necessary to show the video segment more than one time. An effective way of using the video is to show the segment at least three times. These three viewings correspond to stages in the development of the listening skill.

1. **First viewing**
    During the initial stages of learning, it is effective to show the video without the sound. Students watch the video and then make hypotheses about what is going on and what people are saying.

2. **Second viewing**
    During the second viewing (with sound) students should listen for the gist and global meaning. They should attempt to identify the type of video being shown: an interview, a news segment, a human-interest story. At this stage students should assign meaning to the entire segment and verify hypotheses made during the first viewing.

3. **Third viewing**
    At this stage students should listen for specific information. This is an opportune time to complete the additional exercises containing the *Observación y análisis* and *Conclusiones* sections.

Viewing Exercises

1. The *Observación y análisis* sections of the additional exercises found in the **IRM** are to be completed while viewing the video segment or immediately after.

2. Some *Observación y análisis* exercises are global in nature and ask students to listen for gist and assign meaning to the entire passage. Such exercises ask students to identify main ideas and verify hypotheses from the pre-viewing exercises.

3. Other *Observación y análisis* exercises ask students to listen for detail and specific information. Such exercises ask students to complete grids and charts, answer information questions, and select or match specific information.

4. Students may need to see the video segment two or three times in order to complete those exercises that ask for specific information.

Concluding Exercises

1. The exercises of the *Conclusiones* sections ask the viewers to think about what they have seen and draw conclusions about cultural elements and information on linguistic elements such as register or tone.

2. Within the *Conclusiones* section there are exercises and activities to be completed individually, in pairs, or in small groups.

3. As students progress through the course, the exercises and activities of the *Conclusiones* sections could serve as the basis for lengthier written work.

Panorama cultural

The *Panorama cultural* exercises and activities are located in the *Tercera situación* of each of the chapters (and near the end of the *Capítulo preliminar*) of the student textbook and within the additional exercises section of the **Instructor's Resource Manual**. These exercises and activities are designed to be used after the vocabulary, grammar, and listening comprehension strategies for each chapter have been introduced and practiced.

The *Panorama cultural* section of the student textbook contains two exercises. The first exercise is a pre-viewing exercise and is designed to activate students' background knowledge about the vocabulary, situational language, or cultural information found in the video segment. The second exercise is a comprehension exercise about the content of the video and is designed to be completed after the video segment has been shown. The exercises of the *Panorama cultural* section in the student textbook use still photographs from the video to help students correlate the exercises with the video segments and to help them remember details.

The additional exercises of the *Panorama cultural* section found in the **Instructor's Resource Manual** are divided into two sections: *Observación y análisis* and *Conclusiones*. Since the *Panorama cultural* exercises in the student textbook are considered the pre-viewing stage, the exercises and activities in *Observación y análisis* focus on the meaning and content of the video. In each chapter of the additional exercises the student is reminded to view the video and complete the exercises in the student textbook prior to completing the additional exercises. The student is also reminded to view the video at least one more time prior to beginning the exercises.

Suggestions for Using *Panorama cultural*

- It is highly recommended that the instructor always complete the *Panorama cultural* of the student textbook with the students in the classroom in order to help them learn how to view, activate background knowledge, and complete the exercises. However, by *Capítulo 4* students should be familiar enough with the viewing process that instructors could occasionally assign the *Panorama cultural* section of the student textbook as out-of-class work.

- It is also highly recommended that the instructor complete the *Panorama cultural* exercises of the student textbook and the additional exercises in class for the first three chapters. In this way students understand that it is necessary and completely acceptable to view the video a number of times in order to complete the exercises.

- Prior to beginning the *Panorama cultural* exercises in the student textbook, review the phrases introduced in *Así se habla*, the listening strategies of *¿Qué oyó Ud.?*, and/or pertinent grammar and vocabulary taught within the chapter in order to activate the students' background knowledge pertaining to this information.

- It is often beneficial to begin the viewing process by watching the video without the sound. In this way students will focus on body language and other cultural information and begin to assign meaning to what they see. After viewing without the sound, have students brainstorm what they think takes place in the video segment.

- Have students view the video segment for the chapter with sound. Then complete the exercises of the *Panorama cultural* section in the student textbook.

- After completing the *Panorama cultural* section of the student textbook, have students turn to the additional *Panorama cultural* exercises that you provide for them from the **Instructor's Resource Manual**. Show the video again as students complete the exercises of the *Observación y análisis* section. It may be necessary to show the video a third or fourth time to complete more detailed exercises.

- An alternative is to complete the exercises of the *Panorama cultural* in the student textbook in class and to assign the additional exercises for students to complete on their own outside of class.

- Another alternative is to have students complete all of the *Panorama cultural* exercises on their own outside of class.

- After completing the *Observación y análisis* section, have students complete the *Conclusiones* section. The exercises and activities of the *Conclusiones* section require students to think about what they have viewed and to draw conclusions about the cultural information or linguistic elements such as register, tone, and formality of the conversation.

- So that students take the video component seriously, it is recommended that instructors collect the exercise sheets for a given chapter throughout the course and provide a grade. This is particularly important if the students are to complete all or part of the exercises on their own outside of class. Instructors can correct some or all of the exercises as desired. Individual instructors can also determine what weight the video assignments should have within the entire course grade.

Exercises for the Video Program

As explained in *Using the **Interacciones** Program* for the *Panorama cultural* section of the student textbook, the **Interacciones** video component provides authentic listening and viewing materials from a variety of Spanish-speaking countries or regions, including the United States. The episodes are related to the culture, grammar, vocabulary or general theme of the chapter and emphasize real-life situations. The student textbook section *Panorama cultural* consists of two exercises that generally focus on global understanding of the video segment. Additional exercises for the Video Program are provided here in the *Instructor's Resource Manual*.

Suggestions for Using the Video Exercises

- Provide students with a copy of the additional video exercises for the chapter of the student textbook under study. There are many possible ways to provide students with the exercises and instructors or departments can choose the way that is most convenient for them. Possible methods for providing students with the exercises include the following:

  - Photocopy the exercises and distribute them in class.
  - Scan the exercises and place them on a course web site for student use.
  - Scan the exercises into the computer and project them on the screen in class.
  - Make a transparency of the exercises and project the exercises onto a screen in class.

- Before using the additional video exercises, complete the exercises of the *Panorama cultural* section of the student textbook.

- Then, have students complete the additional video exercises for that same chapter.

- Show the video a second time as students complete the additional exercises. It may be necessary to show the video a third or fourth time in order to complete more detailed exercises.

- An alternative is to place a copy of the video in the media center or language laboratory and have students complete the exercises there. This method works well when the additional exercises have been placed on a course web-site.

Capítulo preliminar

Un autorretrato

Panorama cultural:
El Nuyorican Poets Café

Antes de hacer los siguientes ejercicios, complete **Panorama cultural, Capítulo preliminar** en su libro de texto.

Observación y análisis

A.   Un café estudiantil. *Con un(-a) compañero(-a) de clase, escriban una lista de las actividades típicas que se asocian con un café o un bar estudiantil en los EE.UU.* **OJO:** *Utilicen el infinitivo en su lista de actividades.*

_____

_____

_____

_____

_____

_____

B.   El Nuyorican Poets Café. *Después de mirar el vídeo, escriba una lista de las actividades que se ven en el Nuyorican Poets Café. Marque con un círculo las actividades del Nuyorican Poets Café que están en su lista de* Práctica A.

_____

_____

_____

_____

_____

_____

C.   Descripciones. *Describa el exterior y el interior del Nuyorican Poets Café. Incluya información sobre los clientes del Café.*

_____

_____

_____

_____

_____

_____

Conclusiones

A.   Semejanzas *(Similarities)* **y diferencias.** *Con un(-a) compañero(-a) de clase comparen el Nuyorican Poets Café con un café o un bar que Uds. conocen. ¿Cuáles son las semejanzas y diferencias entre los dos lugares?*

B.   La defensa de una opinión. *¿Qué evidencia oral y/o visual hay en el vídeo que confirma la siguiente idea? El Nuyorican Poets Café es una mezcla de culturas, especialmente la cultura hispana y la cultura estadounidense.*

Capítulo 1

La vida de todos los días

Panorama cultural:
Los cibercafés

Antes de hacer los siguientes ejercicios, complete **Panorama cultural, Capítulo 1** en su libro de texto.

Observación y análisis

A. El cibercafé América Online. *Describa el cibercafé America Online. Incluya información sobre los clientes en el cibercafé.*

_____

_____

_____

_____

_____

_____

B. Los cibercafés. *Complete las siguientes oraciones con información del vídeo acerca del uso de las computadoras y los cibercafés.*

1. La _____ e Internet son cada vez más necesarios en

_____ de muchos latinoamericanos, pero para un gran porcentaje

de la población, esta _____ cuesta muy caro para mantenerla en

los hogares.

2. Hoy día en muchos _____ el cibercafé aparece por todas las esquinas,

en _____ grandes y pueblos _____ .

3. Hay gente muy _____ que _____ muy

bien _____ . Hay gente de _____ más

avanzada que _____ mucho.

4. Algunas personas dicen «Es que _____ a una cita con

_____ que acabo de _____ en el chat.»

Otras personas también _____ ofrecimientos de

_____ a través del _____ .

C.   Las ventajas. *Con un(-a) compañero(-a) de clase, contesten las siguientes preguntas. Según el vídeo, ¿cuáles son las ventajas de un cibercafé? ¿Por qué viene la gente al cibercafé en vez de navegar en Internet en casa?*

_____

_____

_____

_____

_____

_____

_____

Conclusiones

A.   Semejanzas y diferencias. *Con un(-a) compañero(-a) de clase, comparen el uso de las computadoras e Internet entre Uds. y sus amigos y las personas del vídeo. ¿Cuáles son las semejanzas y diferencias?*

B.   En defensa de una opinión. *¿Qué evidencia oral y/o visual hay en el vídeo que confirma la siguiente idea? Las computadoras e Internet son una parte importante de la vida en el mundo hispano.*

Capítulo 2

De vacaciones

Panorama cultural:
El baile flamenco

Antes de hacer los siguientes ejercicios, complete **Panorama cultural, Capítulo 2** en su libro de texto.

Observación y análisis

A. **Andalucía.** *En el vídeo, María Rosa menciona que el baile flamenco es de Andalucía. Con un(-a) compañero(-a) de clase busquen la región de Andalucía en un mapa de España. Después contesten las siguientes preguntas sobre la región.*

1. ¿En qué parte de España está Andalucía? _____

_____

2. ¿Cuáles son las ciudades más grandes? _____

_____

3. ¿Cuáles son los rasgos geográficos predominantes? _____

_____

4. ¿Cómo es el clima de la región? _____

_____

5. ¿Cuáles son unos sitios turísticos interesantes de la región? _____

_____

B. **La compañía de María Rosa.** *Según María Rosa, ¿qué tipo de danzas hacen ella y su compañía?*

_____

_____

_____

C.   El baile flamenco. *Con un(-a) compañero(-a) de clase hagan una lista de las palabras que María Rosa usa para describir el baile flamenco.*

_____

_____

_____

Conclusiones

A.   Semejanzas y diferencias. *Ud. y un(-a) compañero(-a) de clase van a comparar el baile flamenco con otro tipo de baile que Uds. conocen. ¿Cuáles son las semejanzas y diferencias en los bailarines, la música, el ritmo y los instrumentos?*

B.   La defensa de una opinión. *¿Qué evidencia oral y/o visual hay en el vídeo que confirma la siguiente idea? Durante unas vacaciones en España es una buena idea ver una presentación del baile flamenco.*

Capítulo 3

En familia

Panorama cultural:
La vida de una familia

Antes de hacer los siguientes ejercicios, complete **Panorama cultural, Capítulo 3** en su libro de texto.

Observación y análisis

A. **La familia Cruz Barahona.** *Haga una lista de los cinco miembros de la familia Cruz Barahona que aparecen en el vídeo. Después, describa a cada persona.*

_____

_____

_____

_____

_____

B. **El restaurante.** *Con un(-a) compañero(-a) de clase, describan el restaurante en la Hostería San Jorge. Incluyan detalles sobre el servicio y el ambiente. Mencionen unos de los platos que sirven.*

_____

_____

_____

_____

_____

_____

C.   La Hostería San Jorge. *Escriba un folleto (brochure) describiendo la Hostería San Jorge. Incluya información sobre el hotel, el restaurante, el ambiente y las actividades.*

_____

_____

_____

_____

_____

_____

_____

_____

_____

_____

Conclusiones

A.   Semejanzas y diferencias. *Compare la Hostería San Jorge con un complejo turístico u hotel que Ud. conoce. ¿Cuáles son las semejanzas y diferencias en cuanto a los servicios, la comida, las actividades, el tamaño y el ambiente?*

B.   La defensa de una opinión. *Utilizando evidencia oral y/o visual del vídeo, explique por qué la Hostería San Jorge es un buen lugar para pasar unas vacaciones.*

Capítulo 4

En el restaurante

Panorama cultural: El chocolate en la cocina mexicana

Antes de hacer los siguientes ejercicios, complete **Panorama cultural, Capítulo 4** en su libro de texto.

Observación y análisis

A. Patricia Quintana. *Con un(-a) compañero(-a) de clase, describan a Patricia Quintana, la cocinera del vídeo, y el lugar donde está durante el vídeo.*

_____

_____

_____

_____

_____

B. El chocolate. *Complete las siguientes oraciones para aprender más sobre el chocolate.*

1. El cacao es el grano divino de los dioses. Es el confort del _____, es el

   vigor, la _____. Nutre el alma y el _____.

2. La _____ que tomamos se puede hacer con

   _____ o se puede hacer con _____.

3. La palabra «chocolate» es de los aztecas: «atl» es _____ y «xoco» es

   _____.

4. La _____ utiliza mucho _____. Casi todos

   _____ se ocupa.

5. _____ es un ingrediente _____ para los moles.

C.   La cocina poblana. *Patricia Quintana habla de la cocina poblana, la cocina del estado de Puebla. Con un(-a) compañero(-a) de clase, busquen el estado y la ciudad de Puebla en un mapa de México. ¿Dónde está Puebla? ¿Cuál es uno de los platos representativos de Puebla? ¿En qué consiste?*

_____

_____

_____

_____

_____

Conclusiones

A.   Semejanzas y diferencias. *Con un(-a) compañero(-a) de clase expliquen el uso del chocolate en la cocina mexicana y en la cocina estadounidense. ¿Cuáles son las semejanzas y diferencias principales?*

B.   La defensa de una opinión. *Utilizando evidencia oral y/o visual del vídeo y su propia opinión, explique la importancia del chocolate en la cocina mexicana.*

Capítulo 5

En la universidad

Panorama cultural:
El sistema educativo español

Antes de hacer los siguientes ejercicios, complete **Panorama cultural, Capítulo 5** en su libro de texto.

Observación y análisis

A. La educación infantil. *Con un(-a) compañero(-a) de clase, completen el siguiente gráfico con información acerca de la educación infantil en España.*

Edades de los estudiantes _____

Propósito (*purpose*) del nivel _____

Manera de enseñar _____

_____

B. El currículo base. *Marque con un círculo todas las materias mencionadas en el vídeo que son parte del currículo base en España.*

la educación musical

la educación física

las danzas de la sociedad

los valores de la sociedad

la educación social

la educación técnica

el comportamiento en la sociedad

la educación para una buena convivencia con las razas

la educación sexual

la educación artística

C. El bachillerato. *Complete las siguientes oraciones con información del vídeo.*

1. Los estudios del _____ les permite a los estudiantes acceder a la

    _____ .

2. El bachillerato son _____ cursos de _____

    a _____ , y luego un último _____ que se

    llama COU.

3. La gente que quiere estudiar en una _____ tanto si es de tipo

    _____ como _____ tiene que hacer

    _____ de estudiante.

Conclusiones

A. Semejanzas y diferencias. *Con un(-a) compañero(-a) de clase hagan una lista de las semejanzas y diferencias entre el sistema educativo español y el sistema de los EE.UU.*

B. La defensa de una opinión. *¿Qué evidencia oral y/o visual hay en el vídeo que confirma la siguiente idea? El sistema educativo español prepara bien a todos los estudiantes.*

Capítulo 6

En casa

Panorama cultural:
Nina Pacari, una mujer indígena

Antes de hacer los siguientes ejercicios, complete **Panorama cultural, Capítulo 6** en su libro de texto.

Observación y análisis

A. Nina Pacari, abogada. *Complete las siguientes oraciones describiendo los primeros años de la vida profesional de Nina Pacari.*

Vocabulario: el asombro = *surprise;* **indígena** = *native;* **el juez** = *judge;* **el juicio** = *trial.*

1. Nina Pacari empezó a ejercer su profesión de _____ en la provincia

    ecuatoriana de Chimborazo donde el _____ por ciento de la población

    es indígena.

2. Nina llegaba como _____ y como _____ que

    era un asombro para los hombres profesionales.

3. Muchos de los jueces pensaban que ella no _____.

4. Nina tenía que demostrar que ganaba _____, que

    _____, que discutía los temas, que _____ bien.

B. La discriminación. *Durante sus primeros años en Chimborazo, Nina Pacari sufrió la discriminación en su vida profesional. Un día, un abogado le dijo «Hijita, las cosas no son así». Con un(-a) compañero(-a) de clase, expliquen la falta de respeto que le mostró el abogado. También expliquen la respuesta de Nina Pacari.*

_____

_____

_____

_____

_____

_____

_____

_____

_____

_____

C.   La manifestación (political demonstration). *Con un(-a) compañero(-a) de clase, expliquen la manifestación contra el gobierno ecuatoriano contestando todas las siguientes preguntas. ¿Dónde hacen la manifestación Nina Pacari y los otros indígenas? ¿Qué causó la protesta? ¿De qué se apoderan? ¿Por qué participan tantos indígenas incluyendo niños, ancianos, mujeres y hombres?*

_____

_____

_____

_____

_____

_____

_____

_____

_____

_____

_____

Conclusiones

A.   Semejanzas y diferencias. *En grupos de tres o cuatro, comparen la vida de los indígenas ecuatorianos con los indígenas en los EE.UU. ¿Qué problemas tienen en común? ¿Cómo tratan de resolver los problemas?*

B.   La defensa de una opinión. *¿Qué evidencia oral y/o visual hay en el vídeo que confirma la siguiente idea? Nina Pacari es una mujer excepcional.*

Capítulo 7

De compras

Panorama cultural:
De compras en Madrid

Antes de hacer los siguientes ejercicios, complete **Panorama cultural**, **Capítulo 7** en su libro de texto.

Observación y análisis

A.   El Corte Inglés. *El Corte Inglés es una compañía de grandes almacenes que existe en casi todas las ciudades de España; la tienda principal se encuentra en el centro de Madrid. Con un(-a) compañero(-a) de clase, hagan una lista de los varios departamentos, productos, o servicios que ofrecen los grandes almacenes como El Corte Inglés.*

_____

_____

_____

_____

_____

_____

_____

_____

_____

_____

_____

B.   El centro de Madrid. *Con un(-a) compañero(-a) de clase, describan el centro de Madrid utilizando la información del vídeo.*

_____

_____

_____

_____

_____

_____

_____

_____

C.   De compras en Madrid. *Complete las siguientes oraciones con información del vídeo.*

1.   _____ ya es una institución. Todos los _____

     están agrupados en el _____ de la _____ a

     unos pocos pasos.

2.   Los _____ se puede visitar el Rastro, _____

     regado por varias calles de la ciudad.

3.   En el Rastro se encuentra cualquier obsequio: un _____,

     _____ de cuero, antigüedades y _____, todo

     lo que se puede imaginar.

4.   En el Rastro, los compradores siempre tratan de negociar una _____ de

     precio pues el ragateo es parte de la _____.

5.   Los madrileños son consumidores _____ y exigentes. Muchos han

     elevado _____ a nivel de arte o _____.

Conclusiones

A.   Semejanzas y diferencias. *En grupos de tres o cuatro, comparen la actividad de ir de compras en Madrid con ir de compras en una ciudad grande en los EE.UU. ¿Cuáles son las semejanzas y diferencias?*

B.   La defensa de una opinión. *¿Qué evidencia oral y/o visual hay en el vídeo que confirma la siguiente idea? En la ciudad de Madrid, ir de compras es una gran aventura.*

Capítulo 8

En la ciudad

Panorama cultural:
En la ciudad de Madrid

Antes de hacer los siguientes ejercicios, complete **Panorama cultural**, **Capítulo 8** en su libro de texto.

Observación y análisis

A. **El horario español.** *Complete el siguiente gráfico con información sobre el horario español.*

HORAS	ACTIVIDADES
8:00 de la mañana	
10:00 de la mañana – 2:00 de la tarde	
2:00 – 4:00 de la tarde	
4:00 – 8:00 de la tarde	
9:00 – 12:00 de la noche	

B. Unas diversiones. *Con un(-a) compañero(-a) de clase, escriban una definición o descripción de las siguientes diversiones.*

1. el fútbol _____

_____

2. darse una vuelta _____

_____

3. el Carnaval _____

_____

4. tapear _____

_____

C. Una chocolatería famosa. *Complete las siguientes oraciones con información sobre una chocolatería famosa.*

1. La chocolatería más famosa de Madrid es _____

_____ .

2. Allí sirven _____ y _____ .

3. Se toma el chocolate _____ y espeso.

4. El churro es un tipo de _____ con

_____ en polvo.

Conclusiones

A. Semejanzas y diferencias. *En grupos de tres o cuatro, comparen las actividades y diversiones de Madrid con las de una ciudad grande de los EE.UU. que Uds. conocen. ¿Qué actividades y diversiones tienen en común las dos ciudades? ¿Qué tradiciones tienen en común?*

B. La defensa de una opinión. *¿Qué evidencia oral y/o visual hay en el vídeo que confirma la siguiente idea? Madrid es una ciudad alegre donde todos pueden divertirse.*

Capítulo 9

En la agencia de empleos

Panorama cultural:
El uso del español en el trabajo

Antes de hacer los siguientes ejercicios, complete **Panorama cultural, Capítulo 9** en su libro de texto.

Observación y análisis

A. *La Prensa.* *Complete las siguientes oraciones con información sobre* La Prensa.

1. El Sr. Tino Durán es un _____ de _____

   y él publica un _____ llamado _____ .

   Es un periódico _____ .

2. *La Prensa* comenzó en _____ . El fundador fue

   _____ . El Sr. _____ y su esposa lo

   revivieron en _____ .

3. *La Prensa* tiene _____ circulaciones. El _____

   es un tabloide con una circulación de _____ . El

   _____ tienen otra publicación grande con formato grande y

   _____ .

B. **Chris Marrous.** *Con un(-a) compañero(-a) de clase expliquen por qué Chris Marrous aprendió el español y cuáles fueron las consecuencias de aprenderlo.*

_____

_____

_____

_____

_____

_____

C.   **Brent Gilmore.** *Con un(-a) compañero(-a) de clase hagan una descripción de Brent Gilmore contestando todas las siguientes preguntas. ¿Por qué aprendió Brent Gilmore el español? ¿Adónde fue para aprenderlo? ¿Cómo es su español? ¿Por qué es importante que Brent hable español? Para Brent, ¿cuáles son las ventajas de hablar español?*

_____

_____

_____

_____

_____

_____

_____

Conclusiones

A.   **Semejanzas y diferencias.** *En grupos de tres o cuatro, comparen el uso del español y la cultura hispana de la ciudad de San Antonio, Texas con otra ciudad de los EE.UU. que Uds. conocen. ¿Cuáles son las semejanzas y diferencias entre las dos ciudades?*

B.   **La defensa de una opinión.** *¿Qué evidencia oral y/o visual hay en el vídeo que confirma la siguiente idea? Hablar español es una ventaja profesional.*

Capítulo 10

En la empresa multinacional

Panorama cultural:
Volkswagen de México

Antes de hacer los siguientes ejercicios, complete **Panorama cultural**, **Capítulo 10** en su libro de texto.

Observación y análisis

A.   Volkswagen de México. *Con un(-a) compañero(-a) de clase, describan el uso de los automóviles Volkswagen en México.*

_____

_____

_____

_____

_____

_____

B.   Gonzalo. *Con un(-a) compañero(-a) de clase, completen las siguientes oraciones para describir a Gonzalo.*

1. Gonzalo es _____. Estudió en el _____

    de _____.

2. Vino muy _____ a _____ a esa ciudad.

    Después que terminó su carrera como _____, Volkswagen de México

    le dio la oportunidad de tener un _____ en esa

    _____. Ha trabajado allí durante _____.

3. Gonzalo es el responsable de la _____ del

    _____.

C.   La fábrica de Volkswagen. *Con un(-a) compañero(-a) de clase, describan la fábrica de Volkswagen. Utilizando información oral y visual, incluyan información sobre el sitio, el tamaño y el ambiente de la fábrica, el personal y los métodos de producción.*

_____

_____

_____

_____

_____

_____

_____

Conclusiones

A.   Semejanzas y diferencias. *En grupos de tres o cuatro, comparen Volkswagen de México con una empresa de los EE.UU. que Uds. conocen. ¿Son multinacionales las dos empresas? ¿Cuáles son las semejanzas y diferencias en el personal, las horas del trabajo y otros aspectos de las dos empresas?*

B.   La defensa de una opinión. *¿Qué evidencia oral y/o visual hay en el vídeo que confirma la siguiente idea? Volkswagen de México es una empresa multinacional.*

Capítulo 11
De viaje

Panorama cultural:
El metro de México

Antes de hacer los siguientes ejercicios, complete **Panorama cultural, Capítulo 11** en su libro de texto.

Observación y análisis

A.   El metro de México. *Con un(-a) compañero(-a) de clase hagan una descripción del metro de México. Incluyan información sobre las estaciones, los trenes y las actividades de los pasajeros.*

_____

_____

_____

_____

_____

_____

_____

_____

B.   El programa cultural. *Complete las siguientes oraciones con información acerca del programa cultural del metro de México.*

1. Los otros metros del _____ tienen un ambiente de decoraciones en

sus _____ .

2. Por otro lado, el metro _____ tiene un

_____ de disfruto cultural _____ .

3. Se llevan a cabo más de _____ o _____

exposiciones _____ todo el año.

4. En la _____ del metro hay más de unas

_____ o _____ galerías dedicadas

totalmente a hacer un _____ .

C.   Los hijos del metro. *Con un(-a) compañero(-a) de clase expliquen por qué se dice que el metro de México tiene hijos. Describan lo que tienen y hacen en el metro para ayudar con los nacimientos de los bebés.*

_____

_____

_____

_____

_____

_____

_____

Conclusiones

A.   Semejanzas y diferencias. *En grupos de tres o cuatro comparen el metro de México con el sistema de transporte de una ciudad de los EE.UU. que Uds. conocen. ¿Cuáles son algunas de las ventajas de cada sistema?*

B.   En defensa de una opinión. *¿Qué evidencia oral y/o visual hay en el vídeo que confirma la siguiente idea? La mejor universidad de la ciudad es el metro.*

Capítulo 12

Los deportes

Panorama cultural:
La charreada

Antes de hacer los siguientes ejercicios, complete **Panorama cultural, Capítulo 12** en su libro de texto.

Observación y análisis

A.   Los deportes. *Con un(-a) compañero(-a) de clase, hagan una lista de los deportes que utilizan animales. ¿Cuáles son los animales más usados?*

_____

_____

_____

_____

_____

_____

B.   La charreada. *Complete las siguientes oraciones con información acerca de la charreada.*

1. La palabra «_____» es lo que se usa en _____

    para decir vamos a rodear o a traer o a juntar _____ el ganado

    (*livestock*). Eso empezó en las haciendas o los _____ de México.

2. Luego eso se vuelve _____ y empieza _____ a

    crecer con una gran afición en _____ y en

    _____.

3. Dentro de las _____ mexicanas, las _____ de

    los señores, pues también querían _____ diciendo «¿Por qué mi

    hermano sí y yo no?»

C.   Las charras. *Con un(-a) compañero(-a) de clase, describan a las charras y su ropa. ¿De qué época es la ropa?*

_____

_____

_____

_____

_____

_____

Conclusiones

A.   Semejanzas y diferencias. *En grupos de tres o cuatro comparen la charreada mexicana con un rodeo de los EE.UU. u otro deporte que Uds. conocen. ¿Cuáles son las semejanzas y diferencias en cuanto a los animales y personas.*

B.   La defensa de una opinión. *¿Qué evidencia oral y/o visual hay en el vídeo que confirma la siguiente idea? La charreada es un deporte para toda la familia.*

Video Program
Answer Key

Video Program
Answer Key

Capítulo preliminar

Observación y análisis

A. *Answers vary but should include most of the following activities:* bailar / beber / charlar con amigos / comer (algo ligero) / contar chistes / divertirse / emborracharse / escuchar música / fumar / hablar / reunirse con amigos / tomar una cerveza / tomar una copa de vino / ver un espectáculo

B. *Answers vary but should include most of the following activities:* beber el café / charlar con amigos / contar chistes / divertirse / escuchar poesía / fumar / hablar / leer poesía / reunirse con amigos / tomar una cerveza / tomar una copa de vino
Answers vary to second part of exercise.

C. *Answers vary.*

Conclusiones

A. *Answers vary.*

B. *Answers vary but should include the following:* La palabra «Nuyorican» es una combinación de la palabra *New York (Nuyork)* y *Puerto Rican.* Entre los clientes hay hispanos (puertorriqueños) y personas de todo el mundo. Los clientes hablan inglés y también español.

Capítulo 1

Observación y análisis

A. *Answers vary.*

B. **1.** computadora, la vida, tecnología,

2. países, ciudades, pequeños

3. pequeña, conoce, la computadora, edad, no conoce

4. voy, una persona, conocer, reciben, trabajo, chat

C. *Answers vary but should include much of the following information.* La tecnología es muy cara para mantenerla en los hogares; es más barato ir a un cibercafé. El cibercafé le da acceso a la alta tecnología a un público amplio a precios razonables. El tipo de conexión es un enlace mucho más rápido que el que tienen en su casa. La gente viene al cibercafé a distraerse un rato. A la gente le agradan el ambiente, la música y el café. A muchas personas no les gusta estar en casa solas, navegando en Internet; prefieren estar en un ambiente más o menos agradable.

Conclusiones

A. *Answers vary.*

B. *Answers vary.*

Capítulo 2

Observación y análisis

A. **1.** Andalucía está en el sur de España.

  2. Las ciudades más grandes son Cádiz, Córdoba, Granada, Málaga y Sevilla.

  3. Los rasgos geográficos predominantes son la sierra Nevada, el río Guadalquivir, la Costa del Sol y el Estrecho de Gibraltar.

  4. Durante el verano hace muchísimo calor y casi nunca llueve. El invierno es templado.

  5. Algunos sitios turísticos interesantes son el Alcázar de Sevilla, la Alhambra de Granada, la Mezquita de Córdoba, las playas de la Costa del Sol, las canchas de esquí de la sierra Nevada.

B. Hacen todo tipo de danzas españolas: baile clásico español, baile regional, baile flamenco y el bolero. Hacen todo lo que es danza española auténtica.

C. *Answers vary but should include most of the following:* el flamenco es muy rico; tiene diferentes palos; tiene una cantidad de tiempos, todos maravillosos y todos distintos; el flamenco ya está por toda España; es el alma del pueblo; el flamenco es todo; es pura raza.

Conclusiones

A. *Answers vary.*

B. *Answers vary.*

Capítulo 3

Observación y análisis

A. *Order of family members may vary:* Jorge, el padre / la madre, la esposa / el abuelo, el padre de Jorge / la abuela, la madre de Jorge / la hija de Jorge.
Descriptions vary.

B. *Descriptions of the restaurant vary.* Sirven parrillada, filet mignon, trucha, langostino, espagueti.

C. *Answers vary.*

Conclusiones

A. *Answers vary.*

B. *Answers vary.*

Capítulo 4

Observación y análisis

A. *Answers vary.*

B.   **1.** cuerpo, energía, espíritu

     2. bebida, agua, leche

     3. el agua, el chocolate

     4. cocina mexicana, el chocolate, los días

     5. El chocolate, importante

C. Puebla está en la parte central de México, al sureste de México, D.F. Uno de los platos representativos de Puebla es el mole poblano. Consiste en el pollo o pavo con un mole o salsa de 52 ingredientes incluyendo el chocolate.

Conclusiones

A. *Answers vary but the following idea should be present:* En la cocina estadounidense se usa el chocolate más como un postre o un dulce. En la cocina mexicana se usa el chocolate en muchos platos; es un ingrediente importante en las salsas y las bebidas.

B. *Answers vary.*

Capítulo 5

Observación y análisis

A. Edades de los estudiantes: cero a tres años

    Propósito del nivel: comenzar a educar a los estudiantes

    Manera de enseñar: educar a los estudiantes como lo haría cualquier papá o cualquier mamá en su casa

B. la educación física, los valores de la sociedad, el comportamiento en la sociedad, la educación para una buena convivencia con las razas, la educación sexual

C.   **1.** bachillerato, universidad

     2. cuatro, primero, tercero, curso (año)

     3. universidad, privado, público, cuatro años

Conclusiones

A. *Answers vary.*

B. *Answers vary.*

Capítulo 6

Observación y análisis

A.   **1.** abogada, 73

       2. licenciada, abogada

       3. podía

       4. juicios, conocía, hablaba

B. *Answers vary but should reflect the following:* Generalmente sólo los padres usan la palabra «hijita» con una hija pequeña. En este caso el uso de la palabra 'hijita' con Nina Pacari implica que Nina es joven y que no entiende mucho. También implica que el abogado sabe mucho más que ella. Nina Pacari dijo que el abogado «No es mi padre, pues, para que me trate de 'hijita', que está hablando con una profesional.»

C. Hacen la manifestación en la capital (Quito, Ecuador). Se apoderan de la Universidad Salesiana en Quito. A fines de diciembre el gobierno dictó nuevas medidas económicas elevando el precio del gas y del transporte; eso afectó mucho a los indígenas que están en una situación de pobreza mucho más profunda que el resto de la población. Casi todos los indígenas participan en la manifestación porque en su cultura todos funcionan como miembros del mismo «ayllu» o familia colectiva.

Conclusiones

A. *Answers vary.*

B. *Answers vary.*

Capítulo 7

Observación y análisis

A. *Answers vary.*

B. *Answers vary.*

C. 1. El Corte Inglés, grandes almacenes, centro, ciudad

2. domingos, un mercado al aire libre

3. sombrero azul, zapatos, mapas

4. rebaja, experiencia

5. expertos, la compra, profesión

Conclusiones

A. *Answers vary.*

B. *Answers vary.*

Capítulo 8

Observación y análisis

A. 8:00 de la mañana: la ciudad zumba con actividad; la ciudad se despierta

10:00 de la mañana – 2:00 de la tarde: las horas del trabajo;
las horas de apertura de las oficinas y tiendas

2:00 – 4:00 de la tarde: la siesta / la comida principal / el almuerzo

4:00 – 8:00 de la tarde: más horas de trabajo, horas de apertura de las tiendas

9:00 – 12:00 de la noche: la cena

B. *Answers vary but should include the following information:*

1. el deporte más popular del mundo hispano

2. salir por la noche e ir a los cafés, bares, clubes y las discotecas

3. una semana de celebraciones antes de la Cuaresma. Se celebra con bailes, conciertos y disfraces.

4. ir a un bar de tapas y comer bocadillos y otros platos pequeños acompañados por una cerveza o vino

C. 1. San Ginés

2. chocolate, churros

3. caliente

4. postre, azúcar

Conclusiones

A. *Answers vary.*

B. *Answers vary.*

Capítulo 9

Observación y análisis

A. **1.** hombre de negocios; San Antonio, Texas; periódico; *La Prensa*; bilingüe

      2. 1913, Ignacio Lozano, Tito Durán, 1989

      3. dos, miércoles, 100,000, domingo, completo

B. *Answers vary but should include the following information.* Chris Marrous es presentador del noticiero. Aprendió el español porque quería pronunciar los nombres de las personas, los nombres de las calles y de los lugares correctamente. Lo hizo más valioso ante sus jefes porque él podía manejar perfectamente los dos idiomas.

C. *Answers vary but should include the following information.* Brent Gilmore aprendió el español porque quería comunicarse con los clientes mexicanos y de otros países de Latinoamérica. Fue a Cuernavaca, México para aprenderlo. Su español es netamente profesional. Es importante que Brent hable español porque sus clientes prefieren hablar español y los hispanos en los EE.UU. también prefieren hablar español. Ahora Brent puede comunicarse muy bien con los otros y sus clientes. Tiene más confianza y todo es más divertido.

Conclusiones

A. *Answers vary.*

B. *Answers vary.*

Capítulo 10

Observación y análisis

A. *Answers vary but should include the following information.* El coche conocido como el Old Beetle en los EE.UU. se conoce como el Sedan en México. Se ve el Sedan por todas las carreteras de México. En México, D.F. es el auto número uno como taxi. Es un auto muy versátil que se puede convertir en diferentes formas de trabajo.

B. **1.** ingeniero industrial, Tecnológico, Puebla

      2. joven, estudiar, ingeniero, empleo, empresa, veinte años

      3. fabricación, New Beetle

C. *Answers vary.*

Conclusiones

A. *Answers vary.*

B. *Answers vary.*

Capítulo 11

Observación y análisis

A. *Answers vary.*

B.   **1.** mundo, estaciones

    2. de México (mexicano), programa, todo el año

    3. 380, 390, durante

    4. red, 40, 50, proyecto (programa) cultural

C. *Answers vary but should include the following information.* Se dice que el metro de México tiene hijos porque hay muchos nacimientos dentro del metro. Han comprado la cuna y la cama para los bebés y las madres. El metro de México lleva a los bebés con mucho orgullo. Así el bebé es hijo del metro; se hace muy famoso porque su foto sale en el periódico.

Conclusiones

A. *Answers vary.*

B. *Answers vary.*

Capítulo 12

Observación y análisis

A. *Answers vary but should include most of the following:* la carrera de caballos, la carrera de perros (galgos), la caza, el circo, la corrida de toros, montar a caballo, el rodeo. El animal más usado: el caballo

B.   **1.** rodeo, México, todo, ranchos

    2. un deporte, el deporte, México, los Estados Unidos

    3. familias, hijas, montar a caballo

C. *Answers vary.*

Conclusiones

A. *Answers vary.*

B. *Answers vary.*

Video Program
Transcript

Note: These transcripts contain the actual speech used in the video segments by native speakers from a variety of Spanish-speaking countries and regions. As a result, these transcriptions reflect their authentic speech including redundancies, false starts, and occasional errors of vocabulary and syntax.

Capítulo preliminar
El Nuyorican Poets Café

MIGUEL   Estamos en el bajo Manhattan donde toda clase de inmigrante acude. Ellos vienen aquí porque aquí es donde lograron habituarse al nuevo mundo. Pero el latino es de aquí; así que nosotros no somos inmigrantes, solamente somos visitantes en este vecindario.

Exterior montage of neighborhood

MIGUEL   El Nuyorican Poets Café está aquí en el bajo Manhattan porque es el sitio donde yo me crié y de donde vengo, en el sentido emocional y cultural. Este sitio es puramente de la comunidad del bajo Manhattan. La gente aquí me protege, me acuden a mis producciones; así que estoy en casa.

Shot of empty bar with chairs up

Night footage of people waiting to get into café

MIGUEL   El café se abrió vendiendo un vaso de vino y un vaso de cerveza por 50 centavos al trabajador puertorriqueño que vivía en el bajo Manhattan. Pero no pasó ni una semana en que nos encontraron el sitio los literarios blancos de la ciudad que estaban en búsqueda de algún centro, de un salón sin pretensión, sin exigirles que fueran más que los europeos.

Sequence with women performers

MIGUEL   Las nuevas generaciones han recogido la necesidad oral, la necesidad de explicar su historia presente. Es la oralidad inmediata del momento inmediato.

Y yo nunca soñé que el sitio, este sitio, se convirtiera en un centro internacional donde, vamos a decir, un grupo de japoneses vuelan de Tokyo a aquí para recitar aquí, y regresar la misma noche, 16 horas de vuelo, para poder decir que han estado en el Nuyorican y han leído en japonés.

¿Quién los ha entendido? Yo no sé. Pero han sido recibidos, entiendes, con amor, sí. Este sitio de momento pues dejó de ser puramente puertorriqueño del norte y se convirtió en un sitio internacional donde el enfoque ha sido puramente la poesía.

Aquí no se vende una buena hamburguesa, ni una buena taza de café, ¿entiende? Lo que se vende es la cultura y esa cultura puertorriqueña que tiene la nobleza de incluir toda otra cultural que quiere arrimarse.

Capítulo 1
Los cibercafés

Computer users

NARRATION   La computadora e Internet son cada vez más necesarios en la vida de muchos latinoamericanos, pero para un gran porcentaje de la población, esta tecnología todavía cuesta muy cara para mantenerla en los hogares.

El "Cibercafé" le da acceso a la alta tecnología a un público amplio a precios razonables.

Montage of Cibers in Quito

Este grupo de Cibercafés, por ejemplo, están todos situados en solamente dos o tres cuadras de la ciudad de Quito, Ecuador.

Exterior of Cibercafé in mall

Hoy día en muchos países latinoamericanos, el Cybercafé aparece por todas las esquinas, en ciudades grandes y pueblos pequeños. Algunos cybers son muy pequeños, otros mucho más amplios, como el "Café América Online" en un centro comercial de la ciudad de México.

EDGAR   El conocimiento sobre la computadora y sobre lo que es Internet, aquí en México, se ve un poco más sobre la clase alta; digamos, es la que tiene un poco más de conocimiento, sobre todo porque en las escuelas, digamos, privadas, se enseña mucho más lo que es la computadora que en una escuela pública.

De edad, es diverso, porque hay gente muy pequeña que conoce muy bien la computadora. Hay gente de edad más avanzada que no conoce mucho.

Show the Café being used, coffee served, people on keyboards

EDGAR   Aquí en el café la gente básicamente viene a chequear sus mails, navegar por Internet. Viene a hacer algunos trabajos de su escuela, a trabajar en Word, Excel, Powerpoint. Viene a imprimir también algunas fotos o a escanear algunas fotos de ellos mismos. Aquí mientras está navegando puede tomarse un cafecito, degustar algún alimento, o venir simplemente con sus amigos a escuchar un poco de buena música.

EDGAR   Algunas personas también nos han comentado que a través del chat conocen gente que, digamos, salen de aquí y dicen: "No, es que voy a una cita con una persona que acabo de conocer en el chat."

O otras personas también reciben ofrecimientos de trabajo a través del chat.

WOMAN   A través del chat he conocido personas con las cuales entramos en una plática; ves que tienes gustos, tú sabes, iguales y que son del mismo lugar. Digo, es más fácil juntarte con gente que están en tu país. Y nos juntamos una vez a la semana, dos veces a la semana – vamos a comer. Cuando se puede, todos los de una sala se juntan.

EDGAR

Nuestro tipo de conexión es un enlace mucho más rápido que el que tienen en su casa, entonces a diferencia de su casa aquí puedes bajar, digamos, el Internet a una velocidad mayor que la que bajas en tu casa.

Muchas veces también gente prefiere venir aquí porque se distrae un rato. Viene aquí al centro comercial y pasa al café a distraerse un rato. Le agrada el ambiente que tenemos aquí, la música o que le sirvas un cafecito. A mucha gente no le gusta estar en su casa solo, navegando en Internet, entonces prefiere estar en un ambiente más o menos agradable.

Capítulo 2
El ballet flamenco

Castañuelas open

MARÍA ROSA   Nosotros hacemos todo tipo de danzas españolas: baile clásico español, baile regional, baile flamenco, abarcamos la escuela bolera, todo lo que es danza española auténtica.

Sequence with her teaching ballet dancers

MARÍA ROSA   Pues el baile para mí lo es todo, es mi vida; yo he vivido siempre para bailar y soy feliz en el escenario y bailando.

Dance featuring María Rosa

MARÍA ROSA   El flamenco es muy rico y tiene diferentes palos, diríamos. Lo que pasa que hoy día, la gente se está especializando sólo en unos poquitos.

Set up exterior

MARÍA ROSA   Esto es una cantidad de tiempos que flamencos que hay, todos maravillosos y todos distintos.

Audience sitting in seats

MARÍA ROSA voice-over   Cada provincia, cada pueblo, expresa su cultura, ¿no? Andalucía, pues, tiene el flamenco, aunque el flamenco ya está por toda España, ¿no?

Full ballet dance: show a segment through

MARÍA ROSA   Es el alma del pueblo, las raíces, la fuerza que hay, la fuerza que sacas de tu interior. Porque el flamenco es todo, es pura raza, la raza que sacas.

Capítulo 3
La vida de una familia

JORGE on camera	Estamos ubicados en la Hostería San Jorge. Estamos en las afueras de Quito, en las montañas, en las faldas del volcán Pichincha.
	Somos la familia Cruz Barahona. Mi nombre es Jorge, y somos partícipes de un grupo de trabajo familiar que se dedica a la hotelería y al turismo.

Sequence with wife preparing restaurant meals

ACCORDION MAN	En un momento viene Fernando para que él le tome el pedido. Siéntanse como en su casa, ¿no?
	Mariana, necesito diez parrilladas, necesito dos filet mignon, tres truchas, un langostino al ajillo, y un espagueti con champiñones. Necesito esto en diez minutos para servir al restaurante. A ver, Mónica… sácame los champiñones de la refri….
WAITER	¿En qué le puedo ayudar, Sra.?
WIFE	Monte una mesa para diez, para veinte personas.
JORGE	Mi esposa es la persona que maneja la cocina en compañía de otras personas que la ayudan.
	Las relaciones públicas las realiza mi padre, al igual que la animación musical en vivo, con su acordeón.

Sequence with Grandfather playing accordion for guests

Grandmother gardening sequence

JORGE	Y mi madre se dedica a las labores de floricultura. A ella le encantan los jardines, y ella pues, ha diseñado la mayoría de ellos.

Shots of gardens and grounds

JORGE	Y mi nombre es Jorge Cruz, y yo soy la persona que organizo, que hago las guianzas y que administro esta propiedad.
	Me he dado cuenta que las familias norteamericanas o las familias europeas han conseguido una individualización del ser humano, por lo tanto, cada persona actúa totalmente independiente, sin tener una relación muy profunda entre lo que es una familia o un grupo familiar.
	En el Ecuador todavía se mantiene esta actividad o esta relación mucho más profunda, mucho más marcada de lo que es realmente la familia.

Jorge walking with his little girl down the road

JORGE	Mi padre se casó con mi madre hace 40 años. Yo me casé con mi esposa hace 12 años. Entonces desde que nos casamos hemos decidido realizar un cambio en la Hacienda Singuna, que anteriormente era un sitio ganadero y agrícola.

Jorge demonstrating horses

JORGE

Vamos a hacer una pequeña explicación antes de poder montar el caballo. Siempre seguros delante del caballo. Nunca sientan miedo... *(Fade out).*

Hoy en día es un resort de montaña que practica el ecoturismo. Tenemos paseos a caballo. Además de eso, la hostería dispone de todos los servicios hoteleros para albergar hasta 60 personas y por un día hasta 1.500 personas.

Capítulo 4

El chocolate en la cocina mexicana

PATRICIA   El cacao es el grano divino de los dioses. Es el confort del cuerpo, es el vigor, la energía. Se ha entendido como un afrodisiaco. Nutre el alma, el espíritu.

La bebida que ahora nosotros tomamos se puede hacer con agua o se puede hacer con leche, porque la leche vino después de la conquista, aquí no habían vacas.

Shot of Indians drinking hot chocolate

PATRICIA   Aunque los mayas hacen un batido, y con una jícara ya lo suspenden con una altura y dejan caer el líquido y ese impacto hace que haga una espuma en la cual después lo servían caliente, solamente con agua.

Los aztecas también tenían su forma de preparar el chocolate.

Y el chocolate se le llama aquí con los aztecas, chocolatl. "Atl" es agua, "xoco" es el chocolate.

Shot of tree and cocoa bean

PATRICIA   La cocina mexicana utiliza mucho el chocolate. Casi todos los días se ocupa.

En muchos lados la cocina mexicana nada más se ve desde la perspectiva de la comida rápida.

No sólo somos una cocina, somos 32 cocinas.

Onion chopping montage

PATRICIA   La región de Puebla que está en la parte central de México, es un estado enriquecido por las influencias que llegaron a establecerse después de la conquista.

Nuns painting

Llegaron las monjas, y de las monjas nace el gran mestizaje y de la mano indígena también, de la mezcla que se hace de la cocina indígena pre-hispánica con las reminiscencias que traen de Europa.

La cocina poblana, hay platillos muy representativos de ella, como es el mole poblano.

Ingredients tableau

PATRICIA   Se ha influenciado mucho el comer algo dulce con lo salado y eso lo podemos degustar en los moles.

El chocolate es un ingrediente importante para los moles.

Del mole clásico poblano son 52 ingredientes.

Chilis frying and other ingredients montage

PATRICIA   Las especias, los chiles, el cacahuate, la tortilla, la pasa, la almendra, el pollo o el pavo que se le vaya a poner.

Pero el mole poblano no solamente es un mole poblano – hay mil moles poblanos; mil formas de hacerlos.

End with serving mole in the kitchen and putting on sesame seeds

Capítulo 5
El sistema educativo español

SONIA   El sistema educativo español plantea dentro de la educación infantil acoger a niños entre cero y tres años, entonces a partir de esas edades, se les comienza a educar, pues como lo haría cualquier papá o cualquier mamá en su casa.

En España el estado ha planteado una única dirección en la educación que acoge a todos los centros públicos, que es lo que se llama el currículo base. Pero hay unas estructuras bases, que tienen que respetar todos los centros que se encuentran en el país.

Tenemos actividades incluidas dentro de lo que es la formación obligatoria como gimnasia para atención a lo que es la educación física.

Yo, como profesora, en las clases que imparto a mis alumnos tengo también la labor de enseñarles, digamos, lo que son los valores de la sociedad y nuestro comportamiento en la sociedad.

Dentro de esas clases se imparte educación sexual, educación para una buena convivencia con otras razas. Digamos, les abro el camino a lo que en la calle nos vamos a encontrar, ¿no?

Los estudiantes en España van al colegio desde que son pequeñitos, desde que tienen cero años hasta los 16 años.

A partir de aquí, cualquier estudiante puede elegir entre hacer unos estudios correspondientes a una formación profesional, a un oficio, a una profesión pues como puede ser, albañil, carpintero, técnico en informática, o bien pueden acceder a otros estudios que son el bachillerato que les permite acceder a la universidad.

JORGE   Antes de entrar en la universidad, hay que estudiar el bachillerato. El bachillerato son cuatro cursos de primero a tercero, y luego un último curso que se llama COU. La gente que quiere estudiar en una universidad, tanto si es de tipo privado, que son de pago, como pública, tiene que hacer cuatro años de estudiante.

Esto que ven aquí es la universidad de Alcalá de Henares.

Normalmente no se suelen comprar muchos libros porque se suelen utilizar libros de la biblioteca, suelen dejar una semana o dos de tiempo de alquiler.

Los estudiantes españoles a diferencia del extranjero, suelen vivir más tiempo en casa de sus padres hasta que se independizan y se van fuera.

Entre clase y clase suelen estar en la cafetería hablando, tomando algo. Suele haber reuniones.

La universidad de Alcalá de Henares es una de las universidades más antiguas que hay en España.

En esta ciudad nació Cervantes.

Y allí estudiaron muchos escritores importantes.

Capítulo 6

Nina Pacari, una mujer indígena

Footage of Nina at the United Nations

NINA voice-over	Mi nombre es Nina Pacari, pertenezco a la nacionalidad quichua del Ecuador.

Narration over UN meeting

Nina Pacari es diputada nacional en el parlamento del Ecuador. Ella es la primera legisladora indígena en la historia del país. En un ambiente donde comunidades indígenas carecen de escuelas primarias, Nina tiene un doctorado en jurisprudencia.

NINA on camera	Y nos preocupa a nosotros que en medio de todo eso hay un aditamento adicional que es del racismo…

Footage of Nina in front of legislator building, being mobbed by reporters

NINA	Cuando fui a ejercer en Riobamba en la profesión, lo que me señalaban en ese entonces era de pronto, primero el asombro, segundo, como es… porque es una provincia, Chimborazo es una provincia con el 73% de población indígena, a lo mucho allá han llegado a ser profesores en los años 80, y yo llegaba como licenciada y como abogada, entonces era el asombro de los jueces, y pensaban que yo no podía.

Entonces tenía que demostrar que ganaba juicios, que conocía, que discutía los temas, que hablaba bien y eso fue imponiéndose, y en uno de los juicios un abogado me decía: "Hijita, las cosas no son así."

Y uno tenía que decir que: "No es mi padre, pues, para que me trate de hijita, que está hablando con una profesional."

Narration over footage of women in mall

Para muchas familias lo ideal sería que la mujer no tuviese que trabajar. Muchas ecuatorianas sí trabajan y mantienen profesiones, pero es raro verlas dirigiendo empresas grandes. Pocas oportunidades existen para las mujeres y el machismo afecta la sociedad profundamente.

Footage of women in market/Nina voice-over

NINA	En el caso de las mujeres indígenas nos toca contrarrestar la lucha contra la mujer, que siempre se ha dado, ¿no? El machismo en este caso, se ha dado también el racismo y la situación económica social. Entonces para nosotros hay una triple discriminación.

Narration over footage of policeman and then of Nina in talking to reporters

Nina trabaja en el Palacio Legislativo. Adelante de su edificio la policía mantiene una guardia. Aunque Nina pertenece al gobierno ecuatoriano, muchas veces se opone al ejecutivo en su lucha por los intereses de los sectores populares.

NINA
on camera

A fines de diciembre se dictaron las medidas económicas por parte del presidente de la república del Ecuador elevando el precio del gas, del combustible, del precio del transporte, y eso repercute en la economía de los sectores populares y de los indígenas que están en una situación de pobreza mucho más profunda.

Narration over protesters yelling

Grupos indígenas de todo el país organizan un levantamiento contra las medidas del gobierno.

Miles llegan a la capital para manifestar. Se apoderan de la Universidad Salesiana en Quito.

El presidente declara un estado de emergencia y ordena el encarcelamiento de líderes indígenas.

Día tras día, la policía rodea la universidad. La posibilidad de un enfrentamiento violento se cierne sobre todos.

NINA

El país al momento está paralizado. Todas las carreteras en el país están obstaculizadas.

(Ya tenemos esperando. ¿Qué tal? ¿Cómo está? Estuvimos esperando allá... las Naciones Unidas, porque ya presentamos la denuncia por las violaciones de derechos humanos.)

University protest footage

NINA

En nuestra movilización están hombres, mujeres, niños, ancianos, y a veces nos dicen; "Pero, ¿cómo es posible que ustedes les expongan de esa manera?"

Y no se trata de eso. En nuestro mundo funciona el "ayllu", la familia, lo comunitario, por lo tanto no podemos estar ausentes ni como personas, ni como hombres, ni como mujeres, ni como niños...

Porque somos todo un colectivo familiar que se llama "ayllu," y es la base de la comunidad y por lo tanto estamos hombres, mujeres, niños, en fin...

Faces of protesters at university

NINA

Y en nuestro mundo indígena hay liderazgos de mujeres – mujeres que somos dirigentes a nivel local, a nivel provincial, a nivel nacional. Presidimos las organizaciones. Es que no somos solamente de mandos medios, o solamente para la cocina. Hay compañeros hombres que están cocinando y encargados de la alimentación así como compañeras dirigentes que están encargadas de lo que tiene que ser el bloqueo de carreteras, el obstaculizar las carreteras, por ejemplo, que sería un trabajo para hombres, pero no, lo hacemos las mujeres.

Título al fin:
Poco después de que se filmó este vídeo, el gobierno y los dirigentes indígenas del Ecuador lograron dialogar y reestablecer la paz.

Capítulo 7
De compras en Madrid

NARRATOR

En la ciudad de Madrid, ir de compras es una gran aventura.

Aunque no se puede comprar la felicidad, casi todo lo demás está a la venta.

El Corte Inglés es ya una institución. Y todos los grandes almacenes están agrupados en el centro de la ciudad a unos pocos pasos.

Antiguamente, los comerciantes se agrupaban para vender sus mercancías. Todavía quedan rastros del pasado, por ejemplo, en la "calle del sonido," donde se encuentra todo tipo de equipo electrónico.

Al español le gusta visitar los mercados tradicionales de al peso, donde puede escoger sus productos frescos por kilo o por pieza. Las frutas y verduras de la fruterías, los mariscos de las pescaderías, y las viandas de la carnicerías se encuentran en todos los vecindarios.

¿Y quién puede resistir una tienda como "Los caramelos de Paco", un verdadero carnaval de golosinas? Los deleites llegan hasta el techo en una maravillosa sección para todo gusto.

En los domingos se puede visitar el Rastro, un mercado al aire libre regado por varias calles de la ciudad.

En el Rastro se encuentra cualquier obsequio: un sombrero azul, zapatos de cuero, antigüedades, y mapas, todo lo que se puede imaginar.

Los compradores siempre tratan de negociar una rebaja de precio pues el regateo es parte de la experiencia.

Los madrileños son consumidores expertos y exigentes.

Muchos han elevado la compra a nivel de arte o profesión. Y los más dedicados siempre hacen tiempo para un poquito más de práctica.

El esfuerzo de cazar una buena oferta puede tomar el día entero. Es una actividad que toma brío e inspiración.

Un aperitivo enfortalece el cuerpo, y un paseo entre las tiendas es un buen ejercicio – nos ayuda a todos a mantenernos en forma.

Capítulo 8
En la ciudad de Madrid

Sunrise and city shots

NARRATOR
Madrid es la capital de España.

Desde las ocho de la mañana la ciudad zumba con actividad, pues es el centro económico y cultural del país.

Muchos negocios todavía cierran por dos horas a las 2 de la tarde para el almuerzo, aunque la siesta ya no es común en la ciudad. Los trabajadores cierran las oficinas a las 5 y las tiendas a las 8, pero las calles de Madrid están llenas de gente día y noche.

Church footage

El domingo es día de descanso y reflexión. La mayoría de los españoles son bautizados, casados y enterrados en la iglesia católica. Desde 1939 hasta 1975, bajo el mando de Franco, la única religión legal en el país era la católica. Pero claro, no todo español practica la misma religión. Algunos son devotos de otro tipo.

Soccer footage

Como el fútbol, que algunos han elevado a una religión.

Hay varios equipos de fútbol en Madrid. Pero los aficionados más dedicados son los del Rayo Vallecano, en el barrio popular de Vallecas. En los estadios, los devotos del Rayo cantan himnos y apoyan a su equipo.

Shot of driving past cinemas, buses, footage

La vida nocturna de Madrid es alegre y variada. A los madrileños les gusta salir por la noche.

Darse una vuelta es una de las actividades más populares en la ciudad. «Ir de paseo cuenta como un oficio» escribió el escritor Pérez Galdós.

La hora de la cena en España llega tarde, entre las 9 y 12 de la noche. Por eso es que las taperías de Madrid son muy populares para picar algo. Ir de tapas, o tapear, quiere decir comer platos pequeños, muchas veces acompañados por una cerveza o una copa.

Litrones footage

A veces los jóvenes madrileños se divierten en los parques y las plazas.

Plaza Mayor footage

La ciudad de Madrid nunca duerme. En febrero o marzo Madrid celebra el Carnaval y la Plaza Mayor, centro de actividad por siglos, se llena de gente que va a pasarlo bien.

Muchos se disfrazan, especialmente los jóvenes, y las festividades duran una semana. Esta noche hay un concierto al aire libre y todos bailan hasta la madrugada.

Chocolatería footage

Si eres madrileño es probable que hayas visto el amanecer al fin de una noche de parranda. Es para esta hora que existe la chocolatería.

San Ginés es ya una institución, sirviendo chocolate y churros a las multitudes. El chocolate se toma caliente y espeso, perfecto para untar el churro, un tipo de postre con azúcar en polvo. Con ese bocado, se puede comenzar una nueva semana.

Capítulo 9
El uso del español en el trabajo

PATTY
Me llamo Patty Elizondo. Soy de San Antonio, Texas. Soy hispana; netamente mexicana. Pero yo vivo acá en Estados Unidos.

Mission

PATTY
La gente que fundó esta ciudad fue gente hispana.

More Mission for transition

PATTY
En una época, no muy remota – estamos hablando de los '40s, '50s, quizás un poquito también los '30s – hubo muchísima discriminación en San Antonio. Entonces los padres no quisieron enseñarle el español a sus hijos por temor a que los discriminaran o porque aprendieran mal el inglés.

Mural/Spanish faces

Entonces, ahora, esa generación que creció sin el bilingüismo está un poquito en desventaja, porque ahora el español es mucho, muy importante, a tal grado porque en los negocios y en la economía, el español es un idioma muy importante.

Hay 22 países en el mundo que manejan el español. Entonces ser bilingüe es demasiado importante.

Bakery into riverboat footage

PATTY
Como la gente aquí hablan el español en su casa.

El español es importante, no nada más a nivel turístico, a nivel comunicación, sino en todos los niveles.

Pues todo lo que se hace en un día, tiene que hacerse en los dos idiomas.

Shot of bus with newscasters advertised on the side

PATTY
Hace unos años trabajé en una estación de televisión americana y conocí a un presentador del noticiero, Chris Marrous, que aprendió el español solamente porque quería pronunciar los nombres de las personas, los nombres de las calles y de los lugares correctamente.

Entonces, él realmente no necesitaba hacer eso pero lo hacía más valioso ante sus jefes porque él podía manejar perfectamente los dos idiomas.

Painting of boy selling newspaper

TINO DURÁN
La Prensa comenzó en 1913 en San Antonio. El fundador fue Ignacio Lozano. Mi esposa y yo la revivimos *La Prensa*, le dimos vida otra vez en 1989.

PATTY	El Sr. Tino Durán es un hombre de negocios aquí en San Antonio y él publica un periódico que se llama *La Prensa* que es un periódico bilingüe.
	Así es que todos sus empleados son bilingües.
TINO DURÁN	Es muy difícil en San Antonio a veces hallar a alguien que tenga completamente control del español para escribirlo y para leerlo y para dar la información que se debe dar correctamente en español.

Exterior Prensa

TINO DURÁN	*La Prensa* ahorita, en este punto, tiene el tiraje o dos circulaciones. Un periódico que tenemos en miércoles que es un tabloide, ése tenemos 100,000 en los miércoles.
	El domingo tenemos otra publicación grande, el formato grande, completo que le dicen.
	Ahí tenemos 72,000 y son dos veces por semana.
PATTY	El español es tan importante en San Antonio, que la compañía de publicidad hispana García LKS aconsejó a la campaña ante la comunidad hispana del último presidente de los Estados Unidos.
BRENT	…de clientes que creemos vender seguros de vida. El primero…
PATTY	Ahí trabaja un joven que se llama Brent Gilmore, y él estudió el español en Cuernavaca, México específicamente porque quería comunicarse con los clientes mexicanos y de otros países de Latinoamérica. Su español es netamente profesional.
BRENT	Lengua es muy importante, español es muy importante en mi trabajo, porque mis clientes prefieren hablar en español y, por supuesto, el mercado de los hispanos en los Estados Unidos prefieren hablar en español también.
	…Vamos a ponerlos "outdoor" en la calle , anuncios en la calle y también revistas y en los periódicos.
	Antes cuando no hablé español, no podía hablar con mis clientes sin un otra persona.
	Y ahorita que puedo comunicar muy bien con los otros y mis clientes, hay más confianza y es más divertido.

Capítulo 10
Volkswagen de México

Montage of classic VW Beetles all over town

GONZALO La marca Volkswagen se dió a conocer en la unión americana por el Old Beetle. Aquí el Volkswagen de México le llamamos el Sedan.

Es el Sedan que se ve por todas las carreteras de México.

En la ciudad de México es el auto número uno como taxi y es el auto tan versátil en donde se pueden convertir entre diferentes formas de trabajo.

Footage of Mexico City to footage of towns near Puebla

GONZALO Volkswagen de México está localizada entre la ciudad de México y la ciudad de Puebla.

VW de México es una fuente de trabajo.

Es una empresa que tiene 80 hectáreas de extensión territorial y le da empleo a 14.000 técnicos más 3.000 empleados, en los cuales todo el mundo tiene un desarrollo para poder progresar en esta empresa.

Traveling shots of the exterior of Beetle plant

GONZALO
on camera Soy ingeniero industrial. Yo estudié en el Tecnológico de Puebla.

Me vine muy joven a estudiar a esta ciudad y después que terminé la carrera como ingeniero, Volkswagen de México me dió la oportunidad de tener un empleo en esta empresa, y aquí he trabajado durante 20 años.

Overhead shot of Beetle plant from balcony

GONZALO Soy el responsable de la fabricación del New Beetle.

Traveling shot of interior of factory, punctuated by welding shots

GONZALO En cada turno tengo aproximadamente 420 personas de las cuales la mayoría de los muchachos que trabajan con nosotros son jóvenes, gente que tiene un promedio de edad de 22 ó 23 años.

A team of workers together

GONZALO Y en este lugar de trabajo donde yo fabrico 520 autos en tres turnos, tengo 1.500 técnicos y 60 empleados. Este personal trabaja seis días a la semana y descansa un día.

Montage of finishing up Beetles, examining

GONZALO   Nuestro punto número uno en este momento es fabricar autos con la mejor calidad. Ya que nuestro producto se mantiene en estos momentos en los mercados exigentes, como es el mercado japonés, como es el mercado americano, como es el mercado europeo.

Y para mí es un orgullo, me siento inmensamente orgulloso como ser humano, el líder y la fabricación de este auto es que nos tiene a todos los que trabajamos en Volkswagen de México como personas valiosas y auténticas y que somos capaces.

Pretty blue Beetle with VW logo

Capítulo 11
El metro de México

Science tunnel sequence

ROBERTO   A los mexicanos luego muchas veces se nos olvida mirar al cielo.

Pero tú puedes pasar en el túnel de la ciencia y mirar que tienes una bóveda celeste.

Y aunque no me lo creas, sigues estando en el metro.

Footage of train roaring into a station...establishing shots of metro

ROBERTO   Somos los únicos en el mundo de metros que nos hemos dedicado a hacer una difusión cultural. Los otros metros del mundo tienen un ambiente de decoraciones en sus estaciones, pero el metro mexicano tiene un programa de disfrute cultural todo el año. Se llevan a cabo más de 380, 390 exposiciones durante todo el año. En la red del metro hay más de unas 40, 50 galerías dedicadas totalmente a hacer un proyecto cultural.

Montage of artistic exhibits and cultural imagery in the metro, opening and closing the train doors, etc.

ROBERTO   La mejor universidad de la ciudad pues es la calle y en este caso la calle subterránea, el metro.

Sequences with people knitting, businessmen, people kissing, people selling things, etc.

Montage of people buying tickets, entering through turnstiles, going up and down stairs

ROBERTO   Cada segundo, cada momento en que un mexicano se transporta, es una verdadera aventura.

Todos estamos al encuentro, al paso de todos. Como dice el escritor mexicano, el cronista de la ciudad, Carlos Monsiváis dice que el metro de la ciudad de México es el lugar de la reunión. El lugar de todos, pero, todos nos ponemos y nos vemos la cara pero ninguno nos conocemos...

Montage of darkness and light, underground tunnels

ROBERTO   Hay dos etapas en que sube un poco la tentación del suicidio: en el mes de mayo, será por la pasión de los calores o aquellos meses tristes para algunos de nosotros, sentimentales, ¿verdad? – el mes de diciembre.

Pero bueno, de eso está llena la vida y la ciudad, ¿no?

Ahora mira, tengo, también, tenemos otra cosa, ¿no? El metro mexicano es este padrino ya de muchos nacimientos. Hemos hasta comprado la cuna, la cama, porque en el metro mexicano han nacido muchos bebés, que además, bueno, pues, algún bebé que nace en el metro de México lo lleva con orgullo nuestro metro. Y finalmente es hijo del metro, y finalmente se le atiende a la mamá, sale en el periódico, ese niño se hace muy famoso.

Bueno, yo creo que no hay ningún pueblo de todos los pueblos del mundo que se sienta tan orgulloso de su metro como el mexicano.

Como decía Picasso: "Yo no busco. Yo llego al metro y todo me lo encuentro."

Capítulo 12
La charreada

Putting on the costume, stables

GUILLERMO Yo soy socio de la Asociación Nacional de Charros desde el año de 1942. O sea, me he pasado la vida de charro porque toda mi familia, también ha pertenecido – aparte mis papás, mis tíos – a esta asociación.

Cowboys riding to the rodeo arena

Roping and horse running

GUILLERMO En la época de antes de la revolución, el centro productor de todas las necesidades en México y yo creo que de todas las partes del mundo, eran las haciendas, los ranchos.

Entonces eso se vuelve un deporte y empieza el deporte a crecer con una gran afición a nivel de México y de Estados Unidos. En México se llaman jaripeos y en Estados se llamaba rodeo.

Rodeo in arena, roping

GUILLERMO La palabra "rodeo" es lo que se usa en México para decir "vamos a rodear o a traer o a juntar todo el ganado."

Dentro de las familias mexicanas pues a la hora que se hacen asociación, pues las hijas de los señores, pues también quieren montar a caballo, pues, "¿por qué mi hermano sí y yo no?"

Girls entering the ring

Girls doing some moves

MARÍA ALEJANDRA A veces en los entrenamientos que hemos tenido, muchas nos hemos caído,
MADRIGAL ARANDA nos ha pasado el caballo por encima, inclusive a mí me han roto las costillas de un cabezazo de un caballo.

Me prohibieron montar tres meses, pero yo no pude; me monté al mes y medio. Gracias al cielo no me pasó nada más, ni se me perforó nada. Con dolor y todo, pero yo seguía montando, porque realmente me gusta.

Complicated moves

KARINA FERNANDA Los caballos son algo muy especial para uno; para mí en especial porque
TEJEIDA BRAVO es algo difícil manejarlos, pero tienes que perder el miedo para que ellos no lo huelan, para que se comporten bien contigo, tienes que ser cariñosa así como también llevar el mando y que sepan quien está sobre ellos.

GUILLERMO Pues toda la gente lo que quería era ver a las niñas, calando, o sea, "reigning", calando los caballos mexicanos lo cual demostraban la gran capacidad y categoría de arrendamiento de los caballos mexicanos.

Teaching the Heritage Speaker

General Information about the Heritage Speaker in the Intermediate-Level Classroom

Students in intermediate-level classrooms come from a variety of backgrounds. Some of the students began their language study in secondary school while other students completed the first year sequence of courses at another college or university and have transferred. Some students completed the first year sequence at the same institution where they are enrolled in an intermediate course. A few students belong to a category of "heritage speakers" who have been placed or have self-placed into an intermediate level because of their Spanish-language proficiency. Heritage speakers often begin their language study at the intermediate level.

Among the heritage speaker students there is such great variety that it is not possible to generalize about them since there is not one model that fits all cases. Some heritage speakers have intermediate-level proficiency in the four language skills of listening, speaking, reading, and writing; however, many of the heritage speakers do not. Some of the heritage speakers have learned to speak the language outside the formal classroom situation and their listening and speaking skills may be at the intermediate or higher level. Those who have learned the language outside the classroom situation often have minimal reading and writing skills; a few will lack reading and writing skills entirely. Other heritage speakers may actually have had some formal schooling entirely in Spanish but at the elementary level and much has been forgotten.

While it is not possible to present all the variations on the proficiency levels of heritage speakers, it is enough to say that the heritage speaker in the classroom offers special challenges.

The challenge of the heritage speaker to the non-heritage speaker

Often the non-heritage students feel initially challenged by the presence of heritage speakers in the classroom. It is usually immediately evident to the non-heritage students who the heritage speakers are in a classroom. The heritage speakers often have excellent pronunciation and a depth of vocabulary lacking to the other students. The students feel that the heritage speakers will receive the highest grades while they, as non-heritage speakers, will receive lower grades in the competition.

It is the responsibility of the instructor to reassure the non-heritage students that they will not be held to the same standards in pronunciation and/or depth of vocabulary as the heritage speakers. Instructors should not put the heritage speakers in competition with the non-heritage speakers. To do so would build resentment and have the opposite effect from the one intended.

The challenge of the non-heritage speaker to the heritage speaker

Often heritage students feel threatened by the non-heritage students who may seem better prepared academically and who seem to perform better on written work and examinations. Again, it is the responsibility of the instructor to reassure the heritage speakers, especially those with minimal writing skills, that they will have the opportunity to develop those skills over time without serious penalties initially.

Suggestions for Using the Heritage Speaker as a Resource

The attitude of the instructor is crucial to the acceptance of the heritage speaker by the other students as well as the academic success of the heritage speaker in the Spanish language classroom. One way to accomplish this is to use the heritage speaker as a special resource that will help everyone improve language and cultural proficiency.

- Explain to the entire class that you plan to use the heritage speakers as a resource to help improve the language proficiency of all students.

- Explain to the entire class that you as an instructor will gain information from these heritage speakers.

- Use the heritage speaker as a model for pronunciation. Have the heritage speaker frequently read aloud and/or play one of the roles in printed dialogues.

- Have the heritage speaker serve as the conversation partner of non-heritage speakers in paired and small group exercises, role plays and activities. Avoid having heritage speakers work only with other heritage speakers and non-heritage speakers working only with non-heritage speakers.

- If possible, use the heritage speakers to help present cultural information on a given country or region.

  - Have the heritage speakers bring in photos or cultural artifacts that they may have available that relate to the countries or areas under study. This helps to make the culture seem more alive and real for all students.

  - Allow the heritage speakers to share their cultural experiences.

  - Allow the heritage speakers to bring in family members or friends as a resource for the class.

  - Have students in the classroom interview the heritage speakers to elicit information in exercises dealing with personal information as well as in exercises dealing with information about the target culture. In this way all students, both heritage and non-heritage, will learn cross-cultural information.

General Suggestions for Teaching Writing to the Heritage Speaker

The heritage students who speak with at least intermediate-level proficiency but who have minimal reading and writing skills in Spanish obviously need a lot of practice to bring the writing skill to the intermediate level.

The non-heritage intermediate students have learned how to "write down" in Spanish. They can write what they can speak and they are able to perform tasks such as filling out forms, writing notes and letters, create advertisements and short descriptions. They do not yet have the discourse skills in either writing or speaking to carry out extended descriptions and narrations.

On the other hand, the heritage speaker students do have discourse abilities in spoken language and they can narrate and describe at length. These students, however, often do not have the ability to "write down" what they are able to say. They need help with the basics of spelling, punctuation, capitalization, and routine grammar and vocabulary.

In the classroom the instructor is faced with the challenge of helping the non-heritage student develop discourse skills for narrating and describing and helping the heritage students develop the ability to "write down."

Suggestions for Using the Components of *Interacciones*

The following suggestions for using the various sections of **Interacciones** fall into two categories: (1) suggestions for using the heritage speaker as a resource and (2) suggestions to improve the reading and writing proficiency of those heritage speakers with minimal skills in those two areas.

1. Presentación

Since this section develops vocabulary have the heritage speakers write out the answers to *Práctica A: ¿Qué hay en el dibujo?* and the exercises entitled *Creación.* In this way the heritage speakers will learn to spell the basic vocabulary.

Note: The non-heritage speaker students should not write out these exercises since they are attempting to develop the speaking skill.

- Have the heritage speakers provide additional vocabulary that may be heritage to their area of origin.
- Remind heritage speakers that Spanish vocabulary may vary considerably from one region to another. Heritage speakers also have to be aware of the variants and become tolerant of them.

2. Así se habla

- Have the heritage speaker read one of the roles of the printed dialogue.
- Have heritage speakers provide additional phrases that pertain to the linguistic function under study. The heritage speaker may be able to provide interesting "slang" or phrases used in their country or area of origin.
- When doing the exercises, use the heritage speakers as conversation partners for the non-heritage speakers.
- Have heritage speakers write out the answers to mechanical exercises in this section.

3. Estructuras

- Have heritage speakers write out the answers to the mechanical exercises.
- Have heritage speakers serve as conversation partners in the paired and small group exercises and activities of this section.
- Allow heritage speakers to personalize the exercises and activities by using names of their family members and friends instead of the names printed in the book.

4. ¿Qué oyó Ud.?

The listening exercises that elicit a global understanding of the listening passage as well as those that ask for specific details will generally be very easy for the heritage speakers. However, the exercises that involve analysis of the features of the language may prove more problematic since they ask the listener to provide information about tone and register.

- Have heritage speakers work as a partner with non-heritage students to complete the global listening and detailed listening activities.
- Have heritage speakers write out the answers to the sections that analyze language.

5. Perspectivas

- Have heritage speakers provide information to the class about their own experiences with the area under study.
- Have heritage speakers bring in photos or artifacts that pertain to the topic.

6. Panorama cultural

- The video exercises that elicit a global understanding of the passage as well as those that ask for specific details will generally be very easy for the heritage speakers.

- Have heritage speakers work as a partner with non-heritage students to complete the global listening and detailed activities.

- Have heritage speakers compare the video segments to their own experiences.

- Have heritage speakers write out answers to the video exercises.

7. Para leer bien

- Have heritage speakers carefully prepare these exercises so that reading is a process dependent upon strategies.

- Have heritage speakers write out the answers to the exercises of this section.

8. Lectura cultural

- Have heritage speakers compare the reading to their own experiences.

- Have heritage speakers work as a partner with students in the preparation of the post-reading exercises.

- One of the areas in which heritage speakers often need considerable work is the area of summarizing a reading and responding to a reading. In order to help heritage speakers develop these skills in written form, have them write out the answers to *En defensa de una opinión,* the last exercise in the post-reading group of exercises. Of all the exercises in a given chapter, this is the most important one for heritage speakers to develop both the reading and writing skills.

9. Composiciones

- Help the heritage speakers learn that writing is a process that can be developed over time with considerable practice.

- Help heritage speakers focus on strategies to improve the writing skill. To that end, have heritage speakers read the *Para escribir bien* sections and reward them for using the strategies in the development of their compositions.

- When a graded / corrected composition is returned to a heritage speaker, have that person revise the original composition.

- After revising the original composition, have heritage speakers prepare a second composition selecting a different topic from those provided.

10. Actividades

- Have heritage speakers serve as partners for the non-heritage students. The heritage speakers will help bring up the level of the speech of the non-heritage students.

- Have heritage speakers change the activities in a minor way in order to personalize the activity.

- Heritage speakers will have little difficulty with this section.

11. Bienvenidos

- Have heritage speakers provide personalized information about the areas with which they are familiar.

- Have heritage speakers prepare information in addition to that provided in the textbook.

- Have heritage speakers work with non-heritage speaker students to prepare the *Práctica geográfica.*

12. Herencia cultural

The *Herencia cultural* sections should be particularly appealing to heritage speakers since these sections highlight the achievements of the Spanish-speaking peoples.

A. Personalidades

- Have heritage speakers prepare information about the personalities in addition to that provided in the textbook.

- Have heritage speakers serve as pronunciation models when the brief biographies are read aloud.

B. Arte y arquitectura

- Have heritage speakers provide personalized information about the artists, art, and arquitecture with which they are familiar.

- Have heritage speakers prepare information in addition to that provided in the textbook.

- Have heritage speakers work with non-heritage speaker students to prepare the exercises for this section.

C. Lectura literaria

- Heritage speakers may have as much difficulty with the literary readings as the non-heritage students.

- Have heritage speakers carefully prepare and write out the answers to the *Para leer bien* sections prior to the literary selection.

- Have heritage speakers write out answers to the exercises following the literary selections.

- Have heritage speakers compare the experiences of the characters in the readings to their own experiences. Have them write a personal reaction to the reading.

13. Student Activities Manual

A. Cuaderno de ejercicios

The workbook provides considerable practice in learning to "write down" as well as practice in the development of discourse skills.

- Have heritage speakers use the answer key to check the correctness of the mechanical exercises.

- The instructor should read the more open-ended workbook exercises for the heritage and non-heritage speakers and make suggestions for improvement.

B. Manual de laboratorio

The speaking and listening exercises of the laboratory manual will generally not be difficult for the heritage speaker. Here the heritage speaker will be able to feel pride in accomplishment especially if the writing skill is slow to develop.

Suggestions for Using Individual Chapters of *Interacciones*

The following suggestions for using the individual chapters of **Interacciones** fall into two categories: (1) suggestions for using the heritage speaker as a resource and (2) suggestions for helping heritage speakers improve their language proficiency especially in the areas of reading and writing.

The previous *Suggestions for Using the Components of* Interacciones offer general recommendations for using individual sections of each chapter. The suggestions here outlined provide specific information on each chapter. The chapter suggestions combined with the suggestions for the components of the textbook provide a wealth of material for teaching to the heritage speaker.

Capítulo preliminar

- In exercises throughout the chapter have heritage speakers identify themselves to other students. Instructor should point out areas of origin of the heritage speakers on the maps in the textbook or in the classroom.

- Have students interview each other to begin to discover cross-cultural similarities between heritage and non-heritage students.

- Have heritage speakers tell students where they are from and what forms of "you" they use to address various people.

Bienvenidos a España

- Identify any heritage speakers from Spain and have them explain / identify the area of Spain where they or members of their family are from. Use maps in the text or classroom.

Capítulo 1

Primera situación

Estructuras

- Point out the importance of learning grammatical terminology. Like all students heritage speakers need to learn to identify and analyze language structure in order to develop accuracy in the language.

- Point out to heritage speakers the importance of accuracy with regard to verb forms. Have heritage speakers write out answers to mechanical exercises involving present tense so they learn to spell the forms.

Segunda situación

Estructuras: Asking Questions

- Point out that in some regions the interrogative ¿**cuál?** can be used as an adjective: *which book* = ¿**cuál libro?**

Tercera situación

- Have heritage speakers explain in Spanish the daily schedule for their country / region. Other students should take notes. Instructor should ask the class questions about the presentation after the heritage speaker has finished.

Capítulo 2

Primera situación

Así se habla

- Have heritage speakers explain the phrase(s) they use to answer the telephone. Have students attempt to guess the country of origin based on the phrases used.

Estructuras: Preterite of Regular Verbs

- Point out the importance of the accent marks on the first- and third-person singular forms.

- Point out the importance of accuracy in the spelling of the preterite forms. Explain that while the second person singular ending **-stes** (as in **hablastes, distes, estuvistes**) is often used in colloquial speech, it should be avoided in formal speech and in written form.

Estructuras: Expressing Dates

- Have heritage speakers explain when events happened in their country of origin or in their own lives. As a listening activity, other students should write down in numerals the years expressed.

Segunda situación

Estructuras: Personal a

- Point out the importance of always including the personal **a** in spoken and written language. Explain that at times the personal **a** may not be heard as in **Busco a Arturo** but that in written form the **a** must be used.

Tercera situación

Perspectivas

- Have heritage speakers explain a special event in their country / region of origin; they could use photos and artifacts to illustrate the event. Instructors should ask the class questions based on the information.

Herencia cultural: España

- Point out that one of the learning outcomes for the course is knowledge about the importance of the Hispanic heritage and the achievements of the Hispanic peoples.

Lectura literaria

- After discussing the short story and poetry and completing the exercises, use heritage speakers to read aloud the short story by Matute and the poems by Bécquer.

Bienvenidos a México

- Identify any heritage speakers of Mexican origin and have them explain / identify the area of Mexico where they or members of their family are from. Use maps in the text or classroom.

Capítulo 3

Primera situación

Estructuras: Imperfect Tense

- Point out the use of two verb endings for this particular tense.

Estructuras: Diminutives

- Have heritage speakers write out the exercises so they learn to spell the irregular diminutive forms.

Segunda situación

Estructuras: Uses of *ser, estar,* and *haber*

- Emphasize the use of the letter **h** in the verb forms of **haber.**
- Emphasize the accent marks on the forms of **estar.**

Tercera situación

Perspectivas

- Use heritage speaker last names as examples for the exercises of this section.

Capítulo 4

Primera situación

Presentación

- Have heritage speakers explain typical foods from their area of origin. If possible, have them bring in samples of the food(s).

Estructuras: Indirect Object Pronouns

- Point out the differences between forms of indirect and direct object pronouns.
- Point out the difference between **te** and **té.**
- Point out the importance of the accent marks when pronouns are attached to infinitives or the participle.

Estructuras: Verbs that Change English Meaning in the Preterite

- Point out that heritage speakers will need to learn the difference in the English meaning of these verbs in the preterite and imperfect.

Tercera situación

Perspectivas

- Have heritage speakers provide menus from various Hispanic restaurants with which they are familiar.

Para escribir bien

• Emphasize the importance of this strategy on improving written accuracy.

Herencia cultural: México

Lectura literaria

• Have heritage speakers write a brief response to the Poniatowska short story explaining the role of women in Hispanic culture.

Bienvenidos a Centroamérica, Venezuela y Colombia

• Identify any heritage speakers from the countries of this section and have them explain / identify the specific area where they or members of their family are from. Use maps in the text or classroom.

Capítulo 5

Segunda situación

Estructuras: Present Subjunctive

• Some heritage speakers will have complete control over the subjunctive while others will have the same problems as non-heritage speakers in learning how to use it correctly.

Capítulo 6

Primera situación

Estructuras: Familiar Commands

• Point out the use of accent marks when pronouns are attached to the end of written commands.

• Point out that negative familiar commands have the same form as the subjunctive but that the use is very different.

Segunda situación

Estructuras: More about Gender and Number of Nouns

• Emphasize the importance of accuracy in the use of articles (**el agua**) and the spelling of plural forms (**vez→veces**)

Tercera situación

Para escribir bien

• Point out the correlation between the strategies of *¿Qué oyó Ud.?*, *Para leer bien,* and *Para escribir bien* within a given chapter as well as between chapters.

• Summarizing in written form depends on remember key details and supporting details, a topic dealt with in several strategies in several chapters.

• Remind students to use the "Preparing to Write" strategies every time they prepare a composition. It would be a good idea for them to have a copy of these instructions handy for all writing in Spanish.

Bienvenidos a los países andinos: Bolivia, el Ecuador y el Perú

- Identify any heritage speakers from the countries of this section and have them explain / identify the specific area where they or members of their family are from. Use maps in the text or classroom.

Capítulo 7

Primera situación

Estructuras: Uses of the Definite Article

- Have heritage speakers learn the differences in usage in the definite article between Spanish and English—they will probably not know the English usages as well as the Spanish usages.

Segunda situación

Estructuras: Double Object Pronouns

- Point out the need for accuracy in the use of accent marks when object pronouns are attached to infinitives, participles, and affirmative commands.

Estructuras: y → e; o → u

- Many heritage speakers do not make these distinctions in either written or spoken language. Point out the need for accuracy in using these forms in written language.

Capítulo 8

Primera situación

Estructuras: Formal Commands

- Point out the use of accent marks when pronouns are attached to affirmative commands.
- Point out that formal commands have the same form as the subjunctive but that the use is very different.

Segunda situación

Estructuras: Future Tense

- Point out the use of accent marks on future forms. Point out the necessity of accuracy with irregular future form

Estructuras: *Nosotros* Commands

- Point out the use of accent marks when pronouns are attached to affirmative commands.
- Point out that **nosotros** commands have the same form as the subjunctive but that the use is very different.

Tercera situación

Perspectivas

- Have heritage speakers provide information on Hispanic cities that they are familiar with.

Para escribir bien

- Suggest that heritage speakers keep a journal in Spanish and that they write in it daily. Offer to correct their written journal on a weekly basis as an attempt to help improve their writing skill.

Herencia cultural: Los países andinos

Lectura literaria

- Prior to reading the Palma selection, have heritage speakers provide sayings that are used in their country of origin so that students understand the role of proverbs and sayings in Hispanic culture.

Bienvenidos a la comunidad hispana en los Estados Unidos

- Identify any heritage speakers from the areas of this section and have them explain / identify the specific area where they or members of their family are from. Use maps in the text or classroom.

- It is likely that most of the heritage speakers in the classroom will be from the U.S. These heritage speakers will be a tremendous resource in the classroom in this section of the text (*Bienvenidos a la comunidad hispana en los EE.UU.; Capítulos 9-10, Herencia cultural: La comunidad hispana dentro de los EE.UU.*)

Capítulo 9

Primera situación

Estructuras: Conditional

- Point out that is necessary to use an accent over the **-i-** in the endings of the conditional.

- Remind heritage speakers that the stem for the conditional is the same as the stem for the future tense.

Capítulo 10

Primera situación

Estructuras: Present Perfect Indicative

- Remind students that forms of **haber** begin with a letter **h** even if it is not pronounced.

Estructuras: Present Perfect Subjunctive

- Point out that the form **haya** is preferred in Spanish even though *haiga* might be used in parts of Latin America and Spain.

Segunda situación

Estructuras: Past Perfect Indicative

- Remind students that forms of **haber** begin with a letter **h** even if it is not pronounced.

Tercera situación

Perspectivas

- Have heritage speaker students bring in information about the Hispanic community in which they live.

Herencia cultural: La comunidad hispana en los EE.UU.

Arte y arquitectura

• Have heritage speakers bring in photos and artifacts from their Hispanic community.

Lectura literaria

• Have heritage speakers write a response to the reading in this section. The written response should include reactions to the reading selection.

Bienvenidos a Chile y a la Argentina

• Identify any heritage speakers from the areas of this section and have them explain / identify the specific area where they or members of their family are from. Use maps in the text or classroom.

Capítulo 11

Primera situación

Estructuras: *If* Clauses

• Have heritage speakers concentrate on the English meanings of these sentences.

Tercera situación

Para escribir bien

• Emphasize the importance of explaining and hypothesizing in terms of writing for academic purposes. Point out that students need to learn to explain and hypothesize in order to answer essay questions and in order to write term papers and reports.

Capítulo 12

Primera situación

Estructuras: *If* Clauses

• Have heritage speakers concentrate on the English meanings of these sentences.

Segunda situación

Estructuras: Relative Pronouns

• Emphasize the need for learning to use relative pronouns in order to write effectively for academic purposes. Relative pronouns are a necessity in lengthy discourse for narration and description.

Herencia cultural: Chile y la Argentina

Arte y arquitectura

• Have students bring in photos and information from cities in the Hispanic world with which they are familiar.

¿Qué oyó Ud.?
Tapescript

Capítulo preliminar

Ahora, escuche el diálogo entre dos estudiantes, José Manuel y Santiago, en una calle de Madrid y anticipe lo que dirán. Antes de escuchar la conversación, lea los ejercicios que se presentan en su libro de texto. Después, conteste.

SANTIAGO	Disculpe… pero, ¿por dónde pasa el autobús número cincuenta y dos, el que va para la Universidad de Madrid?
JOSÉ MANUEL	El cincuenta y dos pasa por esta calle y para en la esquina a las ocho y treinta…todavía es un poco temprano.
SANTIAGO	Es que es mi primer día y como no soy de aquí…
JOSÉ MANUEL	Comprendo…yo también soy estudiante. Mira, mi nombre es José Manuel y estudio ingeniería. Estoy en tercer año.
SANTIAGO	Yo soy Santiago…Santiago Valverde.
JOSÉ MANUEL	Mucho gusto, Santiago. ¿De dónde eres?
SANTIAGO	De Sevilla. ¿Y tú?
JOSÉ MANUEL	De aquí, de Madrid. ¿Qué estudias en la Universidad, Santiago?
SANTIAGO	Arquitectura, estoy en primer año.
JOSÉ MANUEL	Oye, ¡qué bien! Mira, ahí viene el cincuenta y dos. Nos vemos entonces, ¿eh? Y ¡buena suerte!
SANTIAGO	Igual y gracias por todo.

Capítulo 1

Ahora, escuche el diálogo entre Ada y Tania que hablan de su rutina diaria. Preste atención a su entonación y al tema que discuten para obtener la información general de lo que hablan. Antes de escuchar la conversación, lea los ejercicios que se presentan en su libro de texto. Después, conteste.

ADA   Tania dime una cosa: ¿a qué hora te levantas todos los días?

TANIA   Bueno depende… generalmente a las siete… pero me acuesto a las doce. ¿Y tú?

ADA   Yo me levanto a las cinco o seis de la mañana y me acuesto a las doce de la noche también.

TANIA   ¿Cómo dices? ¿Quieres decir que sólo duermes cinco horas?

ADA   Bueno, sí, pero es que también trabajo medio tiempo en una compañía y entonces después de mis clases de la mañana regreso a mi casa, me baño, me arreglo, me cambio y voy al trabajo. A veces regreso a la universidad por un par de horas, y después por la noche voy al gimnasio. Y si no me levanto temprano no me da tiempo para hacer todo.

TANIA   Pero Ada… ¡Te vas a enfermar así! ¿Cuándo descansas? ¿Nunca echas una siesta?

ADA   No te preocupes. Descanso los fines de semana aunque también tengo que hacer una serie de diligencias. Pero, ¿por qué me preguntas? Tu vida debe ser muy parecida a la mía, ¿no?

TANIA   Sólo un poco. Por la mañana voy a la universidad, luego después del almuerzo tomo una siesta y luego estudio un poco. Tres veces a la semana me voy a nadar con unas amigas. Mi vida es mucho más tranquila que la tuya.

ADA   Ya veo. ¡Qué suerte!

TANIA   ¿Por qué tienes que trabajar tanto durante la semana?

ADA   Porque necesito el dinero y también quiero estudiar y hacer ejercicio pero… creo que voy a tener que dejar de ir al gimnasio…. O de repente mejor dejo dos materias… no sé qué hacer.

TANIA   Bueno, por favor, ¡cuídate! Estoy muy preocupada por ti. Trata de divertirte un poco, por favor.

ADA   Tienes razón. Voy a ver qué hago.

Capítulo 2

Ahora, escuche el diálogo entre Luisa y Susana, dos amigas que intercambian información acerca de sus actividades en la playa. Antes de escuchar la conversación, lea los ejercicios que se presentan en su libro de texto. Después, conteste.

SRA. PÉREZ	¿Aló?
SUSANA	¿Aló? ¿Sra. Pérez?
SRA. PÉREZ	Sí, ¿eres tú Susanita?
SUSANA	Sí, señora, ¿cómo está?
SRA. PÉREZ	Muy bien, Susanita. ¿Quieres hablar con Luisa?
SUSANA	Sí, por favor.
SRA. PÉREZ	Bueno, te la llamo. Un momentito, por favor.
SUSANA	Muchas gracias.

• • • • •

LUISA	¿Aló? ¿Susana?
SUSANA	¡Luisa! ¿Cómo estás?
LUISA	Bien, bien … te llamé esta mañana …
SUSANA	¡Ay! ¡No me digas! ¡Qué pena! Miguel y yo fuimos a la playa y practicamos el windsurf todo el día, hasta las cuatro de la tarde!
LUISA	¡Oye! ¡Qué bien! Pero, ¿no almorzaron? Porque te llamé también a la hora de almuerzo …
SUSANA	Bueno, lo que pasó fue que comimos en la playa. Y tú y Pepe, ¿qué hicieron?
LUISA	En realidad, yo sólo tomé el sol y Pepe levantó pesas toda la mañana. ¿Te imaginas?
SUSANA	¡Ay! ¡Qué aburrido! ¡Cuánto lo siento! ¿Por qué no vamos mañana a navegar en velero?
LUISA	¡Perfecto! ¿A qué hora salimos?
SUSANA	A las diez de la mañana, ¿te parece bien?
LUISA	Claro que sí. Ya es el quince de agosto y pronto se me acaban las vacaciones. Tengo que aprovechar.
SUSANA	¡Por supuesto! Entonces nos vemos mañana a las diez.
LUISA	Muy bien. Oye, pero, ¿dónde nos encontramos?
SUSANA	Ven a recogerme a mi casa. Dile a Pepe que venga también y así salimos todos juntos.
LUISA	Perfecto. Mañana estamos en tu casa a eso de las diez entonces.
SUSANA	Los espero.

Capítulo 3

Ahora, escuche el diálogo entre Teresa y Leonor. Preste atención a la invitación que se hace y haga los ejercicios que se presentan en su libro de texto.

TERESA	Leonor, ¡qué gusto verte! ¿Cómo estás?
LEONOR	Ahí bien, – nada nuevo. Y tú, ¿qué cuentas?
TERESA	¡Ah! Yo sí te tengo una gran noticia. No me vas a creer.
LEONOR	¡No me digas! ¿De qué se trata? Anda cuéntame, no seas mala.
TERESA	Bueno, vamos a ver qué dices. Este sábado me voy a comprometer. Pepe va a pedir mi mano.
LEONOR	¡Ay, Teresita! Pero, ¡qué sorpresa!
TERESA	Sí, hija. Tú sabes que Pepe y yo ya tenemos cuatro años juntos y ya era hora de formalizar la relación.
LEONOR	Oye, pero me alegro mucho por los dos. ¡Te felicito! Y dime, ¿vas a hacer fiesta, reunión o va a ser en privado no más?
TERESA	No, va a haber una pequeña reunión en mi casa. ¡Tú sabes cómo es mi mamá! Y, por supuesto, que quiero que estés tú. Van a ir sólo los padres de Pepe, sus hermanos con sus parejas, mis hermanas, mis cuñados y mis amigas íntimas, tú, María Elena, Irma y Diana.
LEONOR	¿Y a qué hora puedo ir?
TERESA	Anda como a las siete, ¿te parece bien?
LEONOR	¡Perfecto! Mira, ¿puedo ir con Miguel? A ver si se le ocurre algo, tú sabes…
TERESA	Por supuesto. No faltaba más.
LEONOR	Nos vemos el sábado, entonces. Te felicito nuevamente.
TERESA	Gracias. Saludos a todos por tu casa.
LEONOR	Igualmente.
TERESA	Chau.
LEONOR	Chau.

Capítulo 4

Ahora, escuche la conversación que se lleva a cabo en un restaurante entre Javier, Mariela, Fernando y el camarero. Antes de escuchar la conversación, lea los ejercicios que se presentan en su libro de texto. Después, conteste.

CAMARERO	Buenas tardes, Bienvenidos a 'Brisas del Mar.' ¿Les puedo ofrecer algo para beber?
JAVIER	¿Qué quisieras tomar, mi amor?
MARIELA	Una limonada bien fría, por favor.
FERNANDO	A mí me trae una cerveza helada.
JAVIER	Y yo otra cerveza bien fría, por supuesto.
CAMARERO	Muy bien, señor. Ahora mismo se las traigo.
	[Al poco rato]
CAMARERO	¿Están listos para pedir?
JAVIER	¿Qué dices, Mariela?
MARIELA	Bueno, no sé todavía, Javier. Hoy en el almuerzo comí arroz con pollo, pero no me gustó mucho.
	[Dirigiéndose al camarero]: ¿Cuál es el menú del día, por favor?
CAMARERO	De entrada tenemos ensalada de aguacate, cóctel de camarones y ceviche de mariscos. Las sopas del día son gazpacho, menudo y caldo de res. De plato principal tenemos lenguado a la parrilla y arroz con carne de cerdo.
MARIELA	Bueno…. Yo sólo quiero un ceviche de mariscos.
FERNANDO	A ver, a ver… Yo quiero ceviche de camarones, menudo, arroz con carne de res y un flan con helado de chocolate.
MARIELA	Fernando, pero ¿vas a poder comer tanto? Acuérdate que ayer te enfermaste por comer así.
FERNANDO	No te preocupes, hoy es otro día. Además, ayer estaba muy cansado, y no me sentía bien. Hoy estoy muerto de hambre y no tengo ningún problema.
JAVIER	Bueno, yo también tengo hambre. Primero, me trae gazpacho y luego un huachinango a la parrilla con arroz, por favor.
MARIELA	¡Qué barbaridad, cómo comen Uds.!
CAMARERO	Les sirvo enseguida.
JAVIER	Gracias.

Capítulo 5

Ahora, escuche la conversación entre dos estudiantes, Guillermo y Gerardo, y complete los ejercicios que se presentan en su libro de texto.

GUILLERMO   Hola, Gerardo. ¿Qué cuentas? ¡Tanto tiempo sin verte!

GERARDO   Aquí, como siempre yendo a mis clases. Y tú ¿qué cuentas?

GUILLERMO   Nada, ahí no más. Me voy a la biblioteca a estudiar, aunque con este clima tan feo sólo me provoca quedarme en casa y dormir. Todo está nublado y se ve tan triste.

GERARDO   ¡Sí, hombre! Esta mañana cuando salí de casa parecía que el clima iba a estar bien, pero ahora todo está nublado. Espero que se mejore el día.

GUILLERMO   ¡Sí, hombre! Yo pensaba que hoy iba a estar mejor. Este es mi segundo semestre aquí en Caracas y todavía no me acostumbro a estos aguaceros. En mi pueblo hace sol y calor todo el tiempo.

GERARDO   ¡Qué suerte! Aquí que no te llame la atención si llueve otra vez y más fuerte que ayer todavía.

GUILLERMO   No, no, no. Ojalá que no llueva, porque dejé mi paraguas en casa. Dime una cosa, ¿por dónde pasa el autobús? Porque si llueve más tarde, al salir de clases tomo el autobús para regresar a casa.

GERARDO   ¡Tienes razón! Mira, el autobús pasa por aquí no más, a dos cuadras de aquí y te deja cerca de tu casa. Si quieres voy contigo para que no te equivoques.

GUILLERMO   Bueno, vamos pues.

GERARDO   Aquí es, ¿ves?

GUILLERMO   Sí, ya veo. Gracias, Gerardo. No creo que tenga problemas ahora.

GERARDO   Perfecto. Adiós. Mira y no te olvides que "Al mal tiempo buena cara."

GUILLERMO   (Riéndose): Así es.

Capítulo 6

Escuche la conversación entre dos señoras en la casa de una de ellas y tome los apuntes que considere necesarios. Antes de escuchar la situación, lea los ejercicios que se presentan en su libro de texto. Después, conteste.

ROSALUZ	Hola Mariana, ¿Cómo sigues?
MARIANA	*(sniffing and coughing):* Ay, hija, aquí igual. Me siento malísima.
ROSALUZ	¡Caramba, chica! ¡Esta gripe sí que te está durando!
MARIANA	¡Me vas a decir a mí! ¡Ya estoy harta!
ROSALUZ	Mira, aquí te traje esta revista que tanto te gusta. Estaba de compras, la vi y me dije "Ésa es la revista favorita de Mariana. Quizás no tenga este número."
MARIANA	Ay, pero no te hubieras molestado, Rosaluz. Tienes razón, todavía no lo tengo. Muchísimas gracias.
ROSALUZ	No, ¡qué ocurrencia! Mira, también te traje este jugo de naranja. Espero que te guste. Yo creo que es mejor que los otros, tú sabes, es puro jugo natural. Yo misma lo hice.
MARIANA	Gracias, mi amor, pero no has debido hacer eso. Mi hijo no tarda en venir y me va a traer mis medicinas y todo lo que necesito. Tú sabes cómo es Gustavo de preocupado.
ROSALUZ	No, sí sé, pero no es ninguna molestia. Quiero que te mejores pronto. Y tú sabes que para la gripe no hay nada mejor que el descanso, tomar líquidos y bastante vitamina C.
MARIANA	Tienes razón, así es.
ROSALUZ	Mira, pero te interrumpí, ¿no? ¿Estabas viendo televisión?
MARIANA	Tú nunca me interrumpes, Rosaluz. Tú eres como de la familia. Estaba descansando y acabo de poner la televisión, eso es todo. Pero para decirte la verdad dudo que den algo bueno… Todo es violencia y a mí no me gusta nada de eso. Mas bien me molesta que todo sea matanzas, crímenes, y ese tipo de cosa.
ROSALUZ	Sí, hija, para ver algo bueno hay que ir al teatro o a un buen cine. Mira, ¿crees que puedas salir un poco? No hoy, por supuesto, pero quizás el próximo fin de semana, ¿qué te parece?
MARIANA	Espero estar mejor para entonces, porque francamente ya estoy cansada de estar metida en la casa todo el tiempo.
ROSALUZ	Ya me imagino. Entonces yo te llamo en cualquier momento y si necesitas algo, no te olvides que estoy a tu orden.
MARIANA	Gracias, Rosaluz. Nos hablamos entonces.
ROSALUZ	Perfecto. Chaíto, pues.

Capítulo 7

Ahora, escuche el diálogo entre una joven y una vendedora en una tienda y tome los apuntes que considere necesarios. Antes de escuchar la conversación, lea los ejercicios que se presentan en su libro de texto. Después, conteste.

VENDEDORA	Buenos días. ¿En qué puedo servirle?
GRACIELA	Estoy buscando un vestido pero necesito algo elegante como para una recepción en una embajada. ¿Me podría ayudar a encontrar algo apropiado?
VENDEDORA	Con mucho gusto. Venga por acá, por favor. ¿Quiere que le enseñe algo fino aunque sea un poquito más caro o prefiere algo de un precio cómodo?
GRACIELA	Bueno, lo principal es que sea elegante y me quede bien. No quiero nada que sea muy caro, pero tampoco quiero algo feo u ordinario. ¿Comprende?
VENDEDORA	Sí, sí. Bueno, vamos a ver. ¿Qué le parece este azul? ¿Quisiera probárselo?
GRACIELA	¡Es precioso! Sí, me lo voy a probar, pero primero quiero que me muestre otros vestidos.
VENDEDORA	Muy bien. Aquí tiene este rojo y este verde.
GRACIELA	Me gusta el verde, pero creo que el azul es el más bonito de todos.
VENDEDORA	El azul cuesta 5.000 bolivianos. El verde es más caro, pero más fino también. Cuesta 7.500.
GRACIELA	¡Ay, Dios mío! ¡Esto es demasiado! Voy a probarme el azul y si me queda bien me lo llevo… Ojalá que me lo pueda dejar en 4.000…
VENDEDORA	Bueno, no sé… pero voy a hablar con mi jefe.
GRACIELA	Espero que diga que sí porque 5.000 bolivianos me parece carísimo.
VENDEDORA	Pruébeselo y vamos a ver si le gusta cómo le queda. Sígame, por favor.

Capítulo 8

Ahora, escuche la conversación entre tres amigas que hablan sobre cómo van a pasar la tarde. Antes de escuchar la conversación lea los ejercicios que se presentan en su libro de texto. Después, conteste.

VILMA	Margarita, Iris, ¿qué dicen? ¿Qué hacemos esta tarde? ¿Vamos a la exposición en el Museo de la Nación o vamos al concierto?
MARGARITA	¡Ay, Vilma! ¿No crees que sería mejor ir a una corrida de toros? ¡Es más emocionante!
VILMA	¿Una corrida de toros? Pero Margarita, ¿estás loca? Además, a esta hora ya no habrá ni una sola entrada disponible y… bueno, a mí no me gustan las corridas de toros.
MARGARITA	A ti no te gusta nada.
VILMA	¿Qué te pasa a ti?
IRIS	Bueno, bueno, bueno. ¡No discutamos! ¿Qué les parece si mejor vamos a un parque de diversiones? No nos quedemos aquí sentadas discutiendo toda la tarde. ¡Vamos! ¿Qué dicen?
VILMA	No sé, no me convence mucho. Como es sábado, estará todo el mundo ahí, todas las mamás y papás con sus hijitos llorando y gritando. ¡Ay no! Francamente que no. Cuando esté casada y tenga mis hijos iré, pero ahora no.
MARGARITA	¿Ves que te dije? A ella no le convence nada, ni los toros, ni el parque, ni nada.
IRIS	Bueno, bueno. Cálmate. No peleemos. Déjenme pensar.
MARGARITA	A ver piensa tú, porque si yo sugiero algo, tú ya sabes lo que pasa.
VILMA	Bueno, a mí me parece que hay que tener en cuenta que la exposición en el Museo de la Nación es sólo hasta mañana y si no vamos ahora, no la podremos ver más.
IRIS	Sí, es verdad. Me han dicho que está buenísima.
MARGARITA	No había pensado en eso. Bueno, vamos pues.
VILMA	¿Ves que tenía razón?
IRIS	¡No empecemos!

Capítulo 9

Ahora, escuche el diálogo entre dos compañeros de trabajo que hablan de cómo solucionar algunos problemas en su oficina y tome los apuntes que considere necesarios. Antes de escuchar la conversación, lea los ejercicios que se presentan en su libro de texto. Después, conteste.

MARIO   Mira, Gerardo, esta situación no puede continuar. Necesitamos contratar otro empleado.

GERARDO   ¿Otro empleado dices? ¿Estás seguro?

MARIO   Sí, sí, y lo más pronto posible. Todo está atrasado aquí.

GERARDO   Entonces voy a poner un aviso en el periódico.

MARIO   Haz lo que sea necesario, pero quiero que alguien venga pronto. Alguien que sea eficiente, responsable, que sepa usar la computadora y que tenga algún conocimiento de contabilidad. ¿Comprendes?

GERARDO   Sí, te entiendo.

MARIO   ¿Te acuerdas de nuestra antigua secretaria, aquélla que teníamos el año pasado y que renunció cuando se casó?

GERARDO   Sí, pero no comprendo qué quieres decir.

MARIO   Bueno, lo que quiero decir es que necesitamos alguien como ella. Una persona seria, trabajadora y de confianza. Pon el aviso en el periódico, ofrece un buen sueldo y luego entrevistamos a los aspirantes. ¿Te parece?

GERARDO   No hay ningún problema.

Capítulo 10

Ahora, escuche el diálogo entre Nerio y un empleado del banco y tome los apuntes que considere necesarios. Antes de escuchar la conversación, lea los ejercicios que se presentan en su libro de texto. Después, conteste.

NERIO	Buenos días, señor. Quisiera abrir una cuenta corriente, por favor.
EMPLEADO	Muy bien, señor. Pase por aquí, por favor.
NERIO	Muchas gracias.
	(Nerio y el empleado pasan a un escritorio lateral.)
EMPLEADO	¿Su nombre, por favor?
NERIO	Guerrero, Nerio Guerrero.
EMPLEADO	Muy bien, Sr. Guerrero… este… ¿Ud. quiere una cuenta a su nombre solamente o una cuenta mancomunada?
NERIO	No, sólo a mi nombre.
EMPLEADO	Bueno, voy a llenar este formulario en la computadora con algunos de sus datos personales. ¿Me puede decir cuál es su número de Seguridad Social?
NERIO	345-56-7891
EMPLEADO	¿Y hace cuánto tiempo vive en Miami?
NERIO	Hace apenas dos años.
EMPLEADO	¿Cuál es su lugar de empleo y cuánto tiempo lleva ahí?
NERIO	Trabajo para una compañía de construcción y llevo ahí año y medio.
EMPLEADO	Bueno, aquí está. Por favor, firme aquí, en la parte de abajo.
NERIO	Muy bien. ¿Eso es todo? Yo había pensado que iba a ser más complicado.
EMPLEADO	No, señor… eso es todo. El proceso es muy sencillo y como ve, sólo lleva unos minutos. Si fuera tan amable, ahora pase por una de esas ventanillas, haga un depósito y luego viene por aquí nuevamente con el recibo. Después le doy una chequera provisional.
NERIO	Muchas gracias. ¿Cuál es el depósito mínimo que tengo que hacer?
EMPLEADO	Setecientos cincuenta dólares.
NERIO	Muy bien.
	(A los pocos minutos)
NERIO	Aquí está el recibo, señor.

EMPLEADO   A ver, vamos a ver. Su cuenta es la número trescientos ochenta y cinco, novecientos cuarenta y ocho, veintidós. Aquí tiene su chequera provisional y dentro de quince días recibirá sus cheques con su nombre.

NERIO   Muchas gracias. Buenas tardes.

EMPLEADO   Buenas tardes.

Capítulo 11

Ahora, escuche el diálogo entre una pasajera y una empleada de la aerolínea LanChile en el aeropuerto de Santiago y tome los apuntes que considere necesarios. Antes de escuchar la conversación, lea los ejercicios que se presentan en su libro de texto. Después, conteste.

EMPLEADA	Buenos días. ¿Su pasaporte y visa, por favor?
PILAR	Aquí están.
EMPLEADA	¿Tiene equipaje?
PILAR	Sí. ¿Me lo podría facturar, por favor?
EMPLEADA	Muy bien, pero primero tiene que pasar por Seguridad.
PILAR	¿Por qué?
EMPLEADA	Son los reglamentos. Todos los pasajeros tienen que pasar su equipaje por Seguridad antes de que se los facturemos.
PILAR	¡Ay, qué fastidio! ¡Y con toda la gente que hay!
EMPLEADA	Lo siento, señorita.
	(Pilar pasa por Seguridad y regresa al mostrador de LanChile.)
EMPLEADA	¿Cuántas maletas lleva?
PILAR	Dos y un maletín de mano.
EMPLEADA	Muy bien. Ahora dígame, por favor, ¿prefiere la sección de fumar o no fumar?
PILAR	No fumar, por favor.
EMPLEADA	¿Y quisiera sentarse en la ventanilla, en el medio o en el pasillo?
PILAR	En la ventanilla si fuera posible.
EMPLEADA	Muy bien.
PILAR	Señorita, por favor, ¿a qué hora sale el vuelo?
EMPLEADA	A las tres y cuarto de la tarde, dentro de cuarenta y cinco minutos.
PILAR	¡Qué problema! Si tuviera tiempo podría comprar algunas cosas aquí en el aeropuerto.
EMPLEADA	Aquí tiene su pasaporte y su tarjeta de embarque. Pase por la puerta de embarque número dos, pero recuerde que primero tiene que pasar por Inmigración para que le sellen el pasaporte.
PILAR	Muchas gracias, muy amable.
EMPLEADA	¡Que tenga buen viaje!

Capítulo 12

Ahora, escuche el diálogo entre un médico y un joven deportista y tome los apuntes que considere necesarios. Antes de escuchar la conversación, lea los ejercicios que se presentan en su libro de texto. Después, conteste.

DR. VELÁSQUEZ	Y Ricardo, ¿qué pasa? ¿Otra vez por aquí? ¿Algún problema?
RICARDO	Parece que sí, doctor, me duele la rodilla. Me di un golpe muy fuerte. Creo que se me rompió.
DR. VELÁSQUEZ	A ver… a ver… déjame ver. Según recuerdo, la última vez que estuviste aquí te dije que no jugaras más al fútbol. ¿Qué pasó? ¿Se te olvidó?
RICARDO	Mire doctor, no sé qué me pasó. Los muchachos pasaron por mi casa y fui con ellos. Ahora parece que se me rompió la rodilla.
DR. VELÁSQUEZ	¡Caramba! ¡Pero, Ricardo! ¡Se ve bien fea! ¡Qué mala suerte! Si me hubieras escuchado, no te habría pasado nada.
RICARDO	Yo sé, pero Ud. sabe cómo son las cosas. A uno se le olvida el dolor cuando no lo siente, pero en fin… aquí me tiene otra vez.
DR. VELÁSQUEZ	No creo que te la hayas roto, pero sí te has dado un buen golpe. Voy a ponerte una inyección para que se te calme el dolor. Además te voy a dar unas muletas para que no pongas ningún peso sobre esa pierna.
RICARDO	Gracias, doctor. No sé qué habría hecho si Ud. no me hubiera podido atender hoy.
DR. VELÁSQUEZ	Bueno, bueno…y ya sabes, nada de fútbol, nada de básquetbol.
RICARDO	Sí, doctor. Muchas gracias.
DR. VELÁSQUEZ	¡Que te mejores! Y ya sabes, que no se te vuelva a olvidar, porque a mí se me va a acabar la paciencia.
RICARDO	Sí, sí, se lo prometo. Ahora sí.

Manual de laboratorio
Tapescript

Capítulo preliminar

Un autorretrato

Presentación

A. Estudiantes de intercambio. *You are helping to find roommates for the following exchange students who are coming to study at your university. Listen as each student gives a personal description and make notes on the chart in your lab manual. If you need to listen again, replay the recording. //*

1. ¡Hola! Me llamo Amalia Lázaro. Soy de Chile y tengo 18 años. ¿Cuáles son mis pasatiempos favoritos? Pues… tengo muchos. Me gusta ir de compras con mis amigos. También juego al tenis y me encanta bailar. //

2. Soy Tomás Fernández. Tengo 20 años. Vivo en Arequipa, Perú. Mi actividad favorita es reunirme con amigos. Pasamos horas charlando y contando chistes. Pero, a veces, prefiero estar solo. Leo novelas, escribo cartas y miro la televisión. //

3. ¡Buenos días! Me llamo Maricarmen Tizón y soy de Sevilla, España. Tengo 19 años. Me gusta la música popular. Toco la guitarra bastante bien. Por supuesto, me encanta ir a los conciertos. //

4. Me llamo Carlos Carranza. Vivo en Guadalajara, México y tengo 20 años. Soy muy atlético y practico muchos deportes: fútbol, tenis y golf. También me gusta ir al cine. Prefiero películas de aventuras. //

5. ¿Qué tal? Soy Beatriz González. Tengo 18 años y soy de Caracas, Venezuela. No practico muchos deportes pero me gusta jugar al tenis y cada día hago ejercicios. También toco el piano. Cuando no tengo que estudiar me gusta leer novelas románticas. //

Now check your answers with the key at the end of your lab manual.

B. En el aeropuerto. *You have volunteered to meet the exchange students at the airport. Listen as they describe themselves and take notes in your lab manual so you will be able to recognize each student. If you need to listen again, replay the recording.*

1. Soy Amalia Lázaro. Soy delgada y de talla media. Tengo los ojos verdes y el pelo rubio, corto y rizado. //

2. Soy Tomás Fernández. No soy gordo, pero tampoco soy flaco. Soy muy alto. Soy moreno y tengo los ojos negros. Llevo anteojos. //

3. Soy Maricarmen Tizón. Soy baja y un poco gorda. Soy pelirroja de ojos azules. Tengo muchas pecas. //

4. Soy Carlos Carranza. Soy alto, moreno y atlético. Tengo el pelo ondulado y los ojos negros. //

5. Soy Beatriz González. Soy alta y esbelta. Tengo el pelo castaño, largo y liso y ojos de color café. //

Now check your answers with the key.

Note: The double slash marks (//) that occur throughout this tapescript indicate a pause in the recorded material to allow time for students to repeat, respond, or write answers in the *Manual de laboratorio.*

Para escuchar bien

In this chapter you have learned to anticipate and predict what you are going to hear based on previous experiences you have had in similar situations. Now practice anticipating what will be said in the following exercises.

A.   En el aeropuerto de Barajas. *Imagine that you have just arrived in Spain and are going through customs. Listen to the following conversation, and circle* **SÍ** *if what you hear matches your expectations. Circle* **NO** *if what you hear does not match your expectations.*

1. MALE 1   Su pasaporte, por favor.

   MALE 2   Aquí está, señor.

   MALE 1   Muy bien. Pase por aquí, por favor. //

2. MALE 1   ¿A qué hora sale su vuelo para España?

   FEMALE 1   A las doce.

   MALE 1   Muy bien. //

3. MALE 1   ¿Trae Ud. muchos regalos?

   FEMALE 1   Sí, para mis amigos.

   MALE 1   A ver, enséñemelos, por favor. //

4. FEMALE 1   ¿Sabes tocar la guitarra?

   FEMALE 2   No, pero sí toco el piano.

   FEMALE 1   ¡Qué bien! //

5. MALE 1   ¿Cuánto tiempo se va a quedar en España?

   FEMALE 1   Un mes aproximadamente.

   MALE 1   Que disfrute mucho. //

Now check your answers with the key.

B.   En el centro estudiantil. *You will hear a series of short conversations in which students exchange personal information. As you listen, circle the letter of the phrase that best completes each statement in your lab manual. If you need to listen again, replay the recording.*

Conversación 1

MALE 1   Me llamo Fernando González y soy de Madrid.

FEMALE 1   Mucho gusto. Yo soy Claudia Martínez y soy de Granada.

MALE 1   ¿Estudias en la Universidad de Madrid?

FEMALE 1   Sí. ¿Y tú?

MALE 1   Yo también.

FEMALE 1   ¡Ay, qué bien! Seguro que nos vamos a ver muchas veces. //

Conversación 2

MALE 1   Y dime, Joaquín, ¿cuáles son tus pasatiempos favoritos?

MALE 2   A mí me gusta hacer ejercicios y jugar al tenis. ¿Y tú? ¿Practicas algún deporte?

MALE 1   No, en realidad no. Yo prefiero leer novelas y escribir cartas.

MALE 2   ¡Ay, pero qué aburrido! ¿Y no te gustan los deportes?

MALE 1   No mucho. Sólo los veo en la televisión. //

Conversación 3

MALE 1   Yo soy soltero y por eso vivo en una residencia estudiantil con dos compañeros.

FEMALE 1   Yo también soy soltera pero vivo sola en un apartamento.

MALE 1   ¿Te gusta vivir sola?

FEMALE 1   Sí, pero me gusta salir con mis amigos también. //

Conversación 4

FEMALE 1   Dime, Anita, ¿trabajas en algún sitio?

FEMALE 2   Sí, trabajo en la cafetería de la universidad. Trabajo de las tres a las seis de la tarde.

FEMALE 1   No me digas. Yo también trabajo en la cafetería pero de las ocho a las diez de la noche.

FEMALE 2   Y ¿qué haces por las mañanas?

FEMALE 1   Estudio.

FEMALE 2   Yo también. Por eso necesito el dinero.

FEMALE 1   Te comprendo. A mí me pasa lo mismo. //

Now check your answers with the key.

Así se dice

The letters **a, e, i, o, u** and sometimes **y** are used to represent vowel sounds in both English and Spanish, but their pronunciation in the two languages is very different. Note the following.

1. Spanish has fewer vowel sounds than English. It is generally said that Spanish has five basic sounds while English has many more.

2. Spanish vowel sounds are generally shorter than English vowel sounds. In addition, English vowel sounds often glide into or merge with other vowels to produce combination sounds. These combination sounds are called diphthongs. As a general rule, you should pronounce Spanish vowels with a short, precise sound. Listen to the difference in the pronunciation of the following two words: **me** (Spanish), *may* (English).

3. In English, vowels in unstressed positions are reduced to a neutral sound similar to *uh;* this neutral sound is called a *schwa.* The letter **i** in the English word *president* is pronounced in this fashion. Compare the pronunciation of the letter **i** in the Spanish and English words: **presidente,** *president.*

Práctica

A.　*Now listen to the following pairs of words and decide if the first word of each pair is a Spanish or an English word. Circle your answer in your lab manual. Each pair of words will be repeated.*

1. se　　say //

2. ti　　tea //

3. two　　tú //

4. de　　day //

5. me　　may //

6. si　　sea //

Now check your answers with the key.

B.　*Now listen to the following pairs of words and decide if the first word of each pair is a Spanish or an English word. Circle your answer in your lab manual. Each pair of words will be repeated.*

1. residente　　resident //

2. literature　　literatura //

3. athletic　　atlético //

4. pasaporte　　passport //

5. tenis　　tennis //

6. concierto　　concert //

Now check your answers with the key.

Now concentrate on the Spanish vowel sound /a/. In a stressed or unstressed position the Spanish /a/ is pronounced similarly to the /a/ sound of the English word *father;* it is spelled **a** or **ha.**

Práctica

A.　*Listen to the following sentences and mark in your lab manual how many times you hear the sound /a/. Each sentence will be repeated.*

1. Está muy cansado. //

2. Juana también. //

3. Estamos listas. //

4. Ya voy. //

Now check your answers with the key.

B.　*Listen to the following Spanish words with the /a/ sound and repeat each after the speaker.*

1. a //

2. ala //

3. ama //

4. ésa //

5. bala //

6. mano //

7. estado //

8. pasea //

9. moza //

10. tarjeta //

11. identidad //

12. pasaporte //

13. Caracas //

14. Barajas //

15. Granada //

16. Madrid //

17. Sevilla //

18. ciudad //

C.　*Listen and repeat each sentence of the following minidialogues after the speaker.*

1. —Estoy muy preocupada. //
　　—Yo también. //

2. —Estoy exhausta. //
　　—A mí me pasa lo mismo. //

3. —¿Cuándo descansas? //
　　—Los fines de semana. //

Estructuras

A.   Números de identidad. *You are talking on the telephone to a secretary in the Registrar's Office of your university. She is reading the exchange students' identification numbers to you. Repeat each number and, in your lab manual, match the student with his or her identification number. Each number will be repeated.*

1. Amalia Lázaro   03-58-96 //

2. Tomás Fernández   21-49-87 //

3. Maricarmen Tizón   66-76-35 //

4. Carlos Carranza   53-13-07 //

5. Beatriz González   42-17-29 //

Now check your answers with the key.

B.   ¿A qué hora? *You have called the airport for information about the following flights which are arriving tomorrow. Listen to the flight numbers and arrival times and write the information in your lab manual. The flight information will be repeated.*

1. Vuelo 37, procedente de Guadalajara, México, llega a las siete y cinco. //

2. Vuelo 85, procedente de Santiago de Chile, llega a las ocho y veinte. //

3. Vuelo 64, procedente de Sevilla, España, llega a las nueve y media. //

4. Vuelo 99, procedente de Arequipa, Perú, llega a las once menos cuarto. //

5. Vuelo 74, procedente de Caracas, Venezuela, llega a las once y cuarto. //

Now check your answers with the key.

C.   Los pasatiempos. *Using the cues, tell what the following people do when they have some free time. Repeat the correct answer after the speaker.*

> ➤ **MODELO**   María / practicar deportes
> **María practica deportes.**

1. yo / charlar con amigos //
Yo charlo con amigos. //

2. Susana y Tomás / bailar //
Susana y Tomás bailan. //

3. José / escribir las cartas //
José escribe las cartas. //

4. nosotros / mirar la televisión //
Nosotros miramos la televisión. //

5. yo / leer novelas //
Yo leo novelas. //

6. tú / tomar el sol //
Tú tomas el sol. //

7. Carlos / tocar la guitarra //
Carlos toca la guitarra. //

This is the end of Capítulo preliminar of *Interacciones.*

Capítulo 1

La vida de todos los días

Primera situación

Presentación

Las actividades.   *Listen to the following people describe their daily activities. After each monologue you will hear three questions. Answer each question from the responses given in your lab manual. If you need to listen again, replay the recording.*

Monólogo 1

Cuando tengo tiempo me gusta descansar. Si no tengo mucho que estudiar después de las clases, echo una siesta. Cada tarde pongo la televisión y miro mi telenovela favorita «Así es la vida». Por las noches veo las noticias. Los viernes me reúno con mis amigos y salimos a comer o a bailar. //

1. ¿Cuándo mira la televisión? //
2. ¿Cuándo echa una siesta? //
3. ¿Cuándo sale con sus amigos? //

Monólogo 2

El sábado es un día muy ocupado. Siempre tengo mucho que hacer. Compro comida en el supermercado. Luego voy a la estación de servicio. Lleno el tanque y reviso el aceite. Si tengo que comprar sellos o mandar una carta, voy al correo. Después voy a la tintorería para recoger ropa limpia. Por último, voy a un restaurante para tomar algo. //

1. ¿Cuándo va al supermercado? //
2. ¿Cuándo va al correo? //
3. ¿Cuándo va a un restaurante? //

Monólogo 3

¡La vida de un estudiante es difícil! Los lunes, los miércoles y los viernes asisto a clases. En cada clase tomo muchos apuntes. Por la noche estudio y hago la tarea. Paso horas y horas los fines de semana preparándome para los exámenes. //

1. ¿Cuándo asiste a clases? //
2. ¿Cuándo estudia? //
3. ¿Cuándo se prepara para los exámenes? //

Now check your answers with the key at the end of your lab manual.

Para escuchar bien

In this chapter you have learned that intonation, gestures, the topic being discussed, and the situation in which it is being given can help you understand the gist or the general idea of what the speaker is saying. Now practice getting the gist of a conversation and anticipating what the speakers will say in the following exercises.

A. La publicidad. *You are in a Spanish-speaking country and have the radio on. When the music stops, a series of commercials begins. Listen to each and write the number of the commercial before the product or place that is being advertised in your lab manual. Read the possibilities before you listen to the commercials.* //

Anuncio 1

FEMALE Venga, señora, venga al Supermercado Cada y compre sus alimentos y todo lo que necesita para su hogar a los mejores precios —café a 30 pesos el kilo, carne de primera calidad a 80 pesos el kilo. //

Anuncio 2

MALE ¿Necesita dinero extra para comprar algunos muebles para su hogar? ¿O necesita quizás dinero para pagar sus estudios? Venga a Servicios González y nosotros le conseguimos un trabajo a medio tiempo en una empresa de primera. No se olvide. Servicios González. Llámenos al teléfono 345–8976. //

Anuncio 3

MALE Este sábado a las cuatro de la tarde no se pierda el partido de fútbol del año. Aquí en su radio América. //

Anuncio 4

FEMALE ¿Quiere aprender a manejar una computadora? Venga al Instituto de Computación. Hay clases todos los días. Para mayor información, llame al teléfono 238–9085. //

Now check your answers with the key.

B. Unos estudiantes hablan. *You will hear a conversation between two university students, José and Maribel. They are talking about what they have to do for their different classes. Before listening to their conversation, mark an **X** in your lab manual next to the topics you think they will discuss. Then listen to their conversation and mark the appropriate topics.*

FEMALE Te digo, José, acaba de empezar el semestre y ya tengo muchísimo trabajo que hacer. Estoy muy preocupada. Imagínate que casi todos los días me tengo que levantar a las seis de la mañana para prepararme para mis clases…sobre todo la de cálculo…y me acuesto a medianoche porque voy a la biblioteca todas las noches…

MALE A mí me pasa lo mismo. ¡No sé qué voy a hacer! El profesor de español nos ha dicho que tenemos que estudiar todos los días porque vamos a tener un examen cada viernes.

FEMALE ¿Cómo dijiste? ¿Cada viernes?

MALE ¡Sí! ¡Imagínate! Además la profesora de inglés nos ha dicho que tenemos que escribir un trabajo de investigación para el fin de este mes. No voy a tener tiempo para descansar ni para divertirme.

FEMALE Ya veo. Si sigue así el semestre, vamos a tener muchos problemas…Mira, ¿por qué no estudiamos juntos? Yo te puedo ayudar con tu clase de español.

MALE ¡Fabuloso! Y yo te puedo ayudar con cálculo.

FEMALE ¡Qué bien! Perfecto. Bueno, ahora voy a tomar un refresco porque me muero de sed.

MALE Yo quiero un café. Ya vengo. //

Now in your lab manual, choose the sentence that best summarizes what you heard.

Check your answers with the key.

C.   La vida de mi vecina.   *You will hear a homemaker describing her daily routine. But before listening to her description, mark an* **X** *in your lab manual next to the topics you think she will talk about. Then listen to her description and mark the topics she mentions. //*

FEMALE   Bueno, mi vida en realidad no es muy aburrida. No tengo tiempo para aburrirme. Tengo dos niños pequeños de tres y cinco años y ellos me mantienen ocupada todo el día.

Me levanto temprano todos los días. Como mi esposo se levanta temprano también, tomamos un cafecito juntos y luego mientras yo les doy el desayuno a mis hijos, mi esposo lee el periódico y se prepara para ir a trabajar. Cuando mi esposo sale de la casa, empiezo a arreglar las cosas un poco. Lavo la ropa, limpio los cuartos, lavo los baños… en fin todas las cosas de la casa. Mientras yo hago todas estas cosas mis hijos juegan o ven algo en la televisión, pero siempre los vigilo porque si no, se ponen a pelear y las cosas se complican un poco.

A mediodía preparo el almuerzo. Después del almuerzo, los niños toman una siesta y yo descanso un poco. Leo un libro o hablo con una amiga por teléfono. Cuando los niños se despiertan, los llevo al parque. Cuando regresamos del parque, preparo la cena. Como mi esposo llega a las seis de la tarde, todos comemos a las siete de la noche, más o menos. Luego, mi esposo baña a los niños y los prepara para ir a dormir mientras yo arreglo las cosas de la cocina. Nosotros nos acostamos a las diez de la noche más o menos, algunas veces más tarde otras más temprano, todo depende.

Así pasan mis días. No me aburro, pero cuando mis hijos vayan a la escuela, quiero volver a trabajar para ganar un poco de dinero. Me preocupa el futuro de mis hijos y quiero darles una buena educación. //

Now in your lab manual, choose the sentence that best summarizes what you heard.

Check your answers with the key.

Así se dice

In a stressed or unstressed position the Spanish /e/ is pronounced similiarly to the /e/ sound of the English word *mess;* it is spelled **e** or **he**. Remember that Spanish vowel sounds are short and precise. They do not glide like some English vowel sounds.

Práctica

A.   *Listen to the following pairs of words and decide if the first word of each pair is a Spanish word or an English word. Circle your answer in your lab manual. Each pair of words will be repeated.*

1.	may	me //	**4.**	mes	maize //
2.	se	say //	**5.**	cera	Sarah //
3.	lay	le //	**6.**	essay	ése //

Now check your answers with the key.

B.   *Listen to the following sentences and mark in your lab manual how many times you hear the sound /e/. Each sentence will be repeated.*

1. Él lee mucho pero aprende poco. //   **3.** Estamos libres este fin de semana. //

2. ¿Por qué no escribes ese libro? //   **4.** Hoy no tenemos clases. //

Now check your answers with the key.

C. *Listen to the following Spanish words with the /e/ sound and repeat each after the speaker.*

1. el //	**5.** tele //	**9.** estudie //	**13.** aceite //
2. en //	**6.** este //	**10.** cesta //	**14.** almacén //
3. espejo //	**7.** lee //	**11.** España //	**15.** siesta //
4. me //	**8.** escribe //	**12.** Barcelona //	

D. *Listen and repeat each sentence of the following minidialogues after the speaker.*

1. —Este libro es interesante. //
　　—Préstemelo, por favor. //

2. —Tiene siete hermanos muy inteligentes. //
　　—¡Qué bien! //

3. —¿Cuándo vienes? //
　　—El viernes. ¿Te parece? //

Estructuras

A. **Yo también.** *A friend is commenting on the activities of various people. Say that you do the same things. Then repeat the correct answer after the speaker.*

> ➤ *MODELO*　　　Enrique estudia en la biblioteca.
> **Yo también estudio en la biblioteca.**

1. Isabel hace la tarea cada noche. //
　　Yo también hago la tarea cada noche. //

2. María y Juan ponen la televisión para ver las noticias. //
　　Yo también pongo la televisión para ver las noticias. //

3. Nosotros salimos con amigos a menudo. //
　　Yo también salgo con amigos a menudo. //

4. Roberto trae los libros a clase. //
　　Yo también traigo los libros a clase. //

5. Susana y Luisa saben usar la computadora. //
　　Yo también sé usar la computadora. //

6. Mi hermana ve a José de vez en cuando. //
　　Yo también veo a José de vez en cuando. //

7. Pablo conduce a la universidad. //
　　Yo también conduzco a la universidad. //

B.   Las noticias.   *Your friends have some news to share with you. Listen to what they have to say and write the missing words in your lab manual. Each news item will be repeated.*

1. ¿Conoces a Tomás Fernández? // Es uno de los estudiantes de intercambio. // Pues, él viene a mi casa esta noche. // Salimos con María y Paco. // Estoy un poco nerviosa pero sé que vamos a divertirnos. //

2. ¿Oyes la noticia? // Van a destruir el viejo edificio que está al lado del almacén. // Dicen que van a construir una estación de servicio. // Parece que esta ciudad cambia demasiado. // No la reconozco. //

Now check your answers with the key.

C.   ¿Quién?   *In your lab manual, mark an **X** in the chart under the subject of the verb you hear. Each sentence will be repeated.*

1. Quiero comer algo. //

2. ¿Por qué no almorzamos en el nuevo restaurante? //

3. Juan lo recomienda. //

4. ¿A qué hora cierran? ¿A las nueve? //

5. Sí. ¿Qué pides? //

6. Pruebo las enchiladas. //

7. El camarero nos sirve ahora. //

Now check your answers with the key.

Segunda situación

Presentación

A. El arreglo personal.   *Listen to the following definitions. Then, in your lab manual, write the number of the definition under the picture of the object or objects being defined. Each sentence will be repeated.*

1. Sirve para rizar el pelo. //

2. Sirve para despertar a alguien. //

3. Sirve para lavarse los dientes. //

4. Sirve para afeitarse. //

5. Sirve para maquillarse. //

6. Sirve para secar el pelo. //

Now check your answers with the key.

B. ¿Qué quieres decir?   *Listen to the following statements and possible responses. In your lab manual, write the letter of the response you would give to show that you do not understand what is being said. The statements and responses will be repeated.*

1. Voy de compras pero si Susana me llama, puedes decirle que estoy en la biblioteca.
    a. Está bien.   **b.** ¿Puedes repetir?   **c.** Buena idea. //

2. No quiero ir a la fiesta.
    a. No entiendo.   **b.** Por supuesto.   **c.** Bien. //

3. Paco te busca pero le voy a decir que no sé dónde estás.
   a. Mala idea.   **b.** Gracias.   **c.** ¿Cómo dijiste? //

4. Siempre estudio pero no recuerdo nada de nada.
   a. Así es la vida.   **b.** No sé si comprendo bien.   **c.** Qué lástima. //

Now check your answers with the key.

Para escuchar bien

In this chapter you have learned to understand the gist or general idea of what the speaker is saying. Now practice getting the gist of a conversation when you do the following exercises.

A.   ¡Dímelo!   *You will hear a series of people talk about their daily activities. Before you listen to their descriptions, make a list of routine activities for each person listed in your lab manual. //*

Now listen to each passage and decide what occupation each person has. Circle the letter of the correct answer in your lab manual. Read the possible answers first.

1. MALE   Mamá, francamente esto es un problema. Nunca puedo usar el baño cuando quiero. Por eso siempre llego tarde a mis clases. Cecilia entra en el baño a las cinco y media de la mañana a bañarse pero se demora muchísimo. Mientras se pone el maquillaje, se riza el pelo, se mira en el espejo y se perfuma, pasa por lo menos una hora y media. ¿Podrías hablar con ella y decirle que no se tome tanto tiempo? Yo también tengo que usar el baño. //

2. FEMALE   Qué vida tan monótona, José. Tengo que buscar otro trabajo o me voy a volver loca. Todos los días hago lo mismo. Me levanto, me baño, me arreglo para salir y vengo a este trabajo donde sólo vendo jabones, champú, rímel, lápices de labios, pasta de dientes y desodorante. Salgo a las siete de la noche y tengo que hacer todas mis diligencias, ir al supermercado y lavar la ropa sucia. Nunca tengo tiempo para reunirme con mis amigos ni hacer nada interesante. //

3. MALE   Dr. Martínez, los estudiantes en esta universidad sólo quieren ir a fiestas, ver televisión y divertirse. No estudian, no trabajan, no investigan y quieren sacar las mejores notas. Mientras tanto nosotros sí tenemos que trabajar, preparar las clases, corregir sus tareas y exámenes además de hacer nuestros trabajos de investigación. En mis tiempos los estudiantes sí teníamos que estudiar y trabajar. ¡Cómo han cambiado las cosas! //

Now check your answers with the key.

B.   Ay, por favor...   *Listen to the following conversation between Gladys and Marisela, two roommates at the University of Madrid. But before you listen to their conversation, make a list in your lab manual of the things you think they will talk about. //*

Now listen to the conversation and circle the sentence in your lab manual that best describes what you heard. Read the possible answers first. //

FEMALE 1   Marisela, tengo que usar el baño. ¿Te vas a demorar mucho?

FEMALE 2   Lo siento, Gladys, pero todavía no me he maquillado.

FEMALE 1   ¿Por qué te tienes que maquillar tanto? ¿Cuánto tiempo necesitas para arreglarte?

FEMALE 2   Disculpa, pero me arreglo y salgo.

FEMALE 1   Voy a llegar tarde a clase por tu culpa.

FEMALE 2	Ya te he dicho. Tienes que acordarte de poner el reloj despertador más temprano porque si no, vamos a tener problemas todos los días.
FEMALE 1	¿Yo? ¿El despertador más temprano? Pero eres tú la que siempre se demora dos horas en el baño. ¡Esto es el colmo! //

Now check your answers with the key.

Así se dice

The Spanish /i/ is a shorter and tenser sound than the English /i/. Be careful not to confuse the Spanish /i/ sound with the English /iy/ sound of *sea,* the /i/ sound of *tip,* or the schwa of *president.* The closest approximation to the Spanish /i/ sound is the letter i in the English word machine. In Spanish, the /i/ sound is spelled **i, hi,** or **y.**

Práctica

A. *Listen to the following pairs of words and decide if the first word of each pair is a Spanish word or an English word. Circle your answer in your lab manual. Each pair of words will be repeated.*

1. mi   me //

2. see   si //

3. bee   vi //

4. knee   ni //

5. di   Dee //

6. tea   ti //

Now check your answers with the key.

B. *Listen to the following sentences and mark in your lab manual how many times you hear the sound /i/. Each sentence will be repeated.*

1. Mi hermano viene a casa los viernes con sus amigos. //

2. Casi me muero de la risa cuando los vi. //

3. El presidente de la universidad dio una conferencia el miércoles. //

4. Este té está muy caliente. Lo prefiero más frío. //

Now check your answers with the key.

C. *Listen to the following Spanish words with the /i/ sound and repeat each after the speaker.*

1. tipo //

2. hiciste //

3. lápiz //

4. sin //

5. peine //

6. pie //

7. presidente //

8. cepillo //

9. pintura //

10. caliente //

11. fría //

12. cambiar //

13. Chile //

14. México //

15. Lima //

D. *Listen and repeat each sentence of the following minidialogues after the speaker.*

1. —¿Has visto mi peine? //
    —Está al lado de tu cepillo de dientes. //

2. —¿Vas a afeitarte? //
    —Sí, pero primero voy a terminar este libro. //

3. —El miércoles tienes una cita con el dentista. //
    —¡Qué pesadilla! //

Estructuras

A. Por la mañana. *Using the cues you hear, explain what the following people do every morning. Repeat the correct answer after the speaker.*

> ➤ ***MODELO***   Silvia / vestirse
>   **Silvia se viste.**

1. Tomás y Carlos / afeitarse //
Tomás y Carlos se afeitan. //

2. yo / levantarse temprano //
Yo me levanto temprano. //

3. Isabel / ducharse //
Isabel se ducha. //

4. nosotros / arreglarse //
Nosotros nos arreglamos. //

5. Manolo / dedicarse a sus estudios //
Manolo se dedica a sus estudios. //

6. tú / lavarse el pelo //
Tú te lavas el pelo. //

7. Uds. / despertarse tarde //
Uds. se despiertan tarde. //

B. Preguntas. *You were not paying attention to what your friend was saying to you. Ask questions so that you can understand what was being said. Use* **qué, quién, cuándo, adónde, por qué,** *and* **cuánto** *in your questions. Repeat the correct answer after the speaker.*

> ➤ ***MODELO***   Maricarmen se levanta tarde.
>   **¿Quién se levanta tarde?**

1. Maricarmen llama. //
¿Quién llama? //

2. Se levanta tarde porque no oye el despertador. //
¿Por qué se levanta tarde? //

3. Va al centro comercial. //
¿Adónde va? //

4. Necesita un despertador nuevo. //
¿Qué necesita? //

5. Cuesta veinte dólares. //
¿Cuánto cuesta? //

6. Te habla más tarde. //
¿Cuándo me habla? //

This is the end of Capítulo 1 of *Interacciones.*

Capítulo 2
De vacaciones

Primera situación

Presentación

A.   Las vacaciones.   *You are trying to decide where to spend your vacation. Listen to the following ads for vacation spots and then list in your lab manual the activities available at each one. If you need to listen again, replay the recording.*

Complejo La Playita le ofrece a Ud. todas las actividades para unas vacaciones fantásticas. Al salir de su habitación, Ud. se encuentra en una playa magnífica donde puede broncearse, nadar, practicar el esquí acuático y el windsurf o simplemente dar un paseo y recoger conchas. ¡Todo bajo un sol tropical! //

Aquí en las montañas Hotel Serenidad tiene todo lo que Ud. necesita para unas vacaciones tranquilas. Los campeones del mundo del golf recomiendan nuestro campo. Si no le gusta jugar al golf, puede pescar o montar a caballo o en bicicleta. ¡Todo con la tranquilidad de las montañas! //

En pleno corazón de una gran ciudad, Hotel Cosmopolita lo ofrece todo. Tenemos un gimnasio completo con pista para correr y una piscina olímpica. Y cerca de nosotros están las tiendas y los restaurantes más elegantes del mundo. ¡Todo en una ciudad que nunca duerme! //

Now check your answers with the key at the end of your lab manual.

B.   El teléfono.   *The telephone is ringing. Complete the following conversation by responding with what you would say or what would be said to you according to the cues. Repeat the correct answer after the speaker.*

1. Ud. oye el teléfono. Ud. lo contesta y dice … //
   Dígame o Bueno. //

2. La persona que llama quiere hablar con Isabel. Le dice a Ud. … //
   ¿Está Isabel? //

3. Ud. no reconoce a la persona que llama. Ud. le dice … //
   ¿De parte de quién? //

4. Ud. no sabe si Isabel está en casa. Ud. dice … //
   Voy a ver si está. //

5. Isabel no está en casa. Ud. dice … //
   No, no está. //

6. Ud. termina la llamada. Ud. dice … //
   Chao. //

Para escuchar bien

In this chapter you have learned to use visual aids to help you understand what is being said. Now practice using visual aids in the following exercises.

A. Descripciones. *Look at the drawing in your textbook on page 47. You will hear four statements. Determine if each is accurate or not based on the information you see in the picture. If it is accurate, circle* **SÍ**, *and if not, circle* **NO**.

1. La playa está llena de niños. Los jóvenes y las personas mayores prefieren ir al hotel donde no hay tanto ruido. //

2. Hoy hace mucho calor pero parece que va a haber una tormenta. El cielo se ha oscurecido y el viento ha empezado a soplar. //

3. Es un día de verano y hace mucho calor. Mucha gente se está divirtiendo en la playa y todos se ven muy felices.

4. Está prohibido beber bebidas alcohólicas en la playa, por eso algunas personas prefieren ir al hotel cercano. //

Now check your answers with the key.

B. ¿Qué dices tú? *You will hear four statements for each drawing in your lab manual. Look at each drawing and circle* **CIERTO** *in your lab manual if the statement is true and* **FALSO** *if the statement is false.*

1. a. A José no le gusta levantar pesas. Él prefiere nadar. //
   b. Él ha estado levantando pesas por muchos años. Por eso es muy fuerte. //
   c. Estas pesas las puede levantar cualquier persona. No requieren mucha fuerza. //
   d. Él prefiere levantar pesas solo. Por eso no va al gimnasio. //

2. a. María Elena no sabe montar a caballo; por eso está muy nerviosa y va muy lentamente. Ella quiere aprender.
   b. Son las nueve de la noche y ella tiene miedo porque ya empezó a oscurecer. Además parece que va a llover. //
   c. María Elena quiere ir al hotel y ver su programa favorito en la televisión. //
   d. María Elena es una gran deportista y le gustan los caballos. //

3. a. Los jóvenes están compitiendo en una carrera. //
   b. Un muchacho va a ganar la carrera. //
   c. Los padres salen con sus hijos a montar en bicicleta y disfrutar de la belleza del paisaje. //
   d. Estas personas montan en bicicleta todos los días. //

4. a. José y Antonio compiten en Wimbledon. //
   b. Ellos juegan al tenis frecuentemente. //
   c. Están muy cansados. Por eso van a ir al hotel y tomar un refresco. //
   d. A José no le gusta mucho el tenis. Por eso está muy aburrido. //

Now check your answers with the key.

C. ¿Quién dice esto? *Look again at the drawings in your lab manual and then listen to the following passages. Mark the number of the passage that best illustrates what the person in the drawing would most likely be thinking. If you need to listen again, replay the recording.*

1. FEMALE   Si no me apuro, me van a ganar. Pero me estoy cansando y esta bicicleta no está tan buena como yo quisiera. Voy a tener que comprarme otra. ¡Ay, Dios mío! Esa curva parece peligrosa. Bueno, cálmate Juliana…Si te pones nerviosa, no vas a ganar. //

2. MALE   Me alegro de haber venido al gimnasio temprano. Ahora podré hacer todos mis ejercicios y luego iré al restaurante a desayunar. ¿Dónde estará Emilio? Me dijo que vendría a levantar pesas conmigo. Seguro que se ha quedado dormido. Bueno, no importa. //

3. MALE   Menos mal que pudimos venir a jugar hoy. La cancha ha estado ocupada todo el tiempo y no había podido venir a practicar. Felizmente Gerardo pudo venir a jugar conmigo hoy porque ayer se sentía un poco mal. //

4. FEMALE   Cómo quisiera poder montar a caballo más frecuentemente. Ayer fui a la playa y gocé mucho pero no tanto como ahora. Voy a aprovechar y voy a montar a caballo todos los días que me quede aquí.

Now check your answers with the key.

Así se dice

The Spanish /o/ sound is pronounced by rounding the lips. As with the other vowels, make sure you pronounce the Spanish /o/ without a glide. The /o/ sound of the English word *hotel* is similar to the Spanish /o/ sound; it is spelled **o** or **ho**.

Práctica

A. *Listen to the following pairs of words and decide if the first word of each pair is a Spanish word or an English word. Circle the answer in your lab manual. Each pair of words will be repeated.*

1.	col	coal //	**4.**	con	cone //
2.	dose	dos //	**5.**	no	know //
3.	lo	low //	**6.**	gol	goal //

Now check your answers with the key.

B. *Listen to the following sentences and mark in your lab manual how many times you hear the sound /o/. Each sentence will be repeated.*

1. Lo vi con José Emilio. //   **3.** Voy a tomarme un chocolate. //

2. ¿Por qué compraste los libros tan caros? //   **4.** Navegó en un velero con sus amigos. //

Now check your answers with the key.

C. *Listen to the following Spanish words with the /o/ sound and repeat each after the speaker.*

1. lo //	**5.** corro //	**9.** forma //	**13.** Colombia //
2. ola //	**6.** polo //	**10.** loción //	**14.** Puerto Rico //
3. como //	**7.** complejo //	**11.** castillo //	**15.** Toledo //
4. sol //	**8.** toldo //	**12.** pongo //	

D.   *Listen and repeat each sentence of the following minidialogues after the speaker.*

1.   —¿Lo viste? //

 —No, no lo vi. //

2.   —¿Dónde está mi sombrero? //

 —No lo sé. //

3.   —¿No quiso tomar el sol? //

 —No, no trajo su loción. //

Estructuras

A.   **¿Hoy o ayer?**   *Are these people telling you about activities that happened yesterday or that are happening now? Listen carefully and check* **PRETERITE** *or* **PRESENT** *in your lab manual, according to the verbs you hear. Each sentence will be repeated.*

> **MODELO**   You hear: Julio pesca.
>   You check: **PRESENT**

1.   Jugué al tenis. //

2.   Elena tomó el sol. //

3.   Juego al golf con José. //

4.   Corrimos cinco kilómetros. //

5.   Nadaste en la piscina. //

6.   Practicas el esquí acuático. //

7.   Susana e Iván navegaron en un velero. //

8.   Lo pasan bien. //

Now check your answers with the key.

B.   **Ayer.**   *A friend is telling you what certain people are doing today. Explain that you did the same things yesterday. Repeat the correct answer after the speaker.*

> **MODELO**   Maricarmen y Amalia van a la playa.
>   **Yo fui a la playa ayer.**

1.   Miguel y yo damos un paseo. //

 Yo di un paseo ayer. //

2.   Anita hace ejercicios. //

 Yo hice ejercicios ayer. //

3.   Paco está en el gimnasio. //

 Yo estuve en el gimnasio ayer. //

4.   Nosotros podemos practicar el windsurf. //

 Yo pude practicar el windsurf ayer. //

5.   María y Julio construyen un castillo de arena. //

 Yo construí un castillo de arena ayer. //

6.   Esteban quiere broncearse. //

 Yo quise broncearme ayer. //

7.   Los chicos vienen a casa tarde. //

 Yo vine a casa tarde ayer. //

C.   **En la playa.**   *Explain what the following people did at the beach yesterday. Repeat the correct answer after the speaker.*

> **MODELO**   Maricarmen / ir a la playa
>   **Maricarmen fue a la playa.**

1. Pilar / traer comida //
   Pilar trajo comida. //

2. Juan / tener mucha hambre //
   Juan tuvo mucha hambre. //

3. tú / andar por la playa //
   Tú anduviste por la playa. //

4. Marta y Carmen / hacer esquí acuático //
   Marta y Carmen hicieron esquí acuático. //

5. Uds. / oír la música //
   Uds. oyeron la música. //

6. yo / ponerse la loción //
   Yo me puse la loción. //

7. nosotros / estar al sol todo el día //
   Nosotros estuvimos al sol todo el día. //

D.   **Más historia.**   *What do you know about the history of Spanish literature? Listen to the following facts. Write the number of the sentence you hear next to the date mentioned. Each sentence will be repeated.*

1. Uno de los primeros libros escritos en español, *El Poema de Mio Cid,* apareció en 1140. //

2. *Lazarillo de Tormes,* la primera novela picaresca, se escribió en 1554. //

3. Lope de Vega, gran dramaturgo del Siglo de Oro, nació en 1562. //

4. Otro gran dramaturgo del Siglo de Oro, Pedro Calderón de la Barca, murió en 1681. //

5. Miguel de Cervantes publicó *El ingenioso hidalgo don Quijote de la Mancha* en 1605. //

6. Federico García Lorca, gran poeta, fue asesinado en 1936. //

7. Camilo José Cela recibió el Premio Nobel de Literatura en 1989. //

Now check your answers with the key.

Segunda situación

Presentación

A.   **Recomendaciones.**   *Your friends would like to do one of the following activities tonight. Where would you tell them to go? Repeat the correct answer after the speaker.*

> ➤ **MODELO**   Queremos bailar.
>   **Deben ir a una discoteca.**

1. Queremos ver la nueva película. //
   Deben ir al cine. //

2. Queremos ver un espectáculo. //
   Deben ir a un club nocturno. //

3. Queremos escuchar un conjunto, bailar y tomar algo. //
   Deben ir a una discoteca. //

4. Queremos escuchar música clásica. //
   Deben ir a un concierto. //

5. Queremos ver un drama. //
   Deben ir al teatro. //

6. Queremos tomar algo y mirar a la gente. //
   Deben ir a un café al aire libre. //

B.   ¿Cuál es la palabra?   *Name the object or place that is being described. Then repeat the correct answer after the speaker.*

➤ **MODELO**   Es una cosa que la gente puede leer cada día para saber las noticias.
Es el periódico.

1. Es un grupo de personas que tocan instrumentos musicales. //
Es un conjunto. //

2. Es un lugar al lado del mar donde la gente puede tomar el sol. //
Es una playa. //

3. Es una cosa que una persona usa para ir de un lugar a otro. Tiene dos ruedas grandes.
Es una bicicleta. //

4. Es un lugar donde la gente puede escuchar música, bailar y tomar una copa. //
Es una discoteca. //

5. Es una cosa que una persona usa en casa para ver las películas, las noticias y los deportes. //
Es un televisor. //

C.   A Ud. le toca.   *Now it is your turn. Imagine that you do not know the names of the following objects. How would you make yourself understood? Use the expressions* **Es un lugar donde...** *and* **Es una cosa que se pone...** *in your answers. Repeat the correct answer after the speaker.*

➤ **MODELO**   el traje de baño
Es una cosa que se pone cuando uno quiere nadar.

1. el bar //
Es un lugar donde la gente puede tomar una copa. //

2. las gafas de sol //
Es una cosa que se pone en los ojos cuando hace sol. //

3. el cine //
Es un lugar donde la gente ve películas. //

4. el sombrero //
Es una cosa que se pone en la cabeza. //

5. el gimnasio //
Es un lugar donde la gente hace ejercicios. //

Para escuchar bien

Practice the strategy of forming mental images when listening in the following exercises.

A.   ¿Adónde fuiste tú?   *You will hear a conversation between two university students who are talking about what they did during their summer vacation. But before you listen to their conversation, make a list in your lab manual of the activities you think they may say they did. //*

Now listen to their conversation. As you listen, circle the sentences that reflect the content of their conversation. First read the possible answers in your lab manual. //

FEMALE 1	Y cuéntame, Marisabel, ¿qué hiciste en las vacaciones?
FEMALE 2	Mis vacaciones fueron maravillosas. Fui con mi familia a la Costa del Sol. ¿Has estado allá alguna vez?
FEMALE 1	No, pero quiero ir.
FEMALE 2	Ay, tienes que ir, Susana. Es lo más maravilloso del mundo. Nos divertimos muchísimo. Fuimos a la playa a nadar y tomar el sol, pero también pudimos hacer una serie de cosas. Mis hermanos esquiaron y navegaron en velero, mis padres fueron a un concierto y al teatro, y yo fui a clubes nocturnos, al cine y hasta a un concierto de música popular.
FEMALE 1	Suena maravilloso. ¿Sacaste fotos?
FEMALE 2	Sí, muchísimas. Te las voy a enseñar.
FEMALE 1	Sí, porque me muero de curiosidad de ver cómo es todo eso. Mis vacaciones fueron más tranquilas. Dormí y decansé muchísimo, pero también trabajé un poco. Vi a mis amigos de la escuela secundaria. Hacía tiempo que no los veía así que chismeamos un poco.
FEMALE 2	Qué bien. Eso es siempre muy agradable.
FEMALE 1	Sí. Hablamos de todos. Quién está haciendo esto o aquello, quién se casó, quién está estudiando, quién está trabajando… Todo eso…Pero también fuimos a discotecas, al cine y a la piscina.
FEMALE 2	¿Y dónde trabajaste?
FEMALE 1	Trabajé con mi papá. Lo ayudé un poco en su oficina. Su secretaria se fue de vacaciones y entonces yo fui a ayudarlo un poco. Lo ayudé con los libros de contabilidad y esas cosas, tú sabes.
FEMALE 2	Oye, pero qué bien. Esa experiencia te va a ayudar.
FEMALE 1	Yo creo que sí. Además me gustó muchísimo. Y por supuesto me gané unos cuantos pesos.
FEMALE 2	¡Tú ves! Ahora podemos planificar para irnos a la Costa del Sol el próximo año.
FEMALE 1	¡Oye! Pero, ¡qué buena idea! //

Now check your answers with the key.

B.   ¿Qué hay?   *You are listening to the radio and hear the following announcement. Listen to it and mark an* **X** *in your lab manual before the items mentioned. If you need to listen again, replay the recording.*

El Festival de Benicasim empieza el lunes 20 de agosto. ¡No se olvide! Haga sus planes y prepárese para asistir al mejor festival de verano. Hay actividades para toda la familia —bailes para jóvenes y adultos, corridas de toros y partidos de fútbol. ¿Le gusta nadar? Participe en las competencias de natación. ¿Prefiere correr? Participe entonces en el maratón del martes 21 de agosto.

También hay actividades culturales de todos los tipos. Ud. podrá ir al teatro y disfrutar de obras teatrales de gran calidad, podrá asistir a los conciertos al aire libre todas las noches. No se lo pierda. ¡El Festival de Benicasim! ¡Lo mejor del verano! //

Now check your answers with the key.

Así se dice

The Spanish /u/ sound is pronounced with the tongue arched high towards the back of the mouth and with a rounding of the lips. It is tenser and shorter than the English /u/ sound. As with the other vowels, make sure you pronounce the Spanish /u/ without a glide. The Spanish /u/ sound is similar to the /u/ sound in the English word *fool*. The Spanish sound /u/ is spelled **u** or **hu**.

Práctica

A. *Listen to the following pairs of words and decide if the first word of each pair is a Spanish word or an English word. Circle the answer in your lab manual. Each pair of words will be repeated.*

1. too   tu //
2. tabú   taboo //
3. shampoo   champú //

4. mu   moo //
5. tu   two //
6. full ful //

Now check your answers with the key.

B. *Listen to the following sentences and mark in your lab manual how many times you hear the sound /u/. Each sentence will be repeated.*

1. ¿Tú quieres un vino o una gaseosa? //
2. Fue a un club nocturno. //

3. Estudió lo que pudo. //
4. Es un hombre muy popular. //

Now check your answers with the key.

C. *Listen to the following Spanish words with the /u/ sound and repeat each after the speaker.*

1. una //
2. luna //
3. usted //
4. durmió //

5. película //
6. pudo //
7. incluyo //
8. universidad //

9. música //
10. futuro //
11. mula //
12. deuda //

13. Perú //
14. Cuba //
15. Uruguay //

D. *Listen and repeat each sentence in the following minidialogues.*

1. —¿Fumas? //
     —No, no fumo. //
2. —¿Fuiste a Cuba? //
     —No, fui a Venezuela. //
3. —Tú eres Raúl, ¿no? //
     —No, yo soy Luis. Él es Raúl. //

Estructuras

A. **¿Cuándo?** *Are you hearing about activities that happened yesterday or that are happening now? Listen carefully and, in your lab manual, check* **PRETERITE** *or* **PRESENT,** *according to the verbs you hear. Each sentence will be repeated.*

> **MODELO**   You hear: Yo preferí ir a la playa.
>   You check: **PRETERITE**

1. María se vistió bien. //
2. Marta sigue charlando. //
3. Marcos y Tomás sirvieron la comida. //
4. Juan pidió un refresco. //

5. Yo prefiero bailar. //
6. Raúl se despidió temprano. //
7. Todos se sienten contentos. //
8. Tú te dormiste tarde. //

Now check your answers with the key.

B. **Anoche.** *Describe what the following people did last night or how they felt. Repeat the correct answer after the speaker.*

> ➤ **MODELO**   Roberto / sentirse muy contento
> **Roberto se sintió muy contento.**

1. Irma / servir una paella //
Irma sirvió una paella. //

2. yo / divertirme //
Yo me divertí. //

3. Carlos / dormirse //
Carlos se durmió. //

4. nosotros / seguir bailando //
Nosotros seguimos bailando. //

5. Marcos / pedir la comida //
Marcos pidió la comida. //

6. Concha / repetir los chistes //
Concha repitió los chistes. //

7. tú / sentirte cansado //
Tú te sentiste cansado. //

8. Amalia y Fernando / despedirse de todos //
Amalia y Fernando se despidieron de todos. //

C. **En la playa.** *Tell what or whom Susana saw at the beach yesterday. Repeat the correct answer after the speaker.*

> ➤ **MODELO**   un castillo de arena
> **Vio un castillo de arena.**

1. los chicos //
Vio a los chicos. //

2. un accidente de windsurf //
Vio un accidente de windsurf. //

3. un yate //
Vio un yate. //

4. Marta //
Vio a Marta. //

5. unas conchas //
Vio unas conchas. //

6. Paco //
Vio a Paco. //

7. las olas //
Vio las olas. //

D. **¿Lo trajo Miguel?** *Tell whether or not Miguel brought the following things to the beach. Use direct object pronouns and the cue you hear to answer each question. Repeat the correct answer after the speaker.*

> ➤ **MODELO**   ¿Trajo Miguel la sombrilla? (Sí)
> **Sí, la trajo.**

1. ¿Trajo Miguel el colchón neumático? (Sí) //
Sí, lo trajo. //

2. ¿Trajo Miguel las gafas de sol? (No) //
No, no las trajo. //

3. ¿Trajo Miguel la loción? (Sí) //
Sí, la trajo. //

4. ¿Trajo Miguel las sandalias? (Sí) //
Sí, las trajo. //

5. ¿Trajo Miguel el sombrero? (No) //
No, no lo trajo. //

6. ¿Trajo Miguel la tabla de windsurf? (No) //
No, no la trajo. //

7. ¿Trajo Miguel los esquís acuáticos? (Sí) //
Sí, los trajo. //

8. ¿Trajo Miguel el libro de español? (No) //
No, no lo trajo. //

This is the end of Capítulo 2 of **Interacciones.**

Capítulo 3
En familia

Primera situación

Presentación

A. La familia de Alicia. *Alicia's grandmother is telling you about her family. Listen to what she says. Then describe Alicia's family by completing the sentences in your lab manual. If you need to listen again, replay the recording.*

Juan Luis era mi padre. Era un hombre muy inteligente y muy bueno. Se casó con Amalia, una mujer muy bonita. Yo era la hija única de Amalia y Juan Luis. Me casé con Fernando y tuvimos cuatro hijos: Isabel, Julieta, Luis y Juan. Julieta se casó con Martín. Ellos tuvieron tres hijos: Alberto, Enrique y Carlota. Isabel no se casó y Luis se murió muy joven. Juan se casó con Mariana y tuvieron dos hijos: Felipe y Alicia. //

Now check your answers with the key at the end of your lab manual.

B. Los saludos. *How would you greet the following people? Listen to a description of the person and three possible choices. Then, in your lab manual, write the letter of the most appropriate greeting. The descriptions and choices will be repeated.*

1. su amigo, Juan
   a. Hola, Juan, ¿qué tal?   **b.** Hasta luego, Juan.   **c.** ¿Cómo está Ud.? //

2. su profesor de historia
   a. ¿Cómo está Ud.?   **b.** ¿Qué me cuentas?   **c.** Nos llamamos. //

3. su novio o novia
   a. ¡Qué milagro!   **b.** Chau.   **c.** ¿Cómo te va? //

4. su vecino, el Sr. Santana
   a. Encantado de verte.   **b.** Buenos días, señor.   **c.** Que te vaya bien. //

5. su mamá
   a. ¿Cómo está Ud.?   **b.** ¿Cómo estás?   **c.** Cuídese. //

Now check your answers with the key.

Para escuchar bien

In this chapter you have learned that when you listen to a passage you don't need to understand every single word that is being said, but that instead you can focus on certain details or specific information. Now practice focusing on certain details or specific information in the following exercises.

A. Recuerdo que... *You are going to hear two men in their fifties reminiscing about their youth and comparing their lifestyles in the past with their present situations. But before you listen to their conversation, make a list in your lab manual of the things you think they may reminisce about. //*

Now listen to their conversation. As you listen, fill in the chart in your lab manual with their names and the activities they mention.

MALE 1	Emilio, ¿cómo estás? Tanto tiempo que no te veía.
MALE 2	Así es. Parece mentira. ¿Cómo está María?
MALE 1	Bien, felizmente. Y Clara, ¿cómo está?
MALE 2	Bien, también. Gracias. El otro día estuvimos hablando de ti casualmente.
MALE 1	¿Y por qué? ¿Qué pasó?
MALE 2	Bueno, ¿te acuerdas cuando éramos muchachos como íbamos a jugar al básquetbol todos los días, regresábamos a la casa, nos bañábamos, íbamos a trabajar y después salíamos con nuestras novias?
MALE 1	¡Cómo me voy a olvidar!
MALE 2	Bueno, Clara me estaba diciendo que me estoy poniendo viejo, porque ahora sólo juego a las cartas o veo televisión. Se queja de que no quiero hacer nada y que me voy a enfermar.
MALE 1	A mí me pasa lo mismo y María se queja también. Me dice que me he vuelto muy aburrido. Antes hacía de todo. Trabajaba y jugaba al básquetbol en el otoño y en el verano nadaba y jugaba al béisbol. Ahora sólo colecciono mis estampillas y de vez en cuando voy al cine o al teatro. Pero ya no practico ninguna clase de deportes.
MALE 2	Vamos a tener que reunirnos y hacer algo. ¿Te parece?
MALE 1	Buena idea. Te llamo uno de estos días.
MALE 2	No te olvides, Alfredo.
MALE 1	De ninguna manera. //

Now check your answers with the key.

B. Cuando era niño. *You will hear a series of people describe what they used to do on weekends when they were young. Listen to their descriptions and fill in the chart in your lab manual with their names, the relatives they mention, and the activities they say they used to do.*

MALE 1	Yo soy José Pérez. Cuando era niño iba a casa de mi abuela todos los sábados y ahí jugaba con mis primos todo el día. Algunas veces me quedaba a dormir y mis padres me iban a recoger al día siguiente. //
FEMALE 1	Y yo soy Alicia Suárez. Yo me acuerdo que cuando era niña iba a la playa los fines de semana con mis hermanos. Ahí nadábamos y esquiábamos. Eso era en el verano. En el invierno íbamos al campo y pasábamos el día al lado del río. //
MALE 2	Me llamo Gerardo López. Los fines de semana generalmente yo jugaba al fútbol. Iba al club con mis primos y tíos y nos pasábamos todo el día jugando. Regresábamos en la noche cansados y nos íbamos al cine o a comer a la calle. //
FEMALE 2	Yo soy Miriam Robles. Yo pasaba los fines de semana ayudando a mi madre. Generalmente limpiábamos la casa los sábados, lavábamos la ropa y preparábamos la comida para el resto de la semana. De vez en cuando iba al cine con mis hermanas. //

Now check your answers with the key.

Así se dice

In Spanish there are two types of diphthongs with the sound /i/: (1) the /i/ sound occurs in first position in front of another vowel as in **Diana, Diego,** and **Dios;** (2) the /i/ sound occurs in second position after the vowel as in **caimán, peine,** and **hoy.** If the /i/ sound has an accent, then each letter is pronounced. For example, /ia/ in **hacia** is pronounced as a diphthong, but not in **hacía.**

Práctica

A. *Listen to the following Spanish words and repeat each after the speaker.*

1. Diana //	**4.** bien //	**7.** dio //	**10.** pariente //
2. piano //	**5.** fiesta //	**8.** julio //	**11.** estudia //
3. familia //	**6.** tiene //	**9.** Amalia //	**12.** Antonio //

B. *Listen to the following Spanish words and repeat each after the speaker.*

1. caigo //	**4.** Jaime //	**7.** hoy //	**10.** reinado //
2. traiga //	**5.** rey //	**8.** doy //	**11.** peinado //
3. baila //	**6.** peine //	**9.** voy //	**12.** ley //

C. *Listen to the following words and decide if each contains a diphthong or not. Circle* **SÍ** *or* **NO** *in your lab manual. Each word will be repeated.*

1. hacia //	**4.** farmacia //
2. hacía //	**5.** policía //
3. familia //	**6.** comisaría //

D. *Listen to each of the following sentences and mark in your lab manual how many times you hear a diphthong. Each sentence will be repeated.*

1. Voy a la farmacia con mi tía Julia. //	**3.** ¿Vienes o no vienes? //
2. Tío José, ¿tienes dinero? //	**4.** Hacía mucho frío. //

Now check your answers with the key.

E. *Listen and repeat each sentence of the following minidialogues after the speaker.*

  1. —Tía Emilia, ¿vienes a comer con nosotros este viernes? //
      —¿El viernes? No, voy el miércoles. //

  2. —¿Quieres algo de comer? //
      —¿Qué tienes? //

  3. —Mi familia vive en Viena. //
      —La mía también vive en Austria. //

Estructuras

A. **¿Cuándo?** *Are you hearing about activities that used to happen or that are happening now? Listen carefully and in your lab manual check* **IMPERFECT** *or* **PRESENT** *according to the verb you hear. Each sentence will be repeated.*

    ➢ **MODELO**   You hear: Yo estudiaba en la biblioteca.
                       You check: **IMPERFECT**

1. Carlos y Diego almuerzan en la cafetería. //

2. Paco y yo bailábamos en la discoteca. //

3. Jaime iba a la playa. //

4. Yo juego al tenis. //

5. Nosotros nos divertíamos. //

6. Tú veías a tus parientes. //

7. Pepe era mi novio. //

8. Alicia hace ejercicios. //

Now check your answers with the key.

B.   Cada semana.   *Tell what the following people used to do every week last year. Repeat the correct answer after the speaker.*

> ➤ **MODELO**   José / lavar el coche
> **Cada semana José lavaba el coche.**

1. yo / hacer la tarea //
Cada semana yo hacía la tarea. //

2. Roberto / ver la televisión //
Cada semana Roberto veía la televisión. //

3. nosotros / jugar al golf //
Cada semana nosotros jugábamos al golf. //

4. Bárbara y Anita / ir de compras //
Cada semana Bárbara y Anita iban
de compras. //

5. tú / leer el periódico //
Cada semana tú leías el periódico. //

6. Lucía / escribir cartas //
Cada semana Lucía escribía cartas. //

7. Uds. / charlar con amigos //
Cada semana Uds. charlaban con amigos. //

8. Miguel y Pedro / tener una fiesta //
Cada semana Miguel y Pedro tenían
una fiesta. //

C.   Cada domingo.   *Listen as Alicia's grandmother describes what her family used to do every Sunday and in your lab manual, write the missing verbs. The description will be repeated.*

Cada domingo toda la familia se reunía después de ir a misa. // Los niños jugaban al fútbol mientras Julieta o Mariana preparaba la cena. // Martín y Juan jugaban al dominó. // Después de almorzar, hacíamos la sobremesa y hablábamos de todo lo que había pasado durante la semana. // A veces íbamos de excursión al parque o al museo. // ¡Cuánto me gustaban aquellos domingos en familia! //

Now check your answers with the key.

D.   ¿Cómo era?   *Describe the following people according to the cues. Repeat the correct answer after the speaker.*

> ➤ **MODELO**   Isabel / cariñoso
> **Isabel era cariñosa.**

1. Amalia y Juan Luis / viejo //
Amalia y Juan Luis eran viejos. //

2. Martín / alegre //
Martín era alegre. //

3. Felipe y Alberto / travieso //
Felipe y Alberto eran traviesos. //

4. Alicia y Felipe / joven //
Alicia y Felipe eran jóvenes. //

E.   Diminutivos.   *Provide the diminutive form of the words you hear. Repeat the correct answer after the speaker.*

> ➤ **MODELO**   regalo
> **regalito**

1. casa //
   casita //

2. libro //
   librito //

3. chica //
   chiquita //

4. mesa //
   mesita //

5. muchacho //
   muchachito //

6. abuelo //
   abuelito //

7. mujer //
   mujercita //

8. hermano //
   hermanito //

9. gato //
   gatito //

10. perro //
    perrito //

Segunda situación

Presentación

A. ¿Qué pasa? *Look at the drawings in your lab manual. You will hear two statements for each drawing. Write the correct sentence under the corresponding picture. Each pair of sentences will be repeated.*

1. **a.** José se compromete con Luisa María. //
   b. José tiene celos de Luisa María. //

2. **a.** Hay muchos regalos en la iglesia. //
   b. Hay muchos invitados en la iglesia. //

3. **a.** Es la luna de miel. //
   b. Es el día de la boda. //

4. **a.** Los recién casados salen de luna de miel. //
   b. El padrino y la madrina salen de luna de miel. //

Now check your answers with the key.

B. Las invitaciones. *Listen to the following statements. Under what conditions would you hear each one? In your lab manual, check **A** if an invitation is being extended, **B** if it is being accepted, or **C** if it is being declined. Each statement will be repeated.*

1. Me gustaría que vinieras a mi casa este sábado. //
2. Quizá la próxima vez. //
3. Estoy preparando una fiesta y me gustaría que vinieras. //
4. Con mucho gusto, ¿a qué hora? //
5. Me encantaría, pero ese día tengo un compromiso. //
6. ¿Crees que podrías venir a cenar mañana? //
7. Será un placer. //

Now check your answers with the key.

C. ¿Quién es quién? *Luisa María is explaining to her young cousin how her new husband's family is related to her. Listen to what she says. In each sentence you will hear a BEEP in place of a word. Write the missing word in your lab manual. Each sentence will be repeated.*

1. El hermano de mi esposo es mi *BEEP*. //
2. Soy la *BEEP* de la madre de mi esposo. //
3. Los padres de mi esposo son mis *BEEP*. //
4. Mi esposo es el *BEEP* de mis padres. //
5. Mi hermana es la *BEEP* de mi esposo. //

Now check your answers with the key.

Para escuchar bien

Practice listening for details and specific information in the following exercise.

¿Cuál es el mensaje?   *In each of the following telephone conversations you will hear a person extending an invitation for a social gathering. Before you listen to the conversations, though, make a list in your lab manual of some phrases that are used to extend, accept, and decline invitations. //*

Now listen to each conversation and fill in the chart in your lab manual with the name of the person calling, the nature of the social gathering, the date and time; also mark if the invitation was accepted or declined.

Conversación 1

MALE 1	Hola, Joaquín, habla Arturo.
MALE 2	Hola, Arturo. ¿Qué cuentas?
MALE 1	Ahí, imagínate que este sábado son los esponsales de mi hermana.
MALE 2	¡No me digas!
MALE 1	Sí, por eso te llamaba para invitarte a que vinieras. La fiesta empezará a las ocho de la noche más o menos.
MALE 2	Oye, Arturo, qué pena, pero desgraciadamente no voy a poder ir. Este sábado llegan mis padres de Europa y tengo que ir a recogerlos al aeropuerto.
MALE 1	Bueno, ¿qué se va a hacer? Pero si puedes venir después, ya sabes, estás invitado.
MALE 2	Gracias, Arturo, y felicitaciones a tu hermana. //

Conversación 2

FEMALE 1	¿Aló? ¿Anita? Habla Elena.
FEMALE 2	Hola, Elena. ¿Cómo estás?
FEMALE 1	Mira, Anita, te llamaba para invitarte a una reunión la próxima semana. Es el cumpleaños de mi esposo y le estoy preparando una fiesta sorpresa. ¿Crees que podrás venir?
FEMALE 2	Claro, hija. Claro que sí. ¿A qué hora es?
FEMALE 1	Bueno, vente como a las siete. ¿Está bien?
FEMALE 2	Perfecto. Ahí estaré y muchas gracias por la invitación.
FEMALE 1	Gracias a ti. Nos vemos entonces. //

Conversación 3

MALE 1	¿Aló? ¿Josefina?
FEMALE 1	Sí. ¿Quién es?
MALE 1	Habla Armando. ¿Cómo estás?
FEMALE 1	Hola, Armando. ¿Qué cuentas?
MALE 1	Mira, Josefina, te llamo para invitarte a mi boda. Me voy a casar en privado. Sólo van los familiares y unos pocos amigos. Por eso quería invitarte.
FEMALE 1	Oye, ¡qué sorpresa! ¿Y cuándo es la boda?

MALE 1	El sábado, 21 de junio a las siete de la noche. ¿Crees que puedas ir?
FEMALE 1	Mira, Armando, ese día es el cumpleaños de mi padre. ¡Qué pena! No voy a poder ir. Estamos preparándole una fiesta porque cumple ochenta años. Pero muchas gracias, te agradezco la invitación y te deseo toda clase de felicidades.
MALE 1	Muchas gracias, Josefina. Cuánto siento que no puedas ir. //

Now check your answers with the key.

Así se dice

In Spanish there are two types of diphthongs with the vowel sound /u/: (1) the /u/ sound occurs in first position in front of another vowel as in **agua, hueso, muy,** and **cuota;** (2) the /u/ sound occurs in second position after the vowel as in **auto** and **deuda.**

Práctica

A.   *Listen to the following Spanish words and repeat each after the speaker.*

1.	guapo //	**4.**	abuelo //	**7.**	Luis //	**10.**	cuota //
2.	cuatro //	**5.**	muerde //	**8.**	juicio //	**11.**	cauta //
3.	cuanto //	**6.**	puerto //	**9.**	ruido //	**12.**	deuda //

B.   *Listen to each of the following sentences and mark in your lab manual how many times you hear a diphthong with /u/. Each sentence will be repeated.*

1.	Mi cumpleaños es el cuatro de julio. //	**3.**	Es de Puerto Rico, no de Guatemala. //
2.	¿Cuánto necesitas? //	**4.**	Este ruido me molesta mucho. //

Now check your answers with the key.

Estructuras

A.   **La boda.**   *Listen as your friend describes the wedding of her sister. You will hear a BEEP in place of the verb. Repeat each sentence using the appropriate form of **ser, estar,** or **haber** to complete the sentence. Then repeat the correct answer after the speaker.*

> ➤ **MODELO**   Mi hermana *BEEP* muy feliz.
> **Mi hermana es muy feliz.**

1. *BEEP* una boda en mi familia. //
Hay una boda en mi familia. //

2. La boda *BEEP* el sábado a las cuatro. //
La boda es el sábado a las cuatro. //

3. El novio *BEEP* nervioso. //
El novio está nervioso. //

4. La madrina *BEEP* de Madrid. //
La madrina es de Madrid. //

5. Ella siempre *BEEP* de buen humor. //
Ella siempre está de buen humor. //

6. *BEEP* una cena después de la ceremonia. //
Hay una cena después de la ceremonia. //

7. Todo *BEEP* listo. //
Todo está listo. //

B.   ¿Dónde está?   *The following people have misplaced their belongings. Tell what they are looking for. Repeat the correct answer after the speaker.*

> *MODELO*   Tomás / libros
> **Tomás busca sus libros.**

1.   nosotros / apuntes //
Nosotros buscamos nuestros apuntes. //

2.   Luisa / anillo //
Luisa busca su anillo. //

3.   yo / gafas de sol //
Yo busco mis gafas de sol. //

4.   Andrés / sombrero //
Andrés busca su sombrero. //

5.   tú / carnet estudiantil //
Tú buscas tu carnet estudiantil. //

6.   Marcos / tarea //
Marcos busca su tarea. //

7.   los chicos / revistas //
Los chicos buscan sus revistas. //

C.   Está perdido.   *Explain that the following people have lost their belongings. Repeat the correct answer after the speaker.*

> *MODELO*   ¿Dónde están los libros de Tomás?
> **Los suyos están perdidos.**

1.   ¿Dónde están nuestros apuntes? //
Los nuestros están perdidos. //

2.   ¿Dónde está el anillo de Luisa? //
El suyo está perdido. //

3.   ¿Dónde están tus gafas de sol? //
Las mías están perdidas. //

4.   ¿Dónde está el sombrero de Andrés? //
El suyo está perdido. //

5.   ¿Dónde está mi carnet estudiantil? //
El tuyo está perdido. //

6.   ¿Dónde está la tarea de Marcos? //
La suya está perdida. //

7.   ¿Dónde están las revistas de los chicos? //
Las suyas están perdidas. //

D.   Aquí está.   *Your friend Esteban thinks that he has found the missing items. Tell him that he is wrong. Repeat the correct answer after the speaker.*

> *MODELO*   Aquí están los libros de Tomás.
> **No, no son suyos.**

1.   Aquí están nuestros apuntes. //
No, no son nuestros. //

2.   Aquí está el anillo de Luisa. //
No, no es suyo. //

3.   Aquí están tus gafas de sol. //
No, no son mías. //

4.   Aquí está el sombrero de Andrés. //
No, no es suyo. //

5.   Aquí está mi carnet estudiantil. //
No, no es tuyo. //

6.   Aquí está la tarea de Marcos. //
No, no es suya. //

7.   Aquí están las revistas de los chicos. //
No, no son suyas. //

This is the end of Capítulo 3 of *Interacciones.*

Capítulo 4

En el restaurante

Primera situación

Presentación

A. **¿Qué le puedo ofrecer?** *You are working in the Restaurante Casa Lupita. Listen as the following customers give you their orders. In your lab manual, write what they want. If you need to listen again, replay the recording.*

MALE 1   ¡Me muero de hambre! Para comenzar quisiera guacamole con nachos. De entrada me gustarían las enchiladas. Para beber preferiría sangría. Y de postre, el flan. //

FEMALE 1   No quiero comer mucho. Estoy a dieta. Por eso, quisiera una ensalada mixta y el arroz con pollo. Para beber me gustaría agua mineral y de postre, fruta. //

MALE 2   Mmm… no sé qué pedir… los tacos me apetecen… y también el huachinango. No sé… bueno, de entrada voy a pedir los tacos. De entremés quisiera ceviche. ¿Y para beber? ¿Café? No. Una cerveza. Y de postre… no sé… ¿las empanadas de dulce? Sí, las empanadas de dulce. //

Now check your answers with the key at the end of your lab manual.

B. **En el restaurante.** *Who is probably making the following statements? In your lab manual, check the most logical answer. Each statement will be repeated.*

1. ¿Qué le puedo ofrecer? //

2. ¿Es picante el gazpacho? //

3. ¿Podría regresar dentro de un momento, por favor? //

4. ¿Desearía probar el ceviche? //

5. No sé qué pedir. //

6. Le recomiendo las enchiladas. //

7. Me provoca comer arroz con pollo. //

8. ¿Cuál es la especialidad del día? //

Now check your answers with the key.

Para escuchar bien

In this chapter you have learned that you don't need to remember the exact words that were used to convey the message, but that instead you can paraphrase, that is, use different words or phrases to convey the same message. Now practice paraphrasing in the following exercises.

A. En El Quince Letras. *Listen to the following conversation. Circle* **SÍ** *if the statements in your lab manual accurately paraphrase what you heard and* **NO** *if they do not.*

MALE 1	A mí me gusta mucho este restaurante; por eso quise traerlos aquí. Preparan unas ensaladas muy buenas y estoy seguro que les encantarán.
MALE 2	¿Y las sopas? ¿Qué tal son?
MALE 1	Parecen ser muy sabrosas, pero yo nunca las he probado. Lo que sí sé es que la sangría que preparan aquí es muy sabrosa.
FEMALE 1	Yo vine aquí hace unos meses. Según lo que recuerdo, el pescado es delicioso y los mariscos son de primera.
MALE 1	Bueno, vamos a pedir. Ya son las dos y dentro de una hora tenemos que regresar a la oficina.
MALE 2	Muy bien. Voy a pedir sopa de pescado y arroz con pollo.
FEMALE 1	Yo lo mismo.
MALE 1	Y yo ensalada mixta y camarones. //

Now check your answers with the key.

B.   ¿Quién dice qué?   *Look at the drawing in your lab manual and imagine what the people are saying to each other. For each of the four minidialogues you will hear, circle in your lab manual the letter of the statement that best paraphrases each one. Then write the number of the minidialogue under the appropriate group of people.*

1.	FEMALE 1	Ya te he dicho Juanito, come tu comida.
	MALE CHILD	No quiero. Yo quiero un refresco. //
2.	FEMALE 1	Jamás había comido un ceviche tan rico.
	FEMALE 2	Mi gazpacho está sabroso también. //
3.	YOUNG MALE 1	No pidan postre, que ya es muy tarde.
	YOUNG FEMALE 1	Bueno, entonces me tomo mi café rápido. //
4.	MALE 1	Quiero una cerveza.
	FEMALE 1	Te he dicho que no tomes cerveza. Toma agua mineral.
	MALE 1	No me digas lo que tengo que hacer. //

Now check your answers with the key.

Así se dice

The Spanish /g/ sound is almost identical to the English /g/ sound. It occurs after the /n/ sound as in **angosto** or **un garaje** and at the beginning of a phrase or sentence as in **Gloria, gracias por tu ayuda.** It is spelled **g** before **a, o,** or **u** as in **gato, goma,** and **gusto.** However, the sound is spelled **gu** before the letters **e** and **i,** as in **Guevara** and **Guillermo.** The [ǥ] variant of this sound occurs within a word or phrase, except after the letter **n.** This sound is spelled **g** before **a, o,** or **u,** and **gu** before **e** and **i.**

Práctica

A.   *Listen to the following Spanish words with the [g] sound and repeat each after the speaker.*

1.	gallo //	**4.**	ponga //	**7.**	guitarra //	**9.**	Guevara //
2.	golpe //	**5.**	grande //	**8.**	Galicia //	**10.**	Guillermo //
3.	ganga //	**6.**	guerra //				

B.   *Listen to the following Spanish words with the [ɡ] sound and repeat each after the speaker.*

1. amigo //	**4.** lago //	**7.** dígame //	**9.** Tegucigalpa //
2. agua //	**5.** paraguas //	**8.** Bogotá //	**10.** Santiago //
3. luego //	**6.** algodón //		

C.   *Listen to the following minidialogues containing the [g] and [ɡ] sounds and repeat each sentence after the speaker.*

1.   —¿Cómo se llama tu amigo? //
         —Gustavo Esteban González. //

2.   —Guillermo, ¿quieres un vaso de agua? //
         —Ahora no. Luego. //

3.   —Gloria, ¿vives en el barrio San Gabriel? //
         —Sí, en la calle angosta cerca del Restaurante Angola. //

Estructuras

A.   La cena de Susana.   *You are helping Susana serve her guests. Tell her what you have served to whom. Repeat the correct answer after the speaker.*

> ➤ *MODELO*   el café / Juan
>   **Le serví el café a Juan.**

1.   la ensalada / Rosa y Verónica //
         Les serví la ensalada a Rosa y a Verónica. //

2.   el pollo / Carlos //
         Le serví el pollo a Carlos. //

3.   los mariscos / tú //
         Te serví los mariscos a ti. //

4.   la fruta / Beatriz //
         Le serví la fruta a Beatriz. //

5.   el helado / ellos //
         Les serví el helado a ellos. //

6.   el vino / Diego //
         Le serví el vino a Diego. //

B.   ¿Le gusta el flan?   *You have been asked to participate in a survey about food preferences. Listen to the following items and say that you like or dislike each one according to the cue you hear. Repeat the correct answer after the speaker.*

> ➤ *MODELO*   ¿el flan? (no)
>   **No, no me gusta el flan.**

1.   ¿la torta? (sí) //
         Sí, me gusta la torta. //

2.   ¿las frutas? (sí) //
         Sí, me gustan las frutas. //

3.   ¿el pollo? (no) //
         No, no me gusta el pollo. //

4.   ¿las empanadas de dulce? (no) //
         No, no me gustan las empanadas de dulce. //

5.   ¿el helado? (sí) //
         Sí, me gusta el helado. //

6.   ¿el vino tinto? (no) //
         No, no me gusta el vino tinto. //

C.   Los intereses.   *Explain what interests the following people, using the cues you hear. Repeat the correct answer after the speaker.*

> ➤ *MODELO*   Marisa / la ópera
> **A Marisa le interesa la ópera.**

1. Uds. / las películas policíacas //
A Uds. les interesan las películas policíacas. //

2. Andrés y Tomás / jugar al golf //
A Andrés y a Tomás les interesa jugar al golf. //

3. yo / la música folklórica //
A mí me interesa la música folklórica. //

4. Susana / las matemáticas //
A Susana le interesan las matemáticas. //

5. tú / tocar la guitarra //
A ti te interesa tocar la guitarra. //

6. nosotros / organizar las fiestas //
A nosotros nos interesa organizar las fiestas. //

7. Uds. / montar a caballo //
A Uds. les interesa montar a caballo. //

D.   Las molestias.   *Explain what bothers the following people. Repeat the correct answer after the speaker.*

> ➤ *MODELO*   Miguel / el trabajo
> **A Miguel le molesta el trabajo.**

1. yo / el chisme //
A mí me molesta el chisme. //

2. Uds. / los exámenes //
A Uds. les molestan los exámenes. //

3. nosotros / hacer diligencias //
A nosotros nos molesta hacer diligencias. //

4. Ana y Susana / hacer compras en el supermercado //
A Ana y a Susana les molesta hacer compras en el supermercado. //

5. José / levantarse temprano //
A José le molesta levantarse temprano. //

6. tú / las tareas //
A ti te molestan las tareas. //

Segunda situación

Presentación

A.   De compras.   *You have offered to do the grocery shopping. Listen as Susana explains to you what she needs to prepare dinner. In your lab manual, make a list of the things that Susana tells you to buy. If you need to listen again, replay the recording.*

Para la comida hoy, ¿qué necesito? A ver… a Paco no le gusta el jamón. Entonces, ¿qué comemos? ¿Pollo? Sí, el pollo. Necesito dos pollos. Tenemos calamares pero prefiero camarones. Un kilo de camarones. Hay aguacates pero nos faltan tomates. Quiero tres tomates. Voy a hacer una ensalada de frutas. A ver, ¿qué? ¿Papayas? No. Están muy caras ahora. Nos quedan naranjas, pero nos faltan manzanas. ¿Y de postre? A ver… Maruja está a dieta así que no necesitamos helado. A todos nos gusta el queso. Puedes comprar un queso manchego… también agua mineral. Bueno. Aquí tienes dinero. //

Now check your answers with the key.

B. Poner la mesa. *You are teaching your young cousins how to set the table. However, they are not sure what certain items of the place setting are called. Listen to their questions and identify the object. Repeat the correct answer after the speaker.*

> **MODELO** ¿En qué se sirve el café?
> **La taza.**

1. ¿Qué se usa para comer la carne? //
El tenedor. //

2. ¿En qué se sirve la comida? //
El plato. //

3. ¿En qué se sirve el vino? //
La copa. //

4. ¿Qué se usa para cortar? //
El cuchillo. //

5. ¿En qué se sirve la leche? //
El vaso. //

6. ¿Qué se usa para comer la sopa? //
La cuchara. //

7. ¿Qué se usa para comer el helado? //
La cucharita. //

C. En la mesa. *Listen to the following statements and possible responses. In your lab manual, write the letter of the most appropriate response. The statements and responses will be repeated.*

1. ¿Qué le puedo servir?
a. Quisiera una mesa cerca de la ventana.
b. Si tiene un poco de café, se lo agradecería.
c. Sírvete un poco más. //

2. ¿Quisiera un vino español?
a. Sí, me encantan los vinos españoles.
b. Me muero de hambre.
c. No quiero engordar. //

3. El almuerzo está servido. ¿Le falta algo?
a. ¿Con agua, con hielo o puro?
b. Buen provecho.
c. Quisiera un vino. //

4. Quiero hacer un brindis.
a. Es deliciosa.
b. Buen provecho.
c. Salud. //

5. ¿Quiere probar un poco de sopa de mariscos?
a. Cómo no. Está sabrosa.
b. Tengo una reservación.
c. Salud. //

Now check your answers with the key.

Para escuchar bien

Practice paraphrasing in the following exercises.

A. Una cena. *You will hear a description of a meal Ignacio had with his friends in a restaurant. Before you listen to him, though, in your lab manual, make a list of the items you think Ignacio and his friends would order.* //

Now listen to the description and in your lab manual, mark **CIERTO** *next to the statements that best paraphrase either part or all of what you heard and* **FALSO** *next to those that do not.*

El sábado pasado fue mi cumpleaños y mis amigos me llevaron a comer al «Todo Fresco». Cuando llegamos, el restaurante estaba lleno de gente. Había más de cien personas y yo pensé que no íbamos a conseguir una mesa para sentarnos. Felizmente, Gerardo había hecho reservaciones y todo salió muy bien. Además de Gerardo, estaban ahí Armando, Roberto y Pepe. Me dijeron que ellos me invitaban y que podía comer todo lo que quisiera. El mesero nos trajo el menú y empezamos a pedir. Yo pedí una sopa de ajo y pierna de cordero al horno. Armando y Gerardo pidieron lo mismo que yo pero Pepe pidió coctel de camarones, sopa de mariscos y pollo al horno. Jamás había visto a alguien comer tanto. Roberto dijo que él no iba a comer nada, sólo postre. Pidió una torta de chocolate con helados y un agua mineral. La comida estuvo deliciosa. Yo ya sabía que éste era el mejor restaurante de la ciudad. El problema vino a la hora de pagar la cuenta. Todos ellos iban a dividirse la cuenta en partes iguales pero Pepe había comido más que los demás y los otros querían que pagara más. Roberto, por otro lado, dijo que como él sólo había comido postre, él no iba a pagar igual que los otros sino menos. Yo no sabía qué hacer. Era mi cumpleaños y ellos me habían invitado. Pero al ver el lío que armaban mis amigos, les dije que lo mejor sería que cada uno pagara su comida y que se olvidaran de que me habían invitado. Gerardo no estuvo de acuerdo. Dijo que ellos me habían invitado y ellos iban a pagar. Me dijo que fuera a buscar el carro mientras ellos arreglaban el pago de la cuenta. Así lo hice y al poco rato salieron mis amigos. Ya estaban más calmados. Todos pagaron su cuenta y parte de la mía. Estos amigos míos son una cosa increíble. Les gusta comer, pero a la hora de pagar ahí sí tienen problemas. //

Now check your answers with the key.

B.   ¿Cómo son estos muchachos?   *You are going to hear a description of four students: Gerardo, Armando, Roberto, and Pepe. As you listen, take notes in your lab manual. At the end of the passage, you will hear some statements that paraphrase what you heard. Mark* **CIERTO** *if the statement is a good paraphrase and* **FALSO** *if it is not. If you need to listen again, replay the recording.*

De los cuatro muchachos Gerardo es el más guapo. Es alto, moreno, de ojos verdes y fuerte. Tiene 21 años y se preocupa mucho por su salud. Por eso come comidas saludables, hace ejercicios y practica deportes. Además, estudia ingeniería en la Universidad Nacional y se gradúa el próximo año. Como es muy buen estudiante, piensa seguir estudios de postgrado, posiblemente en los Estados Unidos o en Francia.

Armando es un muchacho muy simpático. Es alto y delgado. Tiene el pelo rubio y la cara llena de pecas. Tiene una personalidad muy agradable y siempre anda haciendo chistes o bromas. Estudia medicina pero todavía le faltan dos años para graduarse. Después que termine, irá al Brasil a sacar un título de postgrado. Dice que no quiere casarse hasta no haber terminado de estudiar.

Pepe es un muchacho bajo y un poco gordo. Tiene el pelo negro y los ojos negros también. Le gustan mucho los helados y las tortas y parece estar siempre comiendo algo. No le gusta practicar deportes y dice que prefiere verlos en la televisión. Estudia economía y quiere casarse con su novia lo más pronto posible.

Roberto es un muchacho de 20 años. A él también le gustan mucho los helados y las tortas, pero no come mucho. Es delgado, no muy alto, con anteojos, pero muy inteligente. Estudia física nuclear y se ha sacado una beca para ir a sacar su doctorado en Alemania. //

  1.   Todos los muchachos estudian en la universidad. //

  2.   El más guapo de todos es Pepe. //

  3.   Roberto quiere ser doctor en física nuclear. //

  4.   Gerardo es muy estudioso y cuida mucho su salud. //

  5.   Pepe está más interesado en casarse que en seguir estudiando. //

  6.   Armando tiene una personalidad muy agradable. //

Now check your answers with the key.

Así se dice

The Spanish /p/ sound is produced without aspiration, or the puff of air, that the English /p/ sound has. The unaspirated Spanish /p/ sound is equivalent to the /p/ sound of the English words *special* and *speak*. It generally appears at the beginning of a word as in **pato, perro, para,** and **por,** but it can also appear within a word preceding the /t/ sound as in **captar.**

Práctica

A. *Listen to the following pairs of words and decide if the first word of each pair is a Spanish word or an English word. Circle the answer in your lab manual. Each pair of words will be repeated.*

1. pace	pez //	**4.** pore	por //
2. Perú	Peru //	**5.** pan (English)	pan //
3. piranha	piraña //	**6.** pinto	Pinto (English) //

Now check your answers with the key.

B. *Listen to the following Spanish words with the /p/ sound and repeat each after the speaker.*

1. pez //	**5.** papel //	**9.** sopa //	**13.** Paraguay //
2. papa //	**6.** Pamplona //	**10.** copa //	**14.** capturar //
3. Pedro //	**7.** comprar //	**11.** séptimo //	**15.** Pepe //
4. Perú //	**8.** golpear //	**12.** inscripción //	

C. *Listen and repeat each sentence of the following minidialogues after the speaker.*

1. —¿En qué te especializas, Pepita? //
—En ciencias políticas. //

2. —¿Estudias periodismo? //
—No, me especializo en pintura. //

3. —¿Qué deporte practicas? //
—Prefiero el polo. //

Estructuras

A. **Una cena fantástica.** *Listen as Paco tells you what happened last night. In your lab manual, check* **IMPERFECT** *or* **PRETERITE** *according to the verb you hear in each sentence.*

> ➢ **MODELO** You hear: Ayer después de las clases fui directamente a casa.
> You check: **PRETERITE**

1. Salí con Susana. //		**5.** Fuimos al nuevo restaurante. //
2. Hacía fresco. //		**6.** Por suerte tuvimos una reservación //
3. Ya no estaba lloviendo. //		**7.** Y llegamos a tiempo. //
4. Teníamos mucha hambre. //		

Now check your answers with the key.

B. En el restaurante. *Listen as Paco finishes his story. You will hear a BEEP in place of the verb in each sentence. Decide which form of the verb should complete the sentence and circle it in your lab manual. Each sentence will be repeated.*

1. Cuando nostros *BEEP* en el restaurante había mucha gente. //

2. El mesero nos *BEEP*. //

3. Y nos *BEEP* los menús //

4. *BEEP* la lista de vinos. //

5. Todo *BEEP* un poco caro. //

6. Pero la comida *BEEP* deliciosa. //

7. Creo que *BEEP* a este restaurante. //

Now check your answers with the key.

C. En el parque. *What happened in the park on the day of the picnic? Listen and complete the following sentences in your lab manual. If you need to listen again, replay the recording.*

Era un día bonito de mayo. // Hacía mucho sol. // Los pájaros cantaban. // Cerca de nosotros algunos chicos jugaban al vólibol. // Todo el mundo estaba de buen humor. //

De repente Paco se dio cuenta de que se le olvidó de traer las bebidas. // Y Susana no trajo bastante comida para todos. // Y con eso, terminó el picnic. //

Now check your answers with the key.

D. La carrera. *Using the cues you hear, explain in what order the following people finished in the bicycle race. Repeat the correct answer after the speaker.*

> **MODELO**   Paco / seis
> **Paco fue el sexto.**

1. Diego / ocho //
   Diego fue el octavo. //

2. Rafael / cinco //
   Rafael fue el quinto. //

3. Carlota / uno //
   Carlota fue la primera. //

4. Tomás / diez //
   Tomás fue el décimo. //

5. María / dos //
   María fue la segunda. //

6. Juana / cuatro //
   Juana fue la cuarta. //

7. Linda / nueve //
   Linda fue la novena. //

8. Eduardo / tres //
   Eduardo fue el tercero. //

9. Jaime / siete //
   Jaime fue el séptimo. //

This is the end of Capítulo 4 of **Interacciones.**

Capítulo 5

En la universidad

Primera situación

Presentación

A.   Definiciones.   *Listen to the following phrases and then in your lab manual, write the word being defined. Each phrase will be repeated.*

1. el dinero que el estudiante paga para ir a la universidad //

2. el lugar donde los estudiantes viven //

3. lo que el estudiante recibe al terminar los estudios universitarios //

4. el examen que el estudiante toma antes de ir a la universidad //

5. el lugar donde el estudiante compra los libros //

6. el dinero que la universidad da a un estudiante para sus estudios //

7. escoger un campo de estudios //

Now check your answers with the key at the end of your lab manual.

B.   En la clase.   *Who is probably making the following statements? In your lab manual, check the most logical answer. Each statement will be repeated.*

1. ¿Para cuándo es? //

2. Abran los libros, por favor. //

3. De tarea tienen que leer tres capítulos. //

4. ¿De cuántas páginas? //

5. Escriban una composición de diez páginas. //

6. ¿Podría explicarlo otra vez? //

7. No sé. //

Now check your answers with the key.

Para escuchar bien

In this chapter you have learned that knowing where and when a given conversation or an announcement takes place helps you understand the message more accurately. Now practice focusing on the setting of the following exercises.

A.   ¿Dónde?   *Listen to the following announcements and decide where you would probably hear each. Then mark the number of the announcement next to the place where you would most likely hear it. But before you listen to the announcements, read the list of possible settings.* //

1. MALE 1   Buenos días. Soy el Dr. González y voy a ser su profesor de macroeconomía. Como parte del curso, Uds. van a tener que escribir un trabajo de investigación y tomar dos exámenes. Mi oficina está en el edificio Jiménez, número 234. Mis horas de oficina son los lunes y viernes de las dos a las tres de la tarde. //

2. MALE 2   ¡Bienvenidos, señoras y señores, al partido de fútbol del año! El equipo de México enfrenta al equipo de Puerto Rico por la Copa de América. //

3.   FEMALE 1   Atención, muchachos. Esta noche a las siete en la sala de estudios se llevará a cabo una reunión informal con algunos profesores de la universidad. El tema a discutir será «Cómo organizar mejor el tiempo y evitar el stress». Asistan a esta reunión que será muy importante para Uds. //

Now check your answers with the key.

B.   En la cafetería estudiantil.   *Imagine that you are sitting in the student cafeteria of a university in Costa Rica and overhear a group of students who are talking about their majors and their plans for the future. Make a list in your lab manual of the majors you think they may mention in their conversation.* //

Now listen to their conversation and write in the chart in your lab manual the students' majors and their plans for the future.

FEMALE 1   ¿Cómo van tus clases en la Facultad de Farmacia, Manuel?

MALE 1   Muy bien. Tú sabes que algunas son más fáciles y otras más difíciles, pero me va muy bien. ¿Y qué tal te va en tus clases de economía, Carmen?

FEMALE 1   Mira, me encantan. Quisiera sacar una maestría en economía.

FEMALE 2   ¡No me digas! Yo también estaba pensando sacar una maestría y luego el doctorado aquí, pero en educación, por supuesto.

FEMALE 3   ¡El doctorado, Ana! ¡Dios mío! Yo quiero graduarme lo más pronto posible de la Facultad de Arquitectura y ponerme a trabajar inmediatamente.

Now check your answers with the key.

Así se dice

The Spanish /b/ sound can be spelled with the letters **b** or **v** and is similar to the the English /b/ of *boy*. The /b/ sound has two variants: [b] and [ƀ]. The sound [b] occurs when the letters **b** or **v** follow the letters **m** or **n** as in **un viaje, un barco,** or **Colombia** and when the letters **b** or **v** begin a phrase or sentence, as in **Vicente es mi amigo** and **Ven acá, Bernardo.** However, when the letters **b** or **v** occur within a word or phrase, except after the letters **m** or **n,** then the sound [ƀ] occurs. The sound [ƀ] is similar to the [b] sound, but your lips barely touch, as in **lobo, el beso,** and **lavo.** This [ƀ] sound has no English equivalent.

Práctica

A.   *Listen to the following Spanish words with the [b] sound and repeat each after the speaker.*

1. bola //	**4.** vaca //	**7.** veinte //	**9.** cambiar //
2. beso //	**5.** vaso //	**8.** vino //	**10.** símbolo //
3. bien //	**6.** banco //		

B.   *Listen to the following Spanish words and phrases with the [ƀ] sound and repeat each after the speaker.*

1. lavo //	**4.** cerveza //	**7.** el vino //	**9.** no voy //
2. robo //	**5.** probar //	**8.** mi vestido //	**10.** ¡Qué bien! //
3. Cuba //	**6.** abuela //		

C. *Listen to the following words and phrases with the [b] and [b̶] sounds and repeat each after the speaker.*

1. voy yo voy

2. beso el beso

3. vaca la vaca

4. vestido mi vestido

5. banco voy al banco

6. baila no baila

D. *Listen to the following minidialogues containing the [b] and [b̶] sounds and repeat each sentence after the speaker.*

1. —Violeta, ¿vas a Colombia? //

 —Sí, voy con Víctor. //

2. —Habla Gabriela. //

 —Hola. ¿Cómo está el bebé? //

3. —¿Sabes si él viene el viernes? //

 —No, viene el sábado. //

Estructuras

A. Opuestos. *Say the opposite of the words you hear. Repeat the correct answer after the speaker.*

> **➤ MODELO** You hear: debajo de
>   You say: **sobre**

1. con //
 sin //

2. cerca de //
 lejos de //

3. encima de //
 debajo de //

4. delante de //
 detrás de //

B. La cena. *You are making arrangements for a dinner party. Listen to the following sentences and in your lab manual write the names of the guests according to where they are to sit. Each sentence will be repeated.*

1. Luis está enfrente de Pablo. //

2. Clara está al lado de Luis. //

3. Elena está entre Pablo y Andrés. //

4. Andrés está al lado de Elena. //

5. Carlos está delante de Andrés. //

Now check your answers with the key.

C. Pobre Ricardo. *Listen as Ricardo explains why he cannot go to the movies tonight. In each of his sentences, you will hear a BEEP in place of a preposition. Decide if the missing preposition should be* **por** *or* **para.** *In your lab manual, check the correct answer. Each sentence will be repeated.*

> **➤ MODELO** You hear: *BEEP* supuesto, me gustaría ir al cine.
>   You check: **POR** because the answer is **Por supuesto, me gustaría ir al cine.**

1. Salgo *BEEP* la biblioteca. //

2. Yo voy a estar en la biblioteca *BEEP* horas. //

3. Tengo que escribir una composición *BEEP* mañana. //

4. Y tengo que estudiar *BEEP* el examen de historia. //

5. *BEEP* desgracia, perdí todos mis apuntes. //

6. Hay tanto que hacer *BEEP* sacar buenas notas. //

7. *BEEP* eso, no puedo ir al cine esta noche. //

Now check your answers with the key.

D.   ¿Para quién?   *Who will receive the following gifts? Use prepositional pronouns and the cues you hear to answer this question. Repeat the correct answer after the speaker.*

> ➤ **MODELO**   las flores / María
> **Las flores son para ella.**

1. la novela / Miguel //
   La novela es para él. //

2. las sandalias / Uds. //
   Las sandalias son para Uds. //

3. el sombrero / Susana //
   El sombrero es para ella. //

4. los libros / nosotros //
   Los libros son para nosotros. //

5. la guitarra / tú //
   La guitarra es para ti. //

6. la tabla de windsurf / Paco y Enrique //
   La tabla de windsurf es para ellos. //

7. el traje de baño / Ud. //
   El traje de baño es para Ud. //

8. el anillo / yo //
   El anillo es para mí. //

E.   En la biblioteca.   *Using the cues you hear, explain what happened yesterday in the library. Repeat the correct answer after the speaker.*

> ➤ **MODELO**   Miguel / poder terminar el trabajo
> **Miguel pudo terminar el trabajo.**

1. nosotros / conocer a algunos estudiantes de intercambio //
   Nosotros conocimos a algunos estudiantes de intercambio. //

2. Alicia / tener una sorpresa //
   Alicia tuvo una sorpresa. //

3. Paco / no poder encontrar el libro //
   Paco no pudo encontrar el libro. //

4. yo / saber que el examen es mañana //
   Yo supe que el examen es mañana. //

5. Uds. / querer estudiar //
   Uds. quisieron estudiar. //

6. tú / poder terminar el informe //
   Tú pudiste terminar el informe. //

7. los chicos / no querer escribir la composición //
   Los chicos no quisieron escribir la composición. //

Segunda situación

Presentación

A.   Una buena amiga.   *Your friend Adela called to tell you what classes everyone you know is taking this semester, but you weren't home so she left the following message on your answering machine. After listening to her message, make a list of each person's classes so you can remember them. If you need to listen again, replay the recording.*

Hola. Soy Adela. ¡Qué día! Acabo de volver de mi clase de matemáticas. ¡Qué clase tan difícil! Enrique, Paco y yo vamos a sufrir en esta clase este semestre. Además, Paco tiene la clase de química. Menos mal que tengo biología. No es tan difícil como la clase de química ni como la de física que tiene Susana. ¿Sabes que Susana y yo tenemos la misma clase de español? Es una clase fantástica…muy divertida. ¡Me encanta! Enrique no tiene clases por la mañana. ¡Qué perezoso! Su primera clase —económicas— empieza a la una de la tarde y su última clase —las ciencias sociales— termina a las cuatro. Paco no tiene tanta suerte. Su clase de sociología empieza a las ocho de la mañana. ¡Y pobre Susana! Tiene ciencias políticas los sábados a las siete de la mañana. Bueno. ¿Qué tal tus clases? Llámame cuando vuelvas. //

Now check your answers with the key.

B.   ¿Qué tiempo hace?   *You are planning to travel to Central America and need to know what the weather is like. Listen to the following weather report and, in your lab manual, make notes about the climate of the cities listed. If you need to listen again, replay the recording.*

¡Buenos días! ¿Qué tiempo hace hoy en Centroamérica? Pues, vamos a ver. Aquí en Guatemala, es un día magnífico. El cielo está azul y hace fresco. ¡Por fin podemos ver las montañas! En la costa del Pacífico también gozan de un día fantástico. Hace mucho calor y, como siempre, el sol brilla. ¡Un buen día para la playa! En San José está nublado y hace viento, pero mañana va a despejar. Y en Panamá, está muy húmedo y hace mucho calor. //

Now check your answers with the key.

Para escuchar bien

Practice focusing on the setting and listening for specific information in the following exercises.

A.   ¿Dónde y cuándo?   *You will hear three conversations between two university students. As you listen, decide when and where the conversations are taking place. Circle the word or phrase that best completes each sentence in your lab manual.*

Conversación 1

FEMALE 1   ¿Encontraste el libro de sociología que necesitamos?

FEMALE 2   Sí, pero me olvidé mi carnet de identidad y no voy a poder sacarlo.

FEMALE 1   ¡Qué problema! Ya es muy tarde ¡y yo me muero de sueño! Mañana vengo tempranito por la mañana para leerlo. //

Conversación 2

MALE 1   Tengo que hablar con el profesor porque no entiendo este problema de cálculo. ¿Sabes tú a qué hora viene?

MALE 2   No, pero creo que él tiene horas de oficina de las dos a las tres o sea que debe venir en cualquier momento.

MALE 1   ¡Qué bien! ¿Y tú también lo estás esperando?

MALE 2   ¡Sí! Yo tampoco entiendo este problema.

MALE 1   ¡Qué sorpresa! Y yo creía que tú lo sabías todo.

MALE 2   ¡Ojalá! Ahí viene el Dr. Salcedo. //

Conversación 3

MALE 1   ¿Has preparado el experimento para la clase?

MALE 2   No. ¿Tú crees que tenga tiempo?

MALE 1   Imposible. La clase empieza dentro de una hora. //

Now check your answers with the key.

B.   ¿Quién, cuándo y dónde?   *You will hear a series of instructions. As you listen, decide who is giving them and the setting. In your lab manual, circle the letter of the phrase with the appropriate information. But before you listen to the instructions, read the different possibilities in your lab manual. //*

1.   FEMALE   Bueno, guarden todas sus cosas. Sólo saquen un lápiz y una hoja de papel. //

2.   FEMALE   Si quiere cambiar su horario, tiene que venir el viernes a la Oficina de Administración de la una a las cinco de la tarde. //

3.   MALE   Lo siento, señorita, pero ya no puede entrar. Si quiere escuchar sus cintas, tendrá que venir mañana por la mañana. Abrimos a las siete y media. //

Now check your answers with the key.

Así se dice

The Spanish /d/ is pronounced very differently from the English [d] sound. It is produced by pressing the tip of your tongue against the back of your upper teeth; this sound is always spelled with the letter **d**. The /d/ sound has three variants: [d], [đ], and [ø]. The Spanish [d] sound occurs at the beginning of a phrase or sentence as in **Diego, ¿cómo estás?**, after a pause within a phrase as in **Ángela, dame tu libro,** or after the letters **n** or **l** as in **ando** and **falda**. The variant [đ] is pronounced like the **th** in the English word **either**. It occurs within a word or phrase, except after **n** or **l**, as in **todo, cada,** or **Adiós, Adela.** The variant [ø] is no sound at all. When the letter **d** occurs at the end of a word, it is often not pronounced although it appears in writing, as in **usted** and **verdad.**

Práctica

A.   *Listen to the following Spanish words with the [d] sound and repeat each after the speaker.*

1. debe //   4. Delia //   7. cuando //   9. caldo //

2. dame //   5. Díaz //   8. Honduras //   10. molde //

3. delicioso //   6. anda //

B.   *Listen to the following Spanish words and phrases with the /d/ variant sounds and repeat each after the speaker.*

1. cada //   4. adiós //   7. usted //   9. ¿Verdad? //

2. todo //   5. ensalada //   8. ciudad //   10. Madrid //

3. helado //   6. Estados Unidos //

C. *Listen to the following minidialogues containing the /d/ sound and its variants and repeat each sentence after the speaker.*

1. —¿Vive Diego en El Salvador? //

—No, ahora vive en Honduras. //

2. —¿Adónde va usted? //

—A la Tienda Novedades. //

3. —Ustedes deben venir a mi oficina esta tarde. //

—Como usted diga. //

Estructuras

A. **Sé que... Ojalá que.** *You hear only the end of the following statements. How does each sentence begin? Listen carefully to the verb and, in your lab manual, check* **SÉ QUE** *if the sentence you hear is in the indicative. Check* **OJALÁ QUE** *if the sentence you hear is in the subjunctive. Each phrase will be repeated.*

> ➤ *MODELO*   You hear: ...Paco cumple veintiún años.
> You check: **SÉ QUE**

1. ...le llevemos a un restaurante. //

2. ...vamos a sorprenderle. //

3. ...Mariana nos presente a sus amigos cubanos. //

4. ...el grupo no sea demasiado grande. //

5. ...invitamos a todos sus amigos. //

6. ...se sirva mucha comida. //

7. ...la música sea buena. //

8. ...la comida es maravillosa. //

Now check your answers with the key.

B. **Consejos.** *What advice do you have for Paco as he starts a new semester at the university? Repeat the correct answer after the speaker.*

> ➤ *MODELO*   llegar a tiempo a sus clases.
> **Le aconsejo que llegue a tiempo a sus clases.**

1. saludar a sus profesores //

Le aconsejo que salude a sus profesores. //

2. comprar los libros temprano //

Le aconsejo que compre los libros temprano. //

3. cumplir con los requisitos //

Le aconsejo que cumpla con los requisitos. //

4. no faltar a clase //

Le aconsejo que no falte a clase. //

5. comer bien y dormir bastante //

Le aconsejo que coma bien y duerma bastante. //

6. no mirar la televisión //

Le aconsejo que no mire la televisión //

7. divertirse de vez en cuando//

Le aconsejo que se divierta de vez en cuando. //

C.   Es necesario que...   *Give advice about doing well in your studies. Repeat the correct answer after the speaker.*

> ➤ **MODELO**   Uds. / elegir las clases con cuidado
>   **Es necesario que Uds. elijan las clases con cuidado.**

1. tú / esforzarte //
Es necesario que tú te esfuerces. //

2. Uds. / pedir una mesa cerca de la ventana //
Es necesario que Uds. pidan una mesa cerca de la ventana. //

3. yo / asistir a las clases //
Es necesario que yo asista a las clases. //

4. Ud. / entregar la tarea //
Es necesario que Ud. entregue la tarea. //

5. nosotros / aprobar los exámenes //
Es necesario que nosotros aprobemos los exámenes. //

6. tú / repasar antes del examen //
Es necesario que tú repases antes del examen. //

7. nosotros / sacar buenas notas //
Es necesario que nosotros saquemos buenas notas. //

D.   ¿Mejor o peor?   *Compare the following activities. Then repeat the correct answer after the speaker.*

> ➤ **MODELO**   divertirse de vez en cuando / estudiar todo el tiempo
>   **Divertirse de vez en cuando es mejor que estudiar todo el tiempo.**

1. esforzarse / dejar una clase //
Esforzarse es mejor que dejar una clase. //

2. estar débil / estar fuerte //
Estar débil es peor que estar fuerte. //

3. aprobar un examen/ sacar mala nota //
Aprobar un examen es mejor que sacar mala nota. //

4. tomar un examen / repasar para un examen //
Tomar un examen es peor que repasar para un examen. //

5. faltar a clase / dejar una clase //
Faltar a clase es peor que dejar una clase. //

6. salir bien en un examen / salir mal //
Salir bien en un examen es mejor que salir mal. //

This is the end of Capítulo 5 of *Interacciones.*

Capítulo 6

En casa

Primera situación

Presentación

A.   Antes de la visita.   *Your family is expecting weekend guests. While you are out, your mother calls with instructions about what needs to be done around the house before the guests arrive. Listen to the message she left on the telephone answering machine and, in your lab manual, make a list of chores for each person. If you need to listen again, replay the recording.*

Bueno, ya saben Uds. que sus tíos van a llegar esta tarde. Por eso, hay que terminar los quehaceres antes de que yo llegue de la oficina. Paco, arregla el garaje, corta el césped y riega las flores. Juan, ayúdale a tu hermano con el trabajo del jardín. También, vacía todas las papeleras y saca la basura. María, haz las camas, cuelga la ropa y pon la ropa sucia en la lavandería. Isabel, arregla la sala, pasa la aspiradora y sacude los muebles. Carlota, limpia la cocina y barre el piso. Luego, prepara la ensalada. Bueno, hijos, sé que puedo contar con Uds. //

Now check your answers with the key at the end of your lab manual.

B.   Si fueras tan amable...   *Listen to the following statements. Under what conditions would you hear each one? In your lab manual, check* **A** *if someone is making a request,* **B** *if the request is being accepted, or* **C** *if the request is being refused. Each statement will be repeated.*

1.   Quiero pedirte un favor. //

2.   ¡Sí, cómo no! //

3.   Creo que me va a ser imposible. //

4.   No es para tanto. //

5.   Tengo un compromiso. //

6.   ¿Me podría hacer el favor de ayudarme? //

7.   Qué ocurrencia. //

8.   Disculpe la molestia, pero, ¿podría ayudarme? //

Now check your answers with the key.

Para escuchar bien

In this chapter you have learned to listen for the main idea of what is being said and the supporting details. Now practice identifying the main ideas and supporting details in the following exercises.

A.   Anuncios radiales...   *You will hear three radio announcements asking for people to perform different services. As you listen, write the main ideas and supporting details. But, before you listen to the announcements, make a list in your lab manual of the different kinds of services or chores that can be performed in a house. //*

Now listen to each announcement and take notes of the main ideas and supporting details.

1. MALE   Atención, señoritas de 18 a 25 años. Familia en el barrio San Isidro busca empleada para realizar quehaceres domésticos. Es necesario que sepa cocinar, lavar y planchar. Se ofrece alto sueldo con posibilidades de aumento de acuerdo con la calidad del trabajo. Se necesitan tres cartas de referencia y certificado de salud. Si Ud. está interesada, llame al teléfono 456–9876. //

2. MALE   La Empresa de Construcciones Valdemar está buscando jardineros con amplia experiencia y excelentes cartas de referencia. El trabajo requiere habilidad para diseñar jardines, plantar césped, árboles y plantas ornamentales y realizar trabajo de mantenimiento. Si Ud. reúne estos requisitos, llame a los teléfonos 675–9872 y 675–9873. //

3. FEMALE   La Compañía Lava-seca está buscando empleados para trabajar en sus tiendas de la ciudad. Es necesario tener experiencia en el manejo de las máquinas de lavar, secar y planchar. Se ofrecen altos sueldos y beneficios sociales. Llame a los teléfonos 247–9085 y 247–9086. Pregunte por el Sr. Ortiz. //

Now check your answers with the key.

B.   Con los empleados.   *You will hear three conversations between the employers who paid for the previous radio announcements and the people they hired. As you listen, write in your lab manual the main ideas and the supporting details. But before you listen to the conversations, mentally review the formation of the affirmative and negative forms of the familiar and formal commands. //*

Now listen and write the main ideas and the supporting details for each conversation.

Conversación 1

FEMALE 1   Juana, hoy no laves ni planches la ropa. Esta noche cocina una comida especial. Van a venir unos amigos del señor que son de los Estados Unidos y quieren comer en casa.

FEMALE 2   Pero, ¿qué quiere que prepare, señora?

FEMALE 1   Prepara arroz con frijoles negros y pollo asado. Como postre haz un flan de coco. Prepara también una ensalada mixta.

FEMALE 2   Sí, señora. ¿Y qué va a servir para tomar?

FEMALE 1   Ay, será vino. Ve a la tienda y compra tres botellas de vino tinto. Te voy a dar el nombre.

FEMALE 2   ¿Debo poner la mesa?

FEMALE 1   Sí, ponla pero solamente cuando hayas terminado de cocinar.

FEMALE 2   ¿Algo más, señora?

FEMALE 1   No, nada más por ahora, Juana, gracias. //

Conversación 2

MALE 1   Lorenzo, por favor, dentro de un mes voy a poner estas casas en venta y van a venir clientes a verlas. Hágame el favor y deje todo lo que está haciendo y arregle los jardines de estas casas.

MALE 2   ¿Y qué árboles quiere que ponga, ingeniero?

MALE 1   Plante unas palmeras y ponga algunas plantas tropicales.

MALE 2   Muy bien. No creo que tenga ningún problema, ingeniero.

MALE 1   Gracias, Lorenzo. Sabía que podía contar con Ud. //

Conversación 3

FEMALE 1   Eloísa, estamos atrasados con el trabajo. Hágame el favor de trabajar más rápido porque toda la ropa tiene que estar lista hoy mismo.

FEMALE 2   Pero, ¿qué quiere que haga, señora? No puedo trabajar más rápido.

FEMALE 1   Va a tener que hacerlo. Hoy no barra el piso. Lave y planche todas las camisas y cuando termine lave todos esos uniformes. El director de la orquesta de la Escuela San Ignacio va a venir a recogerlos mañana temprano en la mañana. No planche los uniformes. Josefina va a hacer eso. Ud. sólo lávelos y séquelos. //

Así se dice

The Spanish /t/ sound is pronounced with the tip of your tongue against the back of your front teeth. Like the /p/ sound, the /t/ is pronounced without aspiration, or the puff of air, that the English sound has. For example, **tú, estudia, matemáticas,** and **texto.**

Práctica

A.   *Listen to the following pairs of words and decide if the first word of each pair is a Spanish word or an English word. Circle the answer in your lab manual. Each pair of words will be repeated.*

1. two	tú //		**4.** photo	foto //
2. quiten	kitten //		**5.** tool	tul //
3. tan (English)	tan //		**6.** ten (English)	ten //

Now check your answers with the key.

B.   *Now listen to the following Spanish words with the /t/ sound and repeat each after the speaker.*

1. tú //	**5.** deporte //	**9.** tres //	**13.** Toledo //
2. tengo //	**6.** quita //	**10.** tabú //	**14.** Argentina //
3. teatro //	**7.** meta //	**11.** Alberto //	**15.** Guatemala //
4. todo //	**8.** tuna //	**12.** matemáticas //	

C.   *Listen and repeat each sentence of the following minidialogues after the speaker.*

1.   —Espero que no me quiten mi beca. //
　　　 —¿Quién te la va a quitar? //

2.   —¿Dónde está el estadio? //
　　　 —Detrás de las oficinas administrativas. //

3.   —¿Te gustan las matemáticas? //
　　　 —Sí. Este semestre me inscribí en tres cursos de matemáticas. //

Estructuras

A.   ¿Mandatos?   *Listen to the following sentences. Are they commands directed to someone addressed as **tú** or are they statements explaining what someone addressed as **tú** is doing? Listen carefully and check **COMMAND** or **STATEMENT** according to the verb you hear. Each sentence will be repeated.*

➢ **MODELO**   You hear: Barre el piso.
                You check: **COMMAND**

1. Hablas despacio. //   **5.** No te levantas temprano. //

2. Ten cuidado. //   **6.** No seas impaciente. //

3. Di la verdad. //   **7.** Estudias mucho. //

4. Escribe la carta. //   **8.** No sales esta noche. //

Now check your answers with the key.

B.   Los quehaceres domésticos.   *Explain to your roommate what he must do to get ready for tonight's party. Repeat the correct answer after the speaker.*

➢ **MODELO**   lavar los platos
                Lava los platos.

1. limpiar el fregadero //   **4.** barrer el piso //
Limpia el fregadero. //   Barre el piso. //

2. hacer las compras //   **5.** pasar la aspiradora //
Haz las compras. //   Pasa la aspiradora. //

3. recoger los periódicos //   **6.** sacar la basura //
Recoge los periódicos. //   Saca la basura. //

C.   No lo hagas.   *You are willing to help your roommate with the chores. Tell him not to do certain things because you will do them. Repeat the correct answer after the speaker.*

➢ **MODELO**   limpiar la cocina
                No limpies la cocina. Yo lo hago.

1. cortar el césped //   **4.** ir al supermercado //
No cortes el césped. Yo lo hago. //   No vayas al supermercado. Yo lo hago. //

2. planchar la ropa //   **5.** poner la mesa //
No planches la ropa. Yo lo hago. //   No pongas la mesa. Yo lo hago. //

3. plantar las flores //   **6.** arreglar la sala //
No plantes las flores. Yo lo hago. //   No arregles la sala. Yo lo hago. //

D.   Las hermanas.   *Margarita and Carlota are sisters who look and act alike. Describe Margarita by comparing her to Carlota. Repeat the correct answer after the speaker.*

➢ **MODELO**   bonito
                Margarita es tan bonita como Carlota.

1. alto //   **4.** trabajador //
Margarita es tan alta como Carlota. //   Margarita es tan trabajadora como Carlota. //

2. delgado //   **5.** amable //
Margarita es tan delgada como Carlota. //   Margarita es tan amable como Carlota. //

3. inteligente //   **6.** animado //
Margarita es tan inteligente como Carlota. // Margarita es tan animada como Carlota. //

E. **Así es la vida.** *Your friend is complaining about all the obligations she has. Tell her that you have as many obligations as she does. Repeat the correct answer after the speaker.*

> ➤ *MODELO* exámenes
> **Yo tengo tantos exámenes como tú.**

1. tarea //
Yo tengo tanta tarea como tú. //

2. quehaceres domésticos //
Yo tengo tantos quehaceres domésticos como tú. //

3. trabajo //
Yo tengo tanto trabajo como tú. //

4. problemas //
Yo tengo tantos problemas como tú. //

5. clases //
Yo tengo tantas clases como tú. //

F. **Tanto como tú.** *Your brother accuses you of not doing as many chores around the house as he does. Tell him that you do as much as he does. Repeat the correct answer after the speaker.*

> ➤ *MODELO* preparar la cena
> **Yo preparo la cena tanto como tú.**

1. lavar los platos //
Yo lavo los platos tanto como tú. //

2. sacar la basura //
Yo saco la basura tanto como tú. //

3. hacer las camas //
Yo hago las camas tanto como tú. //

4. pasar la aspiradora //
Yo paso la aspiradora tanto como tú. //

5. sacudir los muebles //
Yo sacudo los muebles tanto como tú. //

G. **Un cliente difícil.** *A salesman is helping you select items you need to purchase. As he points out various items, you tell him that you would like a different one. Repeat the correct answer after the speaker.*

> ➤ *MODELO* ¿trapo?
> **No quiero este trapo. Prefiero ése.**

1. ¿cortacésped? //
No quiero este cortacésped. Prefiero ése. //

2. ¿manguera? //
No quiero esta manguera. Prefiero ésa. //

3. ¿detergente? //
No quiero este detergente. Prefiero ése. //

4. ¿esponjas? //
No quiero estas esponjas. Prefiero ésas. //

5. ¿escoba? //
No quiero esta escoba. Prefiero ésa. //

6. ¿tabla de planchar? //
No quiero esta tabla de planchar. Prefiero ésa. //

Segunda situación

Presentación

Un desastre.   *You are a journalism student working in Bogotá for the summer. Your job is to report details of important stories to your home newspaper. Listen to the following news broadcast and then answer the questions in your lab manual. If you need to listen again, replay the recording.*

Buenas tardes. Hoy tenemos noticias trágicas. A eso de las tres de la tarde hubo un terremoto en Cali. Este terremoto marcó seis en la escala de Richter. Hay destrucción por todas partes. Muchos edificios se cayeron causando incendios por numerosas partes de la ciudad. Todavía no se sabe con certeza el número de víctimas. Varios testigos del desastre están aterrorizados y no podemos entrevistarlos en este momento. Algunos ladrones aprovechándose de la confusión roban las tiendas y las casas desocupadas. A pesar de la huelga general de la policía se han arrestado a unas veinte personas. En Bogotá, los políticos dejan su campaña electoral para ir al sitio del desastre. El presidente de la República nos dice —Esto ha sido terrible. Absolutamente terrible. Lo que tratamos de hacer ahora es rescatar a los sobrevivientes, mantener la calma y evitar más confusión.— A consecuencia del terremoto hubo grandes inundaciones en las regiones costeras. Varias personas se ahogaron. Vamos a tener más detalles en nuestro noticiero esta noche a las once. //

Now check your answers with the key.

Para escuchar bien

Practice listening for the main ideas and supporting details in the following exercises.

A.   Noticiero.   *You will hear three news reports. As you listen, write in your lab manual the main ideas and supporting details of each news item.*

Reportaje 1

MALE 1   Buenas tardes, señoras y señores. Ahora las noticias locales de su radio América. El presidente de la república expresa duda que el país pueda continuar pagando mensualmente la deuda externa. El presidente expresó que debido a la grave situación política, social y económica por la que atraviesa el país, tendrá que disminuir la suma mensual que el país paga a los bancos internacionales. En su lugar, el gobierno invertirá dinero en programas nacionales. //

Reportaje 2

FEMALE 1   Desde Bogotá, Colombia nos informan que un fuerte terremoto sacudió la zona sur del país al amanecer del día de hoy. Afortunadamente no ha habido muertos ni heridos aunque es sorprendente que con un terremoto que marcó 7 grados en la escala de Richter no haya habido muertos. Les seguiremos informando. //

Reportaje 3

MALE 2   En cuanto a la política internacional informamos que el presidente de la república guatemalteca anunció fuertes medidas económicas para mejorar la situación del país. Estas medidas consisten en un congelamiento de los sueldos, el abandono de subsidios y la privatización de las empresas del estado. //

Now check your answers with the key.

B.   Programas de televisión.   *You will hear two conversations that take place on a Latin American TV show. As you listen, write in your lab manual the main ideas and supporting details.*

1. FEMALE   Buenos días, señoras y señores. Ahora pasamos a nuestra entrevista exclusiva con el famoso cantante venezolano José Luis Rodríguez.

  Bienvenido a Caracas, José Luis. ¡Cuánto nos alegramos que estés de regreso por acá! ¿Desde cuándo no venías a Caracas?

MALE   Gracias, Rosalía. Como te puedes imaginar, para mí es un gran placer estar de regreso, sobre todo después de tanto tiempo.

FEMALE   Ya me imagino, pero dime José Luis, ¿dónde has estado todos estos meses?

MALE   Bueno, en marzo empecé mi gira por la América del Sur. Estuve en Lima, Bogotá, Santiago, Buenos Aires y Montevideo.

FEMALE   Sé que eres muy popular en toda la América Latina, pero dudo que te quieran tanto como aquí.

MALE   En realidad, soy muy afortunado. El público me ha tratado de maravilla en todas partes y mis discos se venden muy bien. Estoy muy agradecido. Mira, y hablando de eso, aquí te he traído una copia de mi último disco compacto. Quiero que lo escuches y me digas si te gusta o no.

FEMALE   Gracias, José Luis, pero no te hubieras molestado.

MALE   No, si no fue ninguna molestia. Tú sabes que yo te aprecio mucho.

FEMALE   Bueno, te lo agradezco. Y dime José Luis, ¿por cuánto tiempo te vas a quedar aquí en Caracas?

MALE   Bueno, quizás me quede hasta el fin del año. Al menos eso espero.

FEMALE   Ojalá que sí. Así podremos invitarte nuevamente a nuestro programa y quizás la próxima vez puedas cantarnos algo.

MALE   Con mucho gusto, Rosalía. Cuando quieras. Tú sabes que estoy a tu orden.

FEMALE   Te tomo la palabra, entonces.

MALE   De todas maneras. //

2. MALE 1   Buenas tardes, señoras y señores. Como siempre desde el estudio Uno B, su programa favorito «Hablando con Reinaldo y Teresa».

  (*Applause*)

FEMALE 1   Buenas tardes, mi querido público. Hoy tenemos muchos invitados para Uds., pero antes demos un aplauso de bienvenida a Reinaldo que ha estado de vacaciones todo un mes.

  (*Applause*)

MALE 2   Gracias, Teresita. Estoy feliz de estar de regreso aquí contigo y con nuestro público.

FEMALE 1   Así es, Reinaldo. Pero dime, ¿cómo pasaste tus vacaciones?

MALE 2   ¡De maravilla! Estuve por toda la América Central. ¡Ah! Y mira, te traje esto de Guatemala. Espero que te guste.

FEMALE 1   ¡Ay Reinaldo, gracias! Pero no te hubieras molestado.

MALE 2   No, ¡qué dices! Además sabía que te iba a gustar.

FEMALE 1   Por supuesto que sí. ¡Gracias! ¡Es hermoso!

MALE 2	Bueno, me alegro que te guste. Ahora, creo que debemos anunciar ya a nuestros invitados para el día de hoy.
FEMALE 1	Sí, es verdad. Hoy tenemos con nosotros a varios artistas de fama internacional: Conchita Alonso, Regina Alcóver y Fernando Larrañaga.
MALE 2	¡Qué programa! Ahora hacemos una pausa y luego regresamos con nuestro primer invitado del día de hoy. //
	(Theme music ends program segment.)

Now check your answers with the key.

Así se dice

The Spanish /k/ sound is pronounced without the aspiration, or puff of air, that the English /k/ sound has at the beginning of a word. That is, it follows the same patterns as the Spanish /p/ and /t/ sounds. The /k/ sound is spelled **c** before **a, o,** or **u** as in **casa, cosa,** and **cura.** It is also spelled **c** at the end of a syllable in words such as **rector** and **tractor.** However, before **e** or **i** the /k/ sound is spelled **qu** as in **queso** and **quisieron.** Only words of foreign origin and words that refer to the metric system are spelled with a **k.** This is the case in words like **kilo** and **Alaska.**

Práctica

A. *Listen to the following pairs of words and decide if the first word in each pair is a Spanish word or an English word. Circle the answer in your lab manual. Each pair of words will be repeated.*

1.	col	call //	**4.**	coco (English)	coco //
2.	Kay	que //	**5.**	aquí	a key //
3.	eco	echo //	**6.**	fiasco	fiasco (English) //

B. *Listen to the following Spanish words with the /k/ sound and repeat each after the speaker.*

1.	casa //	**5.**	kilómetro //	**9.**	escoba //	**13.**	Caracas //
2.	que //	**6.**	curso //	**10.**	banco //	**14.**	Colombia //
3.	come //	**7.**	parque //	**11.**	histórico //	**15.**	Barranquilla //
4.	quiso //	**8.**	esquina //	**12.**	rector //		

C. *Listen and repeat each sentence of the following minidialogues after the speaker.*

1. —¿Quieres que compre alguna cosa? //
　　—Sólo queso y mantequilla, por favor. //

2. —No pude comprar el periódico en el quiosco. //
　　—¿Por qué? //

3. —Este cruce es muy peligroso. //
　　—Y aquél también. //

Estructuras

A. Dudo que... *Your friend suggests that you vote for his favorite candidate. However, you don't think it is a good idea. Express your doubts. Repeat the correct answer after the speaker.*

> ➢ **MODELO**   Dice la verdad siempre.
> **Dudo que diga la verdad siempre.**

1. Todos sus discursos son interesantes. //
Dudo que todos sus discursos sean interesantes. //

2. Es un político honesto. //
Dudo que sea un político honesto. //

3. Termina la huelga general. //
Dudo que termine la huelga general. //

4. Evita el crimen. //
Dudo que evite el crimen. //

5. Mantiene la paz. //
Dudo que mantenga la paz. //

6. Puede ganar las elecciones. //
Dudo que pueda ganar las elecciones. //

B. Tengo que limpiar la casa. *Your friend is cleaning her house. Explain what she must do. Repeat the correct answer after the speaker.*

> ➢ **MODELO**   sacar la basura
> **Es importante que saques la basura.**

1. pasar la aspiradora //
Es importante que pases la aspiradora. //

2. arreglar el dormitorio //
Es importante que arregles el dormitorio. //

3. poner la ropa en la lavadora //
Es importante que pongas la ropa en la lavadora. //

4. sacar la ropa de la secadora //
Es importante que saques la ropa de la secadora. //

5. sacudir los muebles //
Es importante que sacudas los muebles. //

6. limpiar la cocina //
Es importante que limpies la cocina. //

7. hacer la cama //
Es importante que hagas la cama. //

C.   **Los quehaceres.**   *Your little sister is helping you with the chores. Tell her you need the following items. Repeat the correct answer after the speaker.*

> ➢ *MODELO*   esponjas
>   **Necesito las esponjas.**

1. escoba //
Necesito la escoba. //

2. cortacésped //
Necesito el cortacésped. //

3. manguera //
Necesito la manguera. //

4. detergente //
Necesito el detergente. //

5. plancha //
Necesito la plancha. //

6. aspiradora //
Necesito la aspiradora. //

7. trapo //
Necesito el trapo. //

This is the end of Capítulo 6 of *Interacciones.*

Capítulo 7

De compras

Primera situación

Presentación

A. En el Centro Comercial Mariposa.   *Listen to the following advertisement for a new shopping center. What kinds of stores are being described? In your lab manual next to the name of the store, indicate what kind of store it is. If you need to listen again, replay the recording.*

Venga Ud. al Centro Comercial Mariposa —el nuevo centro comercial en pleno corazón de Quito. Aquí tenemos tiendas para todos los gustos.

En Hermanos Gómez se puede comprar todo lo necesario para la familia y la casa. ¿Necesita Ud. ropa para los niños que van al colegio? ¿Quiere comprar un sofá? ¿Busca Ud. equipaje para todos los deportes, televisores, radios, discos o libros? ¿Zapatos? ¿Joyería fina o de fantasía? Hermanos Gómez lo tiene todo. Y cada mes hay rebajas fantásticas.

¿Está Ud. buscando algo especial para su marido, su suegra o su tío favorito? Pues, venga a la tienda Felicidades. Aquí hay una selección de cosas especiales para todas las personas especiales en su vida. Para hacer compras de Navidad o para un cumpleaños o una boda o simplemente para decirle a alguien «Estoy pensando en ti» venga a la tienda Felicidades.

La Boutique Elegancia es única. En las vitrinas y en los escaparates se ve la mercancía de las mejores etiquetas de todo el mundo: París, Roma, Madrid, Nueva York. Y todo de la última moda. La Boutique Elegancia es para las mujeres que sólo quieren lo mejor. Es una boutique de elegancia extraordinaria para mujeres extraordinarias.

En la tienda Ortiz todo está en liquidación todos los días. Nadie tiene precios más bajos. ¿Quiere Ud. gangas? Aquí están. ¿Por qué paga Ud. precios altos cuando la tienda Ortiz le ofrece la misma mercancía a un mejor precio? ¿Dónde se ofrecen las marcas más conocidas de cosas para la casa y el servicio con una sonrisa? En la tienda Ortiz. //

Now check your answers with the key at the end of your lab manual.

B. En la tienda.   *Who is probably making the following statements? In your lab manual, check the most logical answer. Each statement will be repeated.*

1. ¿En qué puedo servirle? //

2. ¿Cuánto cuesta la blusa roja, por favor? //

3. ¿Qué talla necesita? //

4. Pase por la caja, por favor. //

5. Quisiera algo más barato. //

6. No nos quedan más. //

7. ¿Me lo podría envolver? //

8. Me lo llevo. //

Now check your answers with the key.

Para escuchar bien

In this chapter you have learned that when participating in a conversation either you or the person you are talking to might not say exactly what you mean. Consequently, you have to infer the real meaning of a question or an answer. Now practice making inferences from what you hear in the following exercises.

A.   ¿Qué quiere decir?   *You will hear three short conversations between a salesperson and a customer. After you listen to each conversation, write in your lab manual what the customer meant by his or her reply. But before you listen to these conversations, write in your lab manual some of the phrases that the customer would use to make a purchase and the phrases that the salesperson would use to reply. //*

Now listen to the conversations and write in your lab manual what each customer meant.

1. FEMALE 1   Señorita, ¿sería tan amable de enseñarme unas sandalias?

     FEMALE 2   ¿Qué número desea?

     FEMALE 1   Treinta y nueve.

     FEMALE 2   Aquí las tiene.

     FEMALE 1   ¡Ay! ¡Están preciosas! ¿Cuánto cuestan?

     FEMALE 2   Ciento veinte bolivianos.

     FEMALE 1   Creo que ya no están tan preciosas. //

2. MALE 1   Señor, por favor, quisiera ver una pulsera de oro.

     MALE 2   ¿De dama o de caballero?

     MALE 1   Es para mi esposa. //

3. MALE 1   Señorita, quisiera probarme esta chaqueta si fuera tan amable.

     FEMALE 1   Pase por aquí, por favor.

     MALE 1   Ojalá que no sea muy cara.

     FEMALE 1   No se preocupe, señor, que le daremos un buen precio.

     MALE 1   Vamos a ver, vamos a ver, vamos a ver. //

Now check your answers with the key.

B.   ¡Pero, mamá!   *Now you are going to hear a series of comments made by a mother to her teenage daughter who is going out on a date. After you listen to each comment, write in your lab manual what the mother really meant by her comment. But before you listen, write in your lab manual some of the things you think the mother might say or ask. //*

Now listen and write in your lab manual the meaning of each statement.

1. ¿Usan tanto maquillaje las muchachas de tu edad? //

2. No es asunto mío, pero así sin aretes no se te ve muy bien. //

3. ¿Dónde es la fiesta de disfraces? //

4. Acuérdate que mañana tienes que levantarte temprano. //

5. Está haciendo frío ahí afuera. //

6. ¡Ya son las diez! //

Now check your answers with the key.

Así se dice

The Spanish /x/ sound is pronounced with friction. It is similar to the initial sound of the English words **house** and **home,** but the Spanish sound is harsher. In some Spanish dialects, it is similar to the sound made when breathing on a pair of glasses to clean them. It is spelled **j** before **a, o,** and **u** as in **jamón, joven,** and **juego; g** or **j** before **e** and **i** as in **gente, gitano, jefe,** and **jinete.** In some cases it can be spelled **x** as in **México** and **Xavier.**

Práctica

A. *Listen to the following Spanish words with the /x/ sound and repeat each after the speaker.*

1. jefe //
2. José //
3. Javier //
4. gente //
5. jabón //
6. juega //
7. dibujo //
8. queja //
9. cruje //
10. déjame //
11. traje //
12. maneja //
13. mujer //
14. México //
15. Texas //

B. *Listen and repeat each sentence of the following minidialogues after the speaker.*

1. —Mujer, ¿has visto a Xavier? //
   —Está en el jardín con José. //

2. —No quiero jugar a las cartas. //
   —Pero Josefa, no seas mala gente. //

3. —Jorge, te dije que dejaras el jamón. //
   —Mamá, pero tengo hambre. Déjame probarlo. //

Estructuras

A. ¿Cuándo? *Are these activities currently in progress or will they take place soon? Check* **PROGRESSIVE** *or* **PRESENT** *according to the verb you hear. Each sentence will be repeated.*

> **MODELO** You hear: Lupe está bailando.
> You check: **PROGRESSIVE**

1. Carlos y Mariana están charlando. //
2. Paco cumple veinte años. //
3. Uds. están celebrando. //
4. Tú conoces a Maricarmen. //
5. Nosotros estamos organizando una fiesta. //
6. María conversa con Felipe. //
7. Está lloviendo. //
8. Te presento a Julio. //

Now check your answers with the key.

B. Ahora mismo. *Explain what the following people are doing right now. Repeat the correct answer after the speaker.*

> ➤ **MODELO**   María / comprar un regalo
> **María está comprando un regalo.**

1. yo / leer una novela //
Yo estoy leyendo una novela. //

2. Tomás / echar una siesta //
Tomás está echando una siesta. //

3. nosotros / servir la comida //
Nosotros estamos sirviendo la comida. //

4. Anita y Susana / hacer las compras //
Anita y Susana están haciendo las compras. //

5. tú / estudiar //
Tú estás estudiando. //

6. Marta / jugar al tenis //
Marta está jugando al tenis. //

7. Uds. / divertirse //
Uds. se están divirtiendo. //

C.   Anoche.   *Explain what the following people were doing last night at eight o'clock. Repeat the correct answer after the speaker.*

> ➤ **MODELO**   nosotros / descansar
> **Nosotros estábamos descansando.**

1. Miguel / leer el periódico //
Miguel estaba leyendo el periódico. //

2. yo / mirar la televisión //
Yo estaba mirando la televisión. //

3. nosotros / prepararse para un examen //
Nosotros nos estábamos preparando para un examen. //

4. tú / charlar con amigos //
Tú estabas charlando con amigos. //

5. Felipe / tocar la guitarra //
Felipe estaba tocando la guitarra. //

6. Ud. / escribir una carta //
Ud. estaba escribiendo una carta. //

7. Uds. / escuchar música //
Uds. estaban escuchando música. //

D. La Boutique Elegancia.   *Enrique Morales, a shopping consultant, has described many of the stores at the Centro Comercial Mariposa. What does he say about Boutique Elegancia? Repeat the correct answer after the speaker.*

> ➤ **MODELO**   mercancía / caro
> **Tiene la mercancía más cara del centro comercial.**

1. dependientas / amable //
Tiene las dependientas más amables del centro comercial. //

2. vitrina / interesante //
Tiene la vitrina más interesante del centro comercial. //

3. selección de zapatos / grande //
Tiene la selección de zapatos más grande del centro comercial. //

4. joyas / elegante //

   Tiene las joyas más elegantes del centro comercial. //

5. rebajas / pequeño //

   Tiene las rebajas más pequeñas del centro comercial. //

6. marcas / bueno //

   Tiene las mejores marcas del centro comercial. //

7. precios / malo //

   Tiene los peores precios del centro comercial. //

Segunda situación

Presentación

Las devoluciones.   *You are working as a salesclerk in the department store Hermanos Gómez. Each day you must make a list of the purchases returned and the reasons why they were returned. Listen to the following customers. In your lab manual, list the items returned and the reasons for their return. If you need to listen again, replay the recording.*

CLIENT 1   Siento tener que decirle que necesito cambiar este calentador. Como soy una persona muy atlética y como hago ejercicios una hora cada mañana, un calentador de seda, por bonito que sea, no me conviene. //

CLIENT 2   Me parece que aquí hay un error. Nadie usa un traje de baño como éste hoy día. ¿Puede Ud. mostrarme uno que esté de moda? //

CLIENT 3   Disculpe, pero la verdad es que no quiero guantes de cuero estampado. Son de mal gusto. //

CLIENT 4   ¡Esto no puede ser! No puedo combinar este chaleco con nada de lo que tengo. Y no pienso comprar un traje nuevo para hacer juego con este chaleco. //

CLIENT 5   Creo que se ha equivocado. Estos calcetines me quedan chicos. Necesito una talla más grande. //

CLIENT 6   Lamento tener que decirle pero quiero devolver este impermeable. No me queda bien. Es demasiado ancho y largo. //

Now check your answers with the key.

Para escuchar bien

Practice making inferences and using visual cues in the following exercises.

A.   ¿En qué piensan?   *Look at the drawings in your lab manual and try to imagine what the people are thinking. Then listen to the sentences. Write the letter of each sentence next to the number of the drawing it matches. Each sentence will be repeated.* //

a.   ¡Ay, Dios mío! Va a gastarse todo mi dinero. //

b.   Esta blusa hace juego con esta falda, pero no me gusta. //

c.   Creo que este vestido es muy grande para mí. //

d.   ¡Estoy muy gordo! No voy a tomar tanta cerveza. //

Now check your answers with the key.

B.   Me parece...   *Look at the drawings in your lab manual again and try to imagine a possible monologue or dialogue for each drawing. As you listen to the recording, write the letter of each monologue or dialogue next to the number of the drawing it matches. If you need to listen again, replay the recording.*

a.   MALE 1   Quizás una talla más grande le quedaría mejor.

         MALE 2   No lo creo. Ésta ha sido siempre mi talla.

         MALE 1   ¿Quisieras probarse otro modelo? ¿Quizás una chaqueta de cuero? //

b.   FEMALE   ¡Ay! Me gusta mucho este vestido, pero parece que está un poco grande. De repente mi madre lo puede arreglar. ¿Me lo compro o no me lo compro? //

c.   MALE   ¿Adónde va ahora? Seguro va de compras. ¿Qué voy a hacer con esta mujer? Sólo le gusta gastar mi dinero. //

d.   FEMALE 1   ¿Le gusta esta otra blusa?

         FEMALE 2   A mí me encantan las blusas de lunares.

         FEMALE 1   Ésta está en liquidación. //

Now check your answers with the key.

Así se dice

The Spanish /s/ has many regional variations. In Spanish America, the /s/ sound is usually similar to the English /s/ of **sent** or **summer.** The /s/ sound is spelled differently depending on where it occurs in a word. For example, it is spelled **s** and **z** before vowels and at the end of a word as in **sopa, zapato,** and **paz; s** and **x** before /p/ and /t/ as *in* **espero, estudio, explorar,** and **extensión;** and **c** before /e/ and /i/ as in **dice** and **cinta.**

In contrast, in most parts of Spain the **c** before /e/ and /i/ and the **z** are pronounced like the /th/ sound in the English word **thing: pobreza, dice,** and **prejuicio.** In the following exercises, you will practice the Spanish American pronunciation of the /s/ sound.

Práctica

A.   *Listen to the following Spanish words with the /s/ sound and repeat each after the speaker.*

1.	señor //	**5.**	prejuicio //	**9.**	dice //	**13.**	necesita //
2.	sembrar //	**6.**	así //	**10.**	cerveza //	**14.**	pobreza //
3.	soy //	**7.**	vaso //	**11.**	basura //	**15.**	explotar //
4.	ese //	**8.**	regreso //	**12.**	serie //		

B.   *Listen and repeat each sentence of the following minidialogues after the speaker.*

1.   —¿Qué dices, Josefa, conseguiremos trabajo? //
         —Yo creo que sí, Sergio. //

2.   —El problema de la emigración es bastante serio. //
         —Más serio es el problema de la inflación. //

3.   —¿Quiénes son esas personas? //
         —No sé. No las conozco. //
         —¿Serán extranjeros? //
         —Seguramente sí. //

Estructuras

A.   Los regalos.   *Tell which gifts you are giving to the following people. Repeat the correct answer after the speaker.*

> ➤ *MODELO*   a Joaquín / una guitarra
> **Se la regalo a Joaquín.**

1. a María / una bufanda de seda //
   Se la regalo a María. //

2. a ti / un paraguas //
   Te lo regalo a ti. //

3. a mis hermanos / unos discos //
   Se los regalo a mis hermanos. //

4. a Carmen y a Paco / unos guantes de cuero //
   Se los regalo a Carmen y a Paco. //

5. a Uds. / unas camisetas //
   Se las regalo a Uds. //

6. A Sara / una bolsa //
   Se la regalo a Sara. //

7. a Cristóbal / una novela //
   Se la regalo a Cristóbal. //

B.   Las compras.   *You and your friend are going shopping today. However, you are in a bad mood and contradict whatever your friend says. Repeat the correct answer after the speaker.*

> ➤ *MODELO*   Siempre estoy lista para ir de compras.
> **Nunca estoy lista para ir de compras.**

1. También los almacenes tienen grandes liquidaciones. //
   Tampoco los almacenes tienen grandes liquidaciones. //

2. Quiero ver algo en la tienda Felicidades. //
   No quiero ver nada en la tienda Felicidades. //

3. Alguien nos ayuda. //
   Nadie nos ayuda. //

4. Quiero hablar o con la dependienta o con la cajera. //
   No quiero hablar ni con la dependienta ni con la cajera. //

5. De algún modo vamos a encontrar una ganga. //
   De ningún modo vamos a encontrar ninguna ganga. //

This is the end of Capítulo 7 of *Interacciones.*

Capítulo 8

En la ciudad

Primera situación

Presentación

A.   Un paseo.   *Look at the map in your lab manual as you listen to Enrique. He will tell you about some places he visited in the city. When he pauses, write in your lab manual the name of the place he is identifying. If you need to listen again, replay the recording.*

Tomé el metro a la Avenida Bolívar. Seguí derecho por esta avenida hasta llegar a la Calle de la Plaza. Doblé a la derecha y caminé una cuadra. Crucé la Avenida Ávila y pasé por la Plaza Mayor hasta llegar al monumento. A mi izquierda estaba … //

Después de visitar este edificio regresé al monumento. Salí de la Plaza Mayor y caminé por la Calle de la Plaza. Doblé a la derecha en la Avenida Caobos y caminé una cuadra hasta la Calle Gallegos. Seguí por la Calle Gallegos hasta la Avenida Ávila. Doblé a la izquierda y en la esquina antes de cruzar la Calle de la Plaza estaba … //

Desde aquí salí a la Calle de la Plaza y otra vez pasé por la Plaza Mayor. Seguí por la Calle de la Plaza. Después de atravesar el puente viejo doblé a la izquierda y caminé por una calle sin nombre hasta llegar a la Calle del Museo. Crucé la Calle del Museo y caminé por la Avenida Miranda. Al final de la avenida doblé a la izquierda y allí estaba … //

Regresé a la Avenida Miranda. Doblé a la derecha. En la esquina de la Avenida Miranda y la Calle del Museo doblé a la derecha. Atravesé el puente nuevo y seguí hasta la Avenida Lozada. Doblé a la derecha y allí me encontré con Pilar en … //

Now check your answers with the key at the end of your lab manual.

B.   ¿Dónde queda?   *Look at the map again. Someone is asking you where the following places are located. Answer by naming the street or avenue. Repeat the correct answer after the speaker.*

> ➤ **MODELO**   ¿Dónde queda el Restaurante Julio?
> **El Restaurante Julio está en la Avenida Lozada.**

1.   ¿Dónde queda la comisaría? //
La comisaría está en la Avenida Ávila. //

2.   ¿Dónde queda el almacén? //
El almacén está en la Avenida Bolívar. //

3.   ¿Dónde queda la Clínica? //
La Clínica está en la Avenida Lozada. //

4.   ¿Dónde queda la Oficina de Turismo? //
La Oficina de Turismo está en la Avenida Miranda. //

5.   ¿Dónde queda el museo? //
El museo está en la Calle del Museo. //

6.   ¿Dónde queda el puente viejo? //
El puente viejo está en la Calle de la Plaza. //

7. ¿Dónde queda el Palacio Presidencial? //

El Palacio Presidencial está en la Calle de la Plaza. //

8. ¿Dónde queda la fuente? //

La fuente está en la Plaza Mayor. //

Para escuchar bien

In this chapter you have learned to take notes on what you hear. Taking notes helps you to remember what was said and improves your writing skills in Spanish. Now practice taking notes in the following exercises.

A.   ¿Cómo se va al parque?   *You will hear a short dialogue in which a young woman asks for directions to a park. But before you hear the dialogue, make a list in your lab manual of phrases that can be used to ask for and give directions. //*

Now listen to the dialogue and write the missing words in your lab manual.

FEMALE 1   Disculpe, señora, pero ¿me podría decir cómo se va al Parque las Leyendas?

FEMALE 2   Cómo no. Camine derecho tres cuadras y luego doble a mano derecha. El parque está ahí mismo.

FEMALE 1   Muchísimas gracias. //

Now check your answers with the key.

B.   Se perdió María.   *You are going to hear a conversation between Zoila and a police officer. Zoila is reporting that her friend María got lost. A transcript of the information that Zoila provides is given in your lab manual, but there is some information missing. You will have to supply that information. But before you listen to the conversation, read the transcript. //*

MALE 1   Bueno, señorita, dígame, ¿cuándo se perdió su amiga?

FEMALE 1   La última vez que la vi fue a las nueve de la mañana de hoy, viernes 19 de octubre. Íbamos al Museo de Arte, pero nos dimos cuenta de que no se abría sino hasta las once del día. Decidimos ir a dar una vuelta por los alrededores y cuando me di cuenta, María había desaparecido.

MALE 1   ¿Cuál es su nombre completo?

FEMALE 1   ¿El mío? Zoila Chávez.

MALE 1   ¿Y el de su amiga?

FEMALE 1   María Ramos.

MALE 1   ¿Cómo es su amiga María?

FEMALE 1   Ella es alta y morena. Mide un metro setenta. Es delgada y tiene el pelo negro, bien corto. Tiene los ojos marrones y un lunar en la mejilla derecha.

MALE 1   ¿Y cuántos años tiene?

FEMALE 1   Veinticuatro años.

MALE 1   ¿Y es soltera o casada?

FEMALE 1   Soltera. Nosotras estamos de vacaciones. Vinimos a Lima pero no sé cómo María desapareció. La busqué por todas partes pero no la encontré.

MALE 1   ¿Y cómo llegaron Uds. al país?

FEMALE 1	Vinimos en avión de Bogotá. Apenas llegamos ayer.
MALE 1	¿En qué hotel están alojadas?
FEMALE 1	En el hotel «Las Américas». El teléfono de nuestra habitación es 633–9894.
MALE 1	Mire, señorita, muchos turistas se separan de sus compañeros, pero no se pierden. Estoy seguro de que su amiga debe estar buscándola a Ud. o esperándola en su hotel. De todas maneras, nosotros vamos a empezar la búsqueda. En cuanto sepamos cualquier cosa le avisamos.
FEMALE 1	¿Y qué hago yo ahora?
MALE 1	Vaya a su hotel. Uno de nuestros oficiales la llevará. Si sabe algo de su amiga, por favor, háganos saber.
FEMALE 1	Por supuesto y muchas gracias. //

Now complete the form in your lab manual. //

Then check your answers with the key.

Así se dice

The Spanish /l/ sound is pronounced similarly to the English /l/ sound in *Lee.* It is always spelled **l**.

Práctica

A. *Listen to the following pairs of words and decide if the first word in each pair is a Spanish word or an English word. Circle the answer in your lab manual. Each pair of words will be repeated.*

1.	motel (English)	motel //	**4.**	tool	tul //
2.	del	dell //	**5.**	col	cool //
3.	sal	Sal //	**6.**	rol	role //

Now check your answers with the key.

B. *Listen to the following Spanish words with the /l/ sound and repeat each after the speaker.*

1.	lo //	**5.**	plan //	**9.**	papel //	**13.**	mal //
2.	ley //	**6.**	caldo //	**10.**	lavandería //	**14.**	problema //
3.	la //	**7.**	claro //	**11.**	papelería //	**15.**	Lima //
4.	alma //	**8.**	plancha //	**12.**	al //		

C. *Listen and repeat each sentence of the following minidialogues after the speaker.*

1. —Pásame la sal, Celia. //
        —Está a tu lado. //

2. —Leo, tienes que cortar el césped. //
        —Pero si lo corté la semana pasada. //

3. —¿Le diste de comer al perro? //
        —No. Creí que lo había hecho Laura. //

Estructuras

A. **¿Cómo se llega?** *Señora Santana has asked you for directions to the Oficina de Turismo. Give her directions according to the cues you hear. Repeat the correct answer after the speaker.*

> **MODELO**   bajar del metro en la Avenida Bolívar
> **Baje del metro en la Avenida Bolívar.**

1. doblar a la derecha en la Calle de la Plaza //
Doble a la derecha en la Calle de la Plaza. //

2. seguir derecho por la Calle de la Plaza //
Siga derecho por la Calle de la Plaza. //

3. pasar por la Plaza Mayor //
Pase por la Plaza Mayor. //

4. cruzar la Avenida Lozada //
Cruce la Avenida Lozada. //

5. atravesar el puente viejo //
Atraviese el puente viejo. //

6. seguir la Calle de la Plaza hasta la Avenida Miranda //
Siga la Calle de la Plaza hasta la Avenida Miranda. //

7. doblar a la izquierda en la Avenida Miranda //
Doble a la izquierda en la Avenida Miranda. //

8. seguir derecho por dos cuadras //
Siga derecho por dos cuadras. //

B. **Una excursión a la ciudad.** *Your friends ask you what points of interest they should see while visiting your city. Give them some suggestions according to the cues you hear. Repeat the correct answer after the speaker.*

> **MODELO**   visitar el Ayuntamiento
> **Visiten el Ayuntamiento.**

1. dar un paseo por el barrio colonial //
Den un paseo por el barrio colonial. //

2. sacar fotos de la Catedral //
Saquen fotos de la Catedral. //

3. ver el museo //
Vean el museo. //

4. caminar por la Plaza Mayor //
Caminen por la Plaza Mayor. //

5. pasar unas horas en el jardín zoológico //
Pasen unas horas en el jardín zoológico. //

6. visitar el palacio presidencial //
Visiten el palacio presidencial. //

C.   Se pintan letreros.   *You have volunteered to paint signs for your friends. Listen to the following situations and tell what your sign will say. Repeat the correct answer after the speaker.*

> ➤ **MODELO**   Alquilo mi apartamento.
> **Se alquila apartamento.**

1. Necesito camarero. //
Se necesita camarero. //

2. Vendo mi coche. //
Se vende coche. //

3. Arreglo zapatos. //
Se arreglan zapatos. //

4. Prohíbo fumar. //
Se prohíbe fumar. //

5. En mi tienda hablo español e inglés. //
Se hablan español e inglés. //

6. Abro la oficina a las nueve. //
Se abre la oficina a las nueve. //

7. Vendo periódicos y revistas. //
Se venden periódicos y revistas. //

Segunda situación

Presentación

¿No crees que sería mejor si... ?   *Where are the following people trying to persuade their friends to spend the afternoon? In the spaces provided in your lab manual, indicate whether the speaker would like to go to* **la corrida, el centro cultural,** *or* **el parque de atracciones.** *If you need to listen again, replay the recording.*

1. ¿No crees que sería mejor si asistiéramos al nuevo espectáculo de variedades? //

2. Quizás deberías considerar que hoy se presentan seis de los mejores toros de Victorino Martín. //

3. ¿No crees que sería divertido visitar la casa de fantasmas y jugar a los juegos de suerte? //

4. Sí, son violentas. ¿Pero no te parece que también son interesantes? //

5. Tienes que ver las ventajas de reservar los asientos. //

6. Haz lo que quieras, pero prefiero dar una vuelta en la montaña rusa. //

7. Hay que tener en cuenta que el sábado es el último día para la exposición de arte. //

Now check your answers with the key.

Para escuchar bien

Practice taking dictation in the following exercises.

A.   Aquí tienen...   *You will hear a museum guide informing some tourists about the different works of art they can see at the museum. But before you listen to the passage, make a list in your lab manual of the things you think he is going to mention.* //

Now listen to the passage and write what he says in the pauses provided. If you need to listen again, replay the recording.

Buenos días, señoras y señores. // Bienvenidos al Museo de Arte. // Como Uds. verán, el museo tiene numerosas obras de arte de famosos pintores y escultores peruanos. // En el ala derecha del museo están las obras de arte de famosos pintores // y en el ala izquierda, así como también en el patio central, // están las esculturas de nuestros artistas más famosos. //

El museo frecuentemente organiza exposiciones de arte con obras especialmente seleccionadas. // Para tales exposiciones cada dibujo, cada pintura, cada escultura // es cuidadosamente seleccionada por el director del museo en colaboración con el artista mismo. // El día de la inauguración de la exposición // hay una recepción // a la cual asisten numerosos artistas e intelectuales de nuestra comunidad, // así como también el público en general. //

Ahora pasemos a la primera sala // donde podrán apreciar la obra del maestro Szysslo. //

Now check your answers with the key.

B.   Cuéntame.   *You will hear a conversation between two friends who are sightseeing in Lima. But before you listen to their conversation, make a list in your lab manual of the places you think they visited. //*

Now listen to their conversation and write in your lab manual the names of all the places you hear them mention.

FEMALE 1	Ay, Mirta, estoy cansadísima. He caminado como una loca todo el día.
FEMALE 2	¡Y yo! No aguanto estos zapatos ni un segundo más. Pero ven. Cuéntame, ¿adónde fuiste?
FEMALE 1	Fui a todas partes. En la mañana al salir del hotel fui al centro de la ciudad. Fui a la Plaza de Armas, visité la catedral y el Palacio Torre Tagle. Después fui a almorzar a un restaurante por ahí mismo y en la tarde fui al Museo Nacional.
FEMALE 2	¡Ah! ¡Qué bien! Yo fui a otra zona de Lima. Fui a Barranco al Museo Pedro de Osma y al Puente de los Suspiros, y de ahí fui a dar una vuelta por la Bajada de los Baños. Es un sitio maravilloso, muy interesante. Después caminé hasta el Parque Municipal y almorcé en un café ahí mismo. Caminé todo el día y estoy muerta de cansancio. Mañana quiero ir al Museo de Oro.
FEMALE 1	Quizás salga contigo mañana, porque me han hablado maravillas de ese museo.
FEMALE 2	Sí, vale la pena verlo.
FEMALE 1	Perfecto, entonces. //

Now check your answers with the key.

Así se dice

In most of the Spanish-speaking world, the /y/ sound before **a, e, o,** and **u** at the beginning of a word or beginning of a syllable is similar to the English /y/ sound in *yes* and *yarn.* It is spelled **hi, y** or **ll.**

Práctica

A.   *Listen to the following Spanish words with the /y/ sound and repeat each after the speaker.*

1.	llama //	**5.**	bella //	**9.**	talla //	**13.**	llave //
2.	lleno //	**6.**	sello //	**10.**	platillo //	**14.**	llano //
3.	lluvia //	**7.**	Castilla //	**11.**	grillo //	**15.**	silla //
4.	millón //	**8.**	rollo //	**12.**	ella //		

B. *Listen to the following Spanish words with the /y/ sound and repeat each after the speaker.*

1. yema //	**5.** yeso //	**9.** reyes //	**13.** hierba //
2. Yolanda //	**6.** hiena //	**10.** yelmo //	**14.** hielo //
3. yarda //	**7.** raya //	**11.** leyes //	**15.** yerno //
4. yuca //	**8.** hiato //	**12.** yo-yo //	

C. *Listen and repeat each sentence of the following minidialogues after the speaker.*

1. —¿Tienes la llave? //
—No, la tiene ella. //

2. —Llama a Yolanda. //
—Ya la llamé. //

3. —Quiero un poco de hielo. //
—Está allí. //

Estructuras

A. **¿Cuándo?** *Are these people telling you about activities that are happening now or that will happen in the future? Listen carefully and check* **PRESENT** *or* **FUTURE** *in your lab manual, according to the verb you hear. Each sentence will be repeated.*

> **MODELO** You hear: Llamaré a los invitados.
> You check: **FUTURE**

1. María hace las compras. //	**5.** Los invitados llegarán a las ocho. //
2. Habrá una fiesta. //	**6.** Bailaremos y comeremos mucho. //
3. Será una sorpresa para Jaime. //	**7.** Susana y Anita preparan las tortas. //
4. Los chicos arreglan la casa. //	**8.** Nos divertiremos. //

Now check your answers with the key.

B. **El viaje.** *Tomorrow you are leaving on an important trip. Describe what you will do. Repeat the correct answer after the speaker.*

> **MODELO** levantarse temprano
> **Me levantaré temprano.**

1. hacer las maletas con cuidado // Haré las maletas con cuidado. //	**5.** despedirme de mis amigos // Me despediré de mis amigos. //
2. salir temprano para el aeropuerto // Saldré temprano para el aeropuerto. //	**6.** contestar todas sus preguntas // Contestaré todas sus preguntas. //
3. llevar mi pasaporte // Llevaré mi pasaporte. //	**7.** hablar de mis planes // Hablaré de mis planes. //
4. tener muchas cosas que hacer // Tendré muchas cosas que hacer. //	**8.** tomar un taxi al aeropuerto // Tomaré un taxi al aeropuerto. //

C. **En el futuro.** *What will the following people probably be doing in the future? Make a guess. Repeat the correct answer after the speaker.*

> ➢ *MODELO*   Tomás / ganar la lotería
>   **Tomás ganará la lotería.**

1. nosotros / viajar alrededor del mundo //
   Nosotros viajaremos alrededor del mundo. //

2. tú / ser presidente de una compañía internacional //
   Tú serás presidente de una compañía internacional. //

3. Ud. / tener un yate lujoso //
   Ud. tendrá un yate lujoso. //

4. yo / vivir en España //
   Yo viviré en España. //

5. María / escribir una novela //
   María escribirá una novela. //

6. Uds. / saber hablar español perfectamente //
   Uds. sabrán hablar español perfectamente. //

7. Juan / comprar una casa muy grande //
   Juan comprará una casa muy grande. //

D. **En el parque de atracciones.** *You are taking your nephew to an amusement park. He asks about some of the things he will see and do. Answer his questions by saying* **Let's do what he would like to do** *there. Repeat the correct answer after the speaker.*

> ➢ *MODELO*   ¿Vamos a visitar la casa de espejos?
>   **Sí, visitemos la casa de espejos.**

1. ¿Vamos a llegar temprano? //
   Sí, lleguemos temprano. //

2. ¿Vamos a dar una vuelta en la montaña rusa? //
   Sí, demos una vuelta en la montaña rusa. //

3. ¿Vamos a subir a la gran rueda? //
   Sí, subamos a la gran rueda. //

4. ¿Vamos a comprarle los globos a Marta? //
   Sí, comprémosle los globos. //

5. ¿Vamos a ir a la casa de los fantasmas? //
   Sí, vamos a la casa de los fantasmas. //

6. ¿Vamos a almorzar en el parque? //
   Sí, almorcemos en el parque. //

7. ¿Vamos a jugar a los juegos de suerte? //
   Sí, juguemos a los juegos de suerte. //

This is the end of Capítulo 8 of *Interacciones.*

Capítulo 9

En la agencia de empleos

Primera situación

Presentación

A.   Conseguir un empleo.   *Listen as an employment counselor gives you advice about finding a job. Then in your lab manual list the things you should do to be successful. If you need to listen again, replay the recording.*

¿Busca Ud. trabajo? Pues, escuche bien porque voy a darle algunos consejos. Primero es importante que Ud. se informe de todas las posibilidades de empleo. Hay que leer los anuncios clasificados, hablar con amigos y llamar al personal de las compañías en que Ud. tenga interés. ¡No sea tímido!

Una vez que Ud. encuentre algo que le interese, debe buscar información más específica. ¿Cuáles son las aptitudes personales que requieren del aspirante? ¿Conocimientos técnicos? ¿Experiencia? ¿Talentos artísticos? ¿Cuáles son las condiciones del trabajo? Haga una evaluación honesta de lo que Ud. puede ofrecer.

Luego, llame a la oficina de personal para pedir una solicitud y una entrevista. Vaya a la entrevista bien preparado. Lleve su currículum vitae y las cartas de recomendación. Tenga confianza en sí mismo. Hable de sus aptitudes y cualidades. Al principio de la entrevista no hable de los beneficios sociales ni del sueldo. Espere hasta que le ofrezcan el puesto. Si le ofrecen el puesto, esté preparado para tomar una decisión pronto. //

Now check your answers with the key at the end of your lab manual.

B.   Hablando de...   *Listen to the following statements. Under what conditions would you hear each one? In your lab manual, check **A** if someone is expressing an idea, **B** if someone is changing the subject, or **C** if someone is interrupting. Each statement will be repeated.*

1. Perdón, pero yo... //

2. Se me ocurrió esta idea. //

3. Pasemos a otro punto. //

4. En cambio... //

5. Yo propongo... //

6. Un momento. //

7. Yo quisiera decir... //

8. Antes que me olvide... //

Now check your answers with the key.

Para escuchar bien

In this chapter you have learned to summarize what you hear. To do this you have to recall factual information and categorize it logically in the proper format. Now practice summarizing what you hear in the following exercises.

A.   Sus obligaciones.   *You will hear a short conversation between an employer and a prospective secretary. As you listen, fill in the outline in your lab manual with the corresponding information. But before you listen, write a list of possible tasks the employer might mention. //*

Now listen to the conversation and fill in the outline.

MALE 1	Señorita, como le decía, ésta es una agencia de empleos y su trabajo consistirá en recibir a los diferentes aspirantes. Éstos traerán su currículum vitae y llenarán una solicitud. Ud. se encargará de archivar todo esto.
FEMALE 1	Muy bien, señor. Y además de recibir a los aspirantes y sus documentos, ¿qué más tendré que hacer?
MALE 1	Bueno, contestará el teléfono y tomará los mensajes que dejen las personas.
FEMALE 1	Muy bien.
MALE 1	También tendrá que trabajar con la señorita Méndez, quien revisará todos los documentos y hará las citas para los diferentes aspirantes de acuerdo con sus aptitudes y credenciales.
FEMALE 1	Perfecto. No creo que vaya a haber ningún problema.
MALE 1	Muy bien. Y ya sabe, cualquier cosa que necesite, estoy a su disposición.
FEMALE 1	Muchas gracias, señor Ostolaza. //

Now check your answers with the key.

B.   ¿Qué harás tú?   *You will hear a group of recent college graduates discuss the results of their job search. As you listen, fill in the outline in your lab manual. But before you do this, write what you plan to do after you graduate. //*

Now listen and fill in the outline in your lab manual.

MALE 1	¿Y qué harás tú, Graciela?
FEMALE 1	Ay, ¿no sabes? Trabajaré con *El Latino,* el periódico hispánico, en el departamento de noticias internacionales. Tendré que recibir los cables y escribir las noticias.
FEMALE 2	¡No me digas! Yo trabajaré en el mismo periódico pero en el departamento de noticias nacionales. Estaré a cargo de escribir las noticias políticas y económicas. Me han dicho que si trabajo bien podré recibir un ascenso dentro de seis meses.
FEMALE 1	A mí me dijeron lo mismo. Yo encuentro que los beneficios sociales son estupendos. En realidad estoy muy contenta, porque parece que la persona que será mi supervisor es muy responsable y amable.
MALE 1	Qué suerte tienen Uds. Yo todavía no tengo trabajo. He enviado mi solicitud y mi currículum vitae a varios periódicos, pero todavía no he oído nada. O sea que me tienen esperando.
FEMALE 1	No te preocupes, Marcos. Ya conseguirás una entrevista. Vas a ver. Con tus aptitudes y esas cartas de recomendación que habrás recibido, no tendrás ningún problema. //

Now check your answers with the key.

C.   Noticias del futuro.   *You will hear a short lecture given by a futurologist, who is describing the workplace and working conditions in twenty years. As you listen, fill in the outline with the information provided. But before you listen, make five predictions about what the workplace will be like in twenty years. //*

Now listen to the lecture and fill in the outline in your lab manual.

Como Uds. saben, la tecnología va avanzando rápida y eficazmente día a día. Este avance afectará directamente la forma y el lugar de trabajo para muchos profesionales y técnicos. Así, por ejemplo, las empresas tendrán muy pocas personas trabajando en sus locales. La mayor parte de los empleados trabajarán en sus casas y se comunicarán a través de computadoras personales y servicios de teléfonos y telefax con las computadoras matrices de las empresas. Esto traerá como consecuencia que el tráfico de las grandes ciudades se decongestionará y la contaminación ambiental disminuirá notablemente. Además, al trabajar en sus hogares, los padres podrán ocuparse personalmente de sus hijos sin tener que recurrir a terceras personas. Esto mejorará la vida familiar estrechando la relación entre padres e hijos. Otro problema que se solucionará es el de la separación de las familias. Las personas no se verán limitadas a trabajar en un área geográfica determinada. Una persona que vive en Minnesota podrá trabajar para una empresa en Los Ángeles o Miami, ya que todo su trabajo lo realizará a través de computadoras y teléfonos.

Debido a que gran parte del trabajo se realizará a través de computadoras y servicios de comunicación, éstos serán cada vez más sofisticados y también más económicos de manera que estén al alcance de la mayor parte de la población.

Un problema que esta nueva situación traerá es que dificultará el establecimiento de relaciones de amistad y camaradería entre los empleados. //

Now check your answers with the key.

Así se dice

The Spanish /n/ sound is generally similar to the English /n/ sound in the word *not,* although it varies slightly according to the sound that follows it. For example, the tip of your tongue touches the back of your upper front teeth when /n/ precedes /t/, /d/, and /s/ as in **pinto, donde,** and **mensual.** When the /n/ precedes a vowel, /l/, /r/, /rr/, or when it occurs at the end of a word or sentence, the tip of your tongue touches the gum ridge as in **nada, ponla, honrado,** and **con.** When /n/ occurs in front of **ch** as in **concha** and **ancho,** the tip of your tongue touches the back part of your palate.

Práctica

A. *Listen to the following Spanish words with the /n/ sound and repeat each after the speaker.*

1. no //	**5.** mensual //	**9.** honrado //	**13.** poncho //
2. nada //	**6.** pinto //	**10.** con //	**14.** rancho //
3. nadie //	**7.** nunca //	**11.** concha //	**15.** Enrique //
4. donde //	**8.** ponla //	**12.** ancha //	

B. *Listen to the following sentences and mark in your lab manual how many times you hear the sound /n/. Each sentence will be repeated.*

1. No vino nadie. //

2. ¿Qué más tendré que hacer? //

3. También trabajará con él. //

4. Muy bien. //

Now check your answers with the key.

C. *Listen and repeat each sentence of the following minidialogues after the speaker.*

1. —¿Ud. es la señorita Méndez? //
    —Sí, señor. //

2. —Estoy muy contenta con mi trabajo. //
    —Cuánto me alegro. //

3. —Pronto conseguirás una entrevista. //
    —Ojalá, porque todavía no he oído nada. //

Estructuras

A. ¿Cuándo? *Are these people telling you about activities that will happen in the future or that would happen when certain conditions are present? Listen carefully and check* **FUTURE** *or* **CONDITIONAL** *in your lab manual according to the verb you hear. Each sentence will be repeated.*

> **MODELO**   You hear: Lo ayudaré.
> You check: **FUTURE**

1. Me enteraría de las entrevistas. //
2. Llenaría una solicitud. //
3. Hablaremos de las aptitudes personales. //
4. Serías responsable. //

5. Te ofrecerán un puesto. //
6. Tomarán una decisión pronto. //
7. Podría encontrar trabajo. //
8. Siempre diré la verdad. //

Now check your answers with the key.

B. La entrevista. *Explain what you would do if you were preparing for a job interview. Repeat the correct answer after the speaker.*

> **MODELO**   enterarme de las condiciones del trabajo
> **Me enteraría de las condiciones del trabajo.**

1. encargarse de pedir una cita //
   Me encargaría de pedir una cita. //
2. conseguir una entrevista //
   Conseguiría una entrevista. //
3. llenar una solicitud //
   Llenaría una solicitud. //
4. hablar de mis aptitudes personales //
   Hablaría de mis aptitudes personales. //

5. pensar en los beneficios sociales //
   Pensaría en los beneficios sociales. //
6. tener confianza //
   Tendría confianza. //
7. tomar una decisión //
   Tomaría una decisión. //

C. Un trabajo nuevo. *What would the following people do if they had to work in a new job? Repeat the correct answer after the speaker.*

> **MODELO**   José / hacer bien el trabajo
> **José haría bien el trabajo.**

1. yo / desarrollar nuevos productos //
   Yo desarrollaría nuevos productos. //
2. nosotros / trabajar con la tecnología //
   Nosotros trabajaríamos con la tecnología. //
3. Ud. / resolver problemas //
   Ud. resolvería problemas. //
4. Manuel / construir un robot //
   Manuel construiría un robot. //

5. Uds. / usar los conocimientos técnicos //
   Uds. usarían los conocimientos técnicos. //
6. tú / tomar la iniciativa //
   Tú tomarías la iniciativa. //
7. María / demostrar sus talentos artísticos //
   María demostraría sus talentos artísticos. //

D.   Los clientes.   *Explain to a co-worker how he should treat the clients who come into your office. Repeat the correct answer after the speaker.*

> ➤ *MODELO*   cortés
>   **Trata a los clientes cortésmente.**

1. cuidadoso //
        Trata a los clientes cuidadosamente. //

2. maduro //
        Trata a los clientes maduramente. //

3. eficaz //
        Trata a los clientes eficazmente. //

4. responsable //
        Trata a los clientes responsablemente. //

5. paciente //
        Trata a los clientes pacientemente. //

6. amable //
        Trata a los clientes amablemente. //

E.   El aspirante.   *You are being asked your opinion about an applicant for a job in your department. Answer the questions according to the cues you hear. Repeat the correct answer after the speaker.*

> ➤ *MODELO*   ¿Tiene conocimientos técnicos? (poco)
>   **Tiene pocos conocimientos técnicos.**

1. ¿Tiene confianza? (mucho) //
        Tiene mucha confianza. //

2. ¿Tiene cartas de recomendación? (bastante) //
        Tiene bastantes cartas de recomendación. //

3. ¿Tiene destrezas? (numeroso) //
        Tiene numerosas destrezas. //

4. ¿Tiene aptitudes sociales? (mucho) //
        Tiene muchas aptitudes sociales. //

5. ¿Tiene experiencia? (poco) //
        Tiene poca experiencia. //

6. ¿Tiene iniciativa? (mucho) //
        Tiene mucha iniciativa. //

Segunda situación

Presentación

¡Grandes rebajas!   *The Papelería Comercial is having a sale on office furniture, machines, computer ware, and office supplies. Listen to their radio ad and, in your lab manual, list the office supplies that are on sale. If you need to listen again, replay the recording.*

¡Grandes rebajas! La Papelería Comercial le ofrece gangas fantásticas. Toda nuestra mercancía está en liquidación. ¿Busca Ud. muebles de oficina? Pues, tenemos escritorios, estantes, mesas, sillas y archivos. Todo en liquidación. ¿Quiere máquinas de oficina? Ofrecemos procesadores de texto, máquinas de escribir, fotocopiadoras y computadoras. Todo a precios bajos. ¿Necesita Ud. materiales de oficina? Aquí hay calculadoras, papel de todo tamaño, color y uso, grapas, engrapadoras, quitagrapas, carpetas, lápices, sacapuntas y más. Todo en rebaja. Y para su computadora hay discos, programas y también impresoras y lectores de discos a gran descuento. No espere. Venga a la Papelería Comercial. Le ofrecemos todo a precios bajos para venderlo pronto. No pierda Ud. esta oportunidad de encontrar gangas fantásticas. //

Now check your answers with the key.

Para escuchar bien

Practice summarizing what you hear in the following exercises. Remember that a summary can be in the form of a chart, outline, or paragraph.

A.   Nuestra empresa.   *You will hear a short presentation by a business manager who is explaining the corporate structure of the company to the new personnel. As you listen, complete the paragraphs in your lab manual with the information provided. But before you listen, make a list of the different departments you think a company might have and the functions each performs within the corporate structure. //*

Now listen to the presentation and complete the following paragraphs in your lab manual.

Buenos días, señoras y señores. Bienvenidos a Compumágica. Para familiarizarlos con la compañía, voy a hablar brevemente de la organización de la empresa y las funciones que desempeñan los diferentes empleados. En primer lugar, está el presidente de la compañía, el doctor Rincón Cano. El doctor Rincón Cano trabaja con sus tres asesores: el Asesor de Asuntos Económicos, el Asesor de Asuntos de Personal y el Asesor de Relaciones Públicas. Cada uno de estos asesores responde única y exclusivamente al presidente de la compañía, pero trabajan en estrecha colaboración.

El Asesor de Asuntos Económicos trabaja directamente con el Economista y con el Jefe de Ventas. El Economista está encargado del estudio y análisis del mercado, así como de hacer las proyecciones de ventas para el futuro. El Jefe de Ventas se encarga de la compra, distribución y venta de nuestros productos. Trabaja en directa colaboración con nuestro economista y está a cargo de los diferentes supervisores regionales. Los supervisores regionales están a cargo de las ventas en su región y supervisan a todos los vendedores que tienen a su cargo. Ellos tienen la responsabilidad de trabajar con el Jefe de Personal ya que éste contrata, asciende y despide a los vendedores según su eficiencia y dedicación. Los supervisores regionales también se encargan de dar cursos a los nuevos vendedores para que éstos conozcan las características de nuestras computadoras y para que sepan las expectativas de nuestra empresa.

Los vendedores son los encargados de hacer uno de los trabajos de mayor impacto en nuestra empresa como es el vender nuestras computadoras. Es por eso que necesitamos hombres y mujeres como Uds. que sean dinámicos, inteligentes y ambiciosos. Hombres y mujeres que no sólo dominen el arte de la venta, sino que tengan un alto conocimiento del funcionamiento de nuestras computadoras.

El Asesor de Asuntos de Personal trabaja directamente con el Jefe de Personal, quien está a cargo de todos los asuntos relacionados con los ascensos, permisos, vacaciones, bonos, etc. El Jefe de Personal contrata al supervisor y el supervisor contrata a cada una de las dos secretarias y a los dos contadores de la empresa. El supervisor tiene especial cuidado en seleccionar personal que sea responsable y preparado en su campo y que tenga excelentes cartas de recomendación. Las secretarias hacen las labores que les asigne el supervisor y de ellas depende en gran parte que el funcionamiento de nuestra empresa se realice en forma eficaz y rápida. Los contadores son los que se encargan de las cuentas de la empresa y elaboran las planillas de pago.

Por último, tenemos el Asesor de Relaciones Públicas, quien está a cargo de la coordinación de todos los aspectos de publicidad de nuestra empresa. Trabaja directamente con un publicista y dos dibujantes. Éstos son los encargados de hacer todos los afiches de publicidad de nuestra empresa y distribuirlos en las diferentes publicaciones del país.

Eso es todo. Espero que esta presentación haya sido clara y concisa. Si tienen alguna pregunta, les ruego, por favor, que la hagan ya que estoy a su completa disposición.

Muchas gracias. //

Now check your answers with the key.

B.   Tengo que hacer un pedido.   *You will hear a short conversation between a secretary and the office manager. The secretary is placing an order for office equipment. As you listen, complete the chart in your lab manual with the information provided. But before you listen, make a list in your lab manual of the items you think she might order. //*

Now listen and complete the chart.

FEMALE 1   Señor Gutiérrez, por favor, necesito que me envíe un archivo para mi oficina pero que
            sea de metal y de color blanco. Además necesito una papelera, una engrapadora
            eléctrica y carpetas tamaño carta. El Supervisor de Ventas necesita un teléfono, porque
            el que tiene es muy viejo y ya no funciona bien. Además necesita dos cajas de discos para
            la computadora y una calculadora eléctrica.

MALE 1   Muy bien, ¿algo más?

FEMALE 1   Sí, señor Gutiérrez. La Oficina de Relaciones Públicas necesita papel y dos nuevos
            archivos, además de un nuevo lector de discos para su computadora.

MALE 1   Muy bien, señorita. No se preocupe. Ya tomé nota. Recibirán el pedido a la brevedad
            posible.

FEMALE 1   Muchas gracias, señor Gutiérrez. Hasta luego. //

Now check your answers with the key.

Así se dice

The Spanish /ñ/ sound is pronounced similarly to the English sound /ny/ in *union* and *canyon*. It always
occurs in word or syllable initial position and is spelled **ñ.**

Práctica

A.   *Listen to the following Spanish words with the /ñ/ sound and repeat each after the speaker.*

1. ñato //	**5.** español //	**9.** niño //	**13.** enseñar //
2. mañana //	**6.** señal //	**10.** uña //	**14.** daño //
3. año //	**7.** paño //	**11.** caña //	**15.** peña //
4. cuñada //	**8.** señor //	**12.** baño //	

B.   *Listen to the following sentences and mark in your lab manual how many times you hear the
sound /ñ/. Each sentence will be repeated.*

1. El año pasado compré una caña de pescar. //	**3.** Esa peña es muy alta. //
2. Señálame la casa del señor. //	**4.** Me rompí la uña esta mañana. //

Now check your answers with the key.

C.   *Listen and repeat each sentence of the following minidialogues after the speaker.*

1.   —No me arañes con tus uñas. //
         —Disculpa, Toño. //

2.   —Enséñame tu carro nuevo. //
         —No es nuevo. Es del año pasado. //

3.   —Hola, cuñada. ¿Qué buscas? //
         —Busco la caña de pescar de mi niño. //

Estructuras

A.   El trabajo ideal.   *You are looking for the perfect job. Describe this job according to the cues
you hear. Repeat the correct answer after the speaker.*

➤ **MODELO**   ofrecer vacaciones largas
Quiero un trabajo que ofrezca vacaciones largas.

1. tener beneficios sociales excelentes //
Quiero un trabajo que tenga beneficios sociales excelentes. //

2. darme mucha responsabilidad //
Quiero un trabajo que me dé mucha responsabilidad. //

3. pagar bien //
Quiero un trabajo que pague bien. //

4. ofrecer ascensos rápidos //
Quiero un trabajo que ofrezca ascensos rápidos. //

5. permitirme viajar //
Quiero un trabajo que me permita viajar. //

B.   Las compras.   *The manager of the purchasing department is ordering supplies. You hope he accomplishes certain objectives. What do you say to your colleague? Repeat the correct answer after the speaker.*

➤ **MODELO**   comprar bastantes teléfonos celulares
Que compre bastantes teléfonos celulares.

1. hablar con todos los supervisores //
Que hable con todos los supervisores. //

2. cumplir todos los pedidos //
Que cumpla todos los pedidos. //

3. resolver los problemas con los precios //
Que resuelva los problemas con los precios. //

4. encontrar muchas gangas //
Que encuentre muchas gangas. //

5. comprar impresoras a color //
Que compre impresoras a color. //

6. pedir los mejores escáneres //
Que pida los mejores escáneres. //

C.   El aspirante ideal.   *Listen as the speaker asks about the characteristics of the ideal job applicant. Answer the questions in the affirmative using the absolute superlative. Repeat the correct answer after the speaker.*

➤ **MODELO**   ¿Es bueno que sea maduro?
Sí, es buenísimo.

1. ¿Es importante que se encargue de las responsabilidades? //
Sí, es importantísimo. //

2. ¿Es esencial que tenga buen sentido para los negocios? //
Sí, es esencialísimo. //

3. ¿Es bueno que resuelva los problemas? //
Sí, es buenísimo. //

4. ¿Es difícil que desarrolle los proyectos? //
Sí, es dificilísimo. //

5. ¿Es malo que no sepa navegar la red? //
Sí, es malísimo. //

This is the end of Capítulo 9 of ***Interacciones.***

Capítulo 10
En la empresa multinacional

Primera situación

Presentación

A. En la agencia de empleos. *You are working as a personnel consultant for an employment agency. You are listening to a client who has a wonderful product to sell and enough capital to start a small business. Listen to what he tells you and in your lab manual, make a list of the people he needs to hire.*

Espero que Ud. pueda ayudarme. Tengo un producto maravilloso y bastante dinero para establecer una compañía pequeña. Sin embargo, no tengo experiencia y, por eso, necesito su ayuda en seleccionar al personal.

Necesito a alguien que entienda las leyes de comercio y que pueda resolver problemas legales. Es necesario que sepa leer y escribir contratos comerciales. Debe representar la compañía en todos los asuntos legales. Como pienso vender mi producto en otros países, debe también comprender los reglamentos del comercio de exportación y de importación.

No tengo a nadie que se encargue de llevar las cuentas de la compañía. No me gusta trabajar con números; así, quiero encontrar a alguien que sea responsable.

Tampoco tengo a nadie que haga la publicidad para la compañía. Me interesa encontrar a alguien que pueda crear anuncios comerciales interesantes. Debe tener talento artístico y saber trabajar con los medios de información: la radio, la televisión, los periódicos y las revistas.

También busco a alguien que sepa encontrar nuevos mercados para el producto. Tiene que llevarse bien con los clientes y cumplir pedidos eficazmente.

Y por fin necesito a alguien que pueda hacer los trabajos de la oficina. Debe saber atender al público, contestar el teléfono y archivar los documentos. Es necesario que sepa usar las máquinas de la oficina como el procesador de textos y la fotocopiadora. Es importante que esta persona sea bien organizada.

¿Cree Ud. que me pueda ayudar? //

Now check your answers with the key at the end of your lab manual.

B. Por teléfono. *Who is probably making the following statements? In your lab manual, check **A** if it is the person calling and **B** if it is the person answering the call. Each statement will be repeated.*

1. Quisiera hablar con... //

2. El señor Carrera está ocupado en este momento. //

3. ¿Quisiera dejar algún mensaje? //

4. Volveré a llamar más tarde. //

5. ¿Podría dejarle un mensaje? //

6. Muy bien. Le daré su mensaje. //

7. La señora Herrera está en la otra línea. //

Now check your answers with the key.

Para escuchar bien

In this chapter you have learned to report to others what you have heard. You do this by retelling the story of what happened or reporting what was said. Now practice reporting messages and orders in the following exercises.

A.   Tomando apuntes.   *You will hear a series of messages left on the answering machine of Mr. Robles. As you listen, take notes in your lab manual using indirect commands so you can report the messages to him later.*

MALE 1	Habla el doctor Ortiz. Señor Robles, haga el favor de llamarme al 385–9432 de las 7 a las 9 de la noche. Se trata de un asunto urgente. //
FEMALE 1	Buenas tardes, señor Robles. Habla la señora Salazar. Se trata de la computadora que me vendió la semana pasada. Necesito que me mande un especialista para que me la arregle porque no funciona. Por favor, llámeme lo más pronto posible. Mi teléfono es el 678–0965. Gracias. //
MALE 2	Habla el señor Rodríguez. Espero que haya hablado con los ejecutivos del banco. Necesitamos ese dinero urgentemente. Por favor, llámeme a la oficina en cuanto llegue. //
FEMALE 2	Habla la publicista. Ya hemos terminado con los avisos que nos encargaron y nos gustaría hacerles una demostración en sus oficinas. Por favor, avísennos cuándo sería conveniente para Uds. Nuestro teléfono es el 447–0014. Gracias. //

Now check your answers with the key.

B.   El jefe.   *You will hear a short conversation between two secretaries: one is reporting the manager's orders to the other one. As you listen, make a list in your lab manual of the orders given using indirect commands. But before you do this, write in your lab manual five orders you think the manager of an import-export firm might give to a secretary. //*

Now listen to the conversation and write the orders as you would report them.

FEMALE 1	Señorita Ochoa, dice el señor Seminario que haga los pedidos que le dijo ayer.
FEMALE 2	Pero si ya los he hecho.
FEMALE 1	Bueno, yo no sé pero él dice que, por favor, también archive los documentos y que llame a la oficina de importación Céspedes, que pague los derechos de aduana y que resuelva los problemas que se han presentado con esta compañía.
FEMALE 2	¡Qué problema! Yo no sé nada de lo que ha pasado con la compañía Céspedes, pero los voy a llamar de todas maneras. //

Now check your answers with the key.

Así se dice

When the Spanish /r/ does not begin a word, it is pronounced by a single flap of the tip of the tongue on the ridge behind the upper front teeth. The Spanish /r/ sound is similar to the English sounds of /tt/ in *batter* or /dd/ in *ladder;* it is always spelled **r**.

Práctica

A. *Listen to the following Spanish words with the /r/ sound and repeat each after the speaker.*

1. febrero //	**5.** pero //	**9.** mar //	**13.** Caracas //
2. cargar //	**6.** cara //	**10.** gordo //	**14.** Perú //
3. partir //	**7.** Toronto //	**11.** pronto //	**15.** Uruguay //
4. tarde //	**8.** comer //	**12.** ir //	

B. *Listen to the following sentences and mark in your lab manual how many times you hear the sound /r/. Each sentence will be repeated.*

1. Este hombre no puede cargar todo eso. //　　　**3.** Iré al Perú en enero. //

2. Pero, ¿qué quieres? //　　　**4.** Teresa estará en Uruguay hasta febrero. //

Now check your answers with the key.

C. *Listen and repeat each sentence of the following minidialogues after the speaker.*

1. —Mira, Teresa, ¿te gusta esta pulsera de oro? //
　　—Me encanta. ¿Me la vas a regalar, hermano? //

2. —¿Trabajas en el Banco Hipotecario? //
　　—Sí, ¿por qué? ¿Quieres pedir un préstamo? //

3. —Señor Martínez, averigüe cuál es la tasa de interés para préstamos a corto plazo, por favor. //
　　—Es el diez por ciento. //

Estructuras

A. **¿Cuándo?** *Are these people telling you about completed activities or about activities that are happening now? Listen carefully and, in your lab manual, check **PRESENT** or **PRESENT PERFECT** according to the verb you hear. Each sentence will be repeated.*

> ➤ **MODELO**　　　You hear:　José ha ejecutado todos los pedidos.
> 　　　　　　　　　You check:　**PRESENT PERFECT**

1. Atiendo a la señora Jiménez. //

2. Entiendes los reglamentos. //

3. Hemos ofrecido nuestros servicios a la empresa Suárez. //

4. Han hecho la publicidad para el nuevo producto. //

5. Pagan los derechos de aduana. //

6. Trabajamos con la tecnología avanzada. //

7. He dejado un mensaje con la secretaria. //

8. ¿Has llamado al Sr. Pérez? //

Now check your answers with the key.

B. **¿Has terminado... ?** *You are working as an account executive. Today you would like to leave the office before the end of the work day. However, your boss wants to know if you have finished certain tasks. Repeat the correct answer after the speaker.*

> ➢ *MODELO* terminar el informe para mañana
> **Sí, he terminado el informe para mañana.**

1. cumplir los pedidos //
Sí, he cumplido los pedidos. //

2. ir al correo //
Sí, he ido al correo. //

3. archivar los documentos //
Sí, he archivado los documentos. //

4. resolver el problema con la señora Báez. //
Sí, he resuelto el problema con la señora Báez. //

5. llamar al señor Morales //
Sí, he llamado al señor Morales. //

6. escribir la carta //
Sí, he escrito la carta. //

7. ver el informe sobre las ventas //
Sí, he visto el informe sobre las ventas. //

C. **¿Cuándo?** *Are these people telling you about activities that they hope are completed or about activities that they hope are happening now? Listen carefully and, in your lab manual, check* **PRESENT SUBJUNCTIVE** *or* **PRESENT PERFECT SUBJUNCTIVE** *according to the verb you hear. Each sentence will be repeated.*

> ➢ *MODELO* You hear: Espero que la publicista haya creado los anuncios.
> You check: **PRESENT PERFECT SUBJUNCTIVE**

1. Espero que la abogada resuelva los problemas. //

2. Espero que el accionista haya vendido las acciones. //

3. Espero que el secretario haya archivado los documentos. //

4. Espero que el publicista termine los anuncios. //

5. Espero que la programadora haya terminado el software. //

6. Espero que el jefe hable con el gerente. //

7. Espero que la ejecutiva haya regresado de su viaje de negocios. //

8. Espero que el contador pague todas las cuentas. //

Now check your answers with the key.

D. **Un buen gerente.** *Everyone in the office is happy that the manager has made all the arrangements for the project. Tell what they are glad that he has done. Repeat the correct answer after the speaker.*

> ➢ *MODELO* hablar con el ejecutivo
> **Se alegran de que haya hablado con el ejecutivo.**

1. resolver los problemas //
Se alegran de que haya resuelto los problemas. //

2. hacer publicidad //
Se alegran de que haya hecho publicidad. //

3. atender a los clientes //

  Se alegran de que haya atendido a los clientes. //

4. cumplir los pedidos //

  Se alegran de que haya cumplido los pedidos. //

5. explicar las autopistas de la información //

  Se alegran de que haya explicado las autopistas de la información. //

6. trabajar con la realidad virtual //

  Se alegran de que haya trabajado con la realidad virtual. //

7. crear una página base en la red //

  Se alegran de que haya creado una página base en la red. //

E.   Los amigos.   *Explain what you and your friends do. Repeat the correct answer after the speaker.*

➢ ***MODELO***   Paco le escribe a Marilú. Marilú le escribe a Paco.
                     Paco y Marilú se escriben.

1. Tomás visita a José. José visita a Tomás. //

  Tomás y José se visitan. //

2. María ve a Rafael. Rafael ve a María. //

  María y Rafael se ven. //

3. Juan saluda a Isabel. Isabel saluda a Juan. //

  Juan e Isabel se saludan. //

4. Yo llamo a Dolores. Dolores me llama. //

  Dolores y yo nos llamamos. //

5. Yo entiendo a Cristóbal. Cristóbal me entiende. //

  Cristóbal y yo nos entendemos. //

6. Yo ayudo a Margarita. Margarita me ayuda. //

  Margarita y yo nos ayudamos. //

Segunda situación

Presentación

A.   Un desastre fiscal.   *Listen to the following news bulletin and then answer the questions in your lab manual. If you need to listen again, replay the recording.*

Hoy las noticias económicas no son buenas. El Ministro de Economía nos habla: «Aunque la renta personal sube, el costo de vida aumenta cada mes tanto como la inflación. El presupuesto nacional es un desastre. No podemos continuar así. También el problema de la evasión fiscal nos preocupa mucho. Todo esto impide los proyectos de desarrollo que nuestra administración quiere empezar. Por eso vamos a insistir en la reforma fiscal y el reajuste de salarios». //

Now check your answers with the key.

B. Definiciones. *Listen to the following phrases and then write in your lab manual the word or expression being defined. Each phrase will be repeated.*

1. guardar una parte de lo que se gana //

2. el dinero que se paga cada mes //

3. poner dinero en una cuenta bancaria //

4. pagar poco a poco según un período de tiempo establecido //

5. una manera de enviar dinero de un país a otro //

6. la cantidad de dinero en una cuenta bancaria //

7. el préstamo que se pide para comprar una casa //

Now check your answers with the key.

Para escuchar bien

Using the strategies you have learned, practice reporting what you hear and retelling a story in the following exercises.

A. ¡Qué situación! *Two friends are discussing their banking activities. Listen to their conversation and from the options presented in your lab manual, circle the four that best retell the story you heard. But before you listen, read the options in your lab manual and write a list of six words or phrases related to banking that you would expect to hear in this conversation. //*

Now listen to the conversation and make your choices.

FEMALE 1   Hola, Elena. ¡Qué gusto verte! ¡Qué raro verte por aquí!

FEMALE 2   Sí, hija, ahí vengo del Banco Hipotecario. Fui a pedir consejo financiero porque quiero solicitar un préstamo para comprar una casita.

FEMALE 1   Oye, ¡qué bien! Te felicito.

FEMALE 2   Sí. Pues ahora que la tasa de interés ha bajado un poco quiero aprovechar. Hace diez años que Jorge y yo estamos ahorrando para hacer el pago inicial. Ya llevamos diez años viviendo en casa alquilada y ya es hora de comprar algo.

FEMALE 1   Me parece muy bien porque el costo de vida cada día sube más y más y ya va a llegar un día en que nadie va a poder comprar nada.

FEMALE 2   Así es. Nosotros ya casi nos habíamos dado por vencidos, pero decidimos sacar el dinero de la cuenta de ahorros e invertirlo. Vamos a tener que hacer ciertos reajustes en nuestros gastos, pero bueno, ¿qué se va a hacer?

FEMALE 1   Ya, ya. Mira, me alegro mucho por Uds. dos. Nosotros también ahorramos hace muchos años para comprarnos una casa pero siempre pasa algo. Ahora José se compró un carro nuevo y los pagos mensuales son altísimos. El dinero se va como el agua y no vamos a poder comprar una casa.

FEMALE 2   Me lo vas a decir a mí. Bueno, hija, me despido. Qué gusto de haberte visto. No te pierdas pues.

FEMALE 1   No, no te preocupes. En estos días paso por tu casa a conversar un rato.

FEMALE 2   Ya pues. De todas maneras. Te espero, ¿ah?

FEMALE 1   Sí, sí, cómo no. Nos vemos.

FEMALE 2   Chau pues y saludos a todos por tu casa.

FEMALE 1   De igual manera. //

Now check your answers with the key.

B.   **El banco.**   *You will hear an advertisement for El Banco Latino. As you listen, take notes on the important information. Then stop the recording and write a short paragraph summarizing the advertisement.*

MALE 1   Venga al Banco Latino. Abra su cuenta corriente y gane 6% de interés anual. O abra, si lo prefiere, una cuenta de ahorros a plazo fijo. Con mil dólares, por ejemplo, Ud. puede abrir una cuenta a plazo fijo por 60 días y ganar 7,5% de interés. Si prefiere depositar su dinero a 150 días, el Banco Latino le ofrece una oferta limitada hasta fin de mes: 8% de interés. Si desea depositar de cinco a diez mil dólares por un año, el Banco Latino le ofrece 9% de interés.

           Venga a su Banco Latino hoy mismo. El Banco Latino, su banco de confianza. //

Now stop the recording and write your summary. Check your answer with the key.

Así se dice

The Spanish /rr/ sound is pronounced by flapping the tip of the tongue on the ridge behind the upper teeth in rapid succession. This sound is called trilling: it occurs between vowels, at the beginning of a word, and after /n/, /l/, or /s/. The trilled /rr/ is spelled **rr** between vowels as in **perro** and **carro**. In other positions, it is spelled **r** as in **ropa** and **honrado**.

Práctica

A.   *Listen to the following Spanish words with the /rr/ sound and repeat each after the speaker.*

1. carro //	**5.** roto //	**9.** enrejado //	**13.** Israel //
2. perro //	**6.** rubia //	**10.** alrededor //	**14.** rasgar //
3. barro //	**7.** honrado //	**11.** ropa //	**15.** rascar //
4. raro //	**8.** enredo //	**12.** repaso //	

B.   *Listen to the following sentences and mark in your lab manual how many times you hear the sound /rr/. Each sentence will be repeated.*

1. Tiene un perro que se llama Rintintín. //	**3.** Llegó la carta de Rosa, pero no la de Rebeca. //
2. Mi padre es el rey de mi casa. //	**4.** Ese carro rojo corre rápido. //

Now check your answers with the key.

C.   *Listen and repeat each sentence of the following minidialogues after the speaker.*

1. —¿Ya compraste el carro? //

    —Sí, es rojo. //

2. —Mi perro me rasgó la ropa. //

    —¡Qué raro! //

3. —Voy a Roma pronto. //

    —¡Cómo me encantaría ir también! //

Estructuras

A. **¿Cuándo?** *The following people are describing past activities. Some of these activities were completed before today; others were not. Listen carefully and check* **PRESENT PERFECT** *or* **PAST PERFECT** *in your lab manual according to the verb you hear. Each sentence will be repeated.*

> ➤ *MODELO*   You hear: Había pedido consejo financiero.
>   You check: **PAST PERFECT**

1. Había alquilado una caja de seguridad. //

2. Habíamos cobrado el cheque. //

3. Hemos depositado todo el dinero. //

4. Habían verificado el saldo. //

5. He solicitado la hipoteca. //

6. Había abierto la cuenta corriente. //

7. Has ahorrado el pago inicial. //

8. Habías pagado a plazos. //

Now check your answers with the key.

B. **Antes de las tres.** *What did you accomplish by three o'clock yesterday afternoon? Repeat the correct answer after the speaker.*

> ➤ *MODELO*   archivar los documentos
>   **Había archivado los documentos.**

1. resolver los problemas //
Había resuelto los problemas. //

2. verificar los saldos de las cuentas bancarias //
Había verificado los saldos de las cuentas bancarias. //

3. ir al banco //
Había ido al banco. //

4. retirar dinero //
Había retirado dinero. //

5. cobrar los cheques //
Había cobrado los cheques. //

6. invertir en las acciones //
Había invertido en las acciones. //

C. **En el banco.** *What did the following people do in the bank before it closed today? Repeat the correct answer after the speaker.*

> ➤ *MODELO*   Marta / cerrar su cuenta corriente
>   **Marta había cerrado su cuenta corriente.**

1. Uds. / abrir una cuenta de ahorros //
Uds. habían abierto una cuenta de ahorros. //

2. Juan / pedir consejo financiero //
Juan había pedido consejo financiero. //

3. tú / depositar dinero en su cuenta //
Tú habías depositado dinero en tu cuenta. //

4. yo / averiguar la tasa de interés //
Yo había averiguado la tasa de interés. //

5. la señora Santos / alquilar una caja de seguridad //
La señora Santos había alquilado una caja de seguridad. //

6. nosotros / solicitar una hipoteca //
Nosotros habíamos solicitado una hipoteca. //

7. Susana / recibir una chequera provisional //
Susana había recibido una chequera provisional. //

D. **¿Cuánto tiempo hace?** *How long has the Empresa Multinac been providing the following services? Repeat the correct answer after the speaker.*

> ➤ **MODELO**   10 años / exportar productos
> **Hace 10 años que exporta productos.**

1. 6 años / hacer publicidad //
Hace 6 años que hace publicidad. //

2. 3 años / trabajar con tecnología avanzada //
Hace 3 años que trabaja con tecnología avanzada. //

3. 8 años / ejecutar pedidos //
Hace 8 años que ejecuta pedidos. //

4. 10 años / pagar los derechos de aduana //
Hace 10 años que paga los derechos de aduana. //

5. 5 años / ofrecer consejo comercial //
Hace 5 años que ofrece consejo comercial. //

6. 7 años / resolver problemas legales //
Hace 7 años que resuelve problemas legales. //

E. **Llevo mucho tiempo...** *Explain how long you have been assuming the following responsibilities. Repeat the correct answer after the speaker.*

> ➤ **MODELO**   5 años / trabajar en esta empresa
> **Llevo 5 años trabajando en esta empresa.**

1. 3 años / encargarse de todas las actividades bancarias //
Llevo 3 años encargándome de todas las actividades bancarias. //

2. 18 meses / ofrecer consejos financieros //
Llevo 18 meses ofreciendo consejos financieros. //

3. 4 años / pagar las cuentas //
Llevo 4 años pagando las cuentas. //

4. 1 año / usar una computadora //
Llevo 1 año usando una computadora. //

5. 2 años / tener muchas responsabilidades //
Llevo 2 años teniendo muchas responsabilidades. //

F. **Las cuentas.** *You are verifying account numbers for new clients. Listen as a co-worker reads the client's name and account number. In your lab manual, match the client with his or her account number. Each name and account number will be repeated.*

1. Juan Luis Domínguez   mil seiscientos ochenta y tres //

2. María Herrera   tres mil novecientos cincuenta y uno //

3. Pablo Ortiz   nueve mil trescientos sesenta y dos //

4. Carlos Santana   siete mil setecientos cuarenta y siete //

5. Jaime Velásquez   ocho mil quinientos ventiocho //

6. Lucía López   seis mil cuatrocientos setenta y cinco //

7. Isabel Ochoa   diez mil ochocientos treinta y cuatro. //

Now check your answers with the key.

This is the end of Capítulo 10 of **Interacciones.**

Capítulo 11
De viaje

Primera situación

Presentación

A. Una excursión. *While listening to the radio program «El viajero feliz», you hear about an interesting excursion. You decide to organize a weekend trip for your friends. Listen carefully and, in your lab manual, make notes about the trip. If you need to listen again, replay the recording.*

¡Buenos días, viajeros! Si quieren hacer una excursión sumamente interesante, no dejen de ir a un mercado indígena como Huancayo en las altas tierras de los Andes.

Es uno de los mercados más interesantes de la región. Los indígenas de los alrededores van al mercado todos los domingos para vender sus productos: frutas, legumbres y lana. También pueden encontrar una gran variedad de artículos hechos a mano: mantas, zapatillas, joyería de plata, tejidos y artículos de cuero.

Para llegar hay que tomar el tren o conducir, ya que no hay vuelos a Huancayo. El viaje por tren dura muchas horas y pasa por la sierra principal de los Andes. Uds. nunca se olvidarán de este magnífico viaje. El tren sale muy temprano cada mañana. Si quieren ver el mercado, es necesario que salgan el sábado. En Huancayo pueden alojarse en el Hotel de Turistas.

Si prefieren conducir hay una carretera bastante segura. El viaje por automóvil dura menos horas que el viaje en tren.

Disfruten de esta excursión fantástica. ¡Buen viaje! //

Now check your answers with the key at the end of your lab manual.

B. A bordo. *Who is probably making the following statements? In your lab manual, check the most logical answer. Each statement will be repeated.*

1. Quiero un pasaje de ida y vuelta. //
2. Abróchense los cinturones. //
3. Muestre su tarjeta de embarque. //
4. ¿A qué hora sale mi vuelo? //

5. Observen el aviso de no fumar. //
6. ¿A qué hora empiezan a abordar? //
7. Quiero sentarme al lado de la ventana. //
8. Ponga su equipaje de mano debajo del asiento delantero. //

Now check your answers with the key.

Para escuchar bien

In this chapter you have learned to answer questions about a conversation or passage and to give your personal interpretation of the situation. Now practice answering content-related questions and making personal interpretations in the following exercises.

A. ¿Qué hago? *You will hear a short conversation between a customs official and a traveler at an airport. As you listen, identify the main problem and be ready to give your personal reaction to it. But before you listen, read the questions in your lab manual. //*

Now listen and write the answers to the questions in your lab manual.

MALE 1	¿Qué tiene en esa caja?
FEMALE 1	Es mi computadora personal, señor.
MALE 1	¿Computadora, dice?
FEMALE 1	Sí, señor.
MALE 1	Pero Ud. debe saber que esto está prohibido. Ud. no puede traer una computadora personal a Chile.
FEMALE 1	Pero, señor, mire, yo vengo a hacer un trabajo de investigación aquí y necesito mi computadora.
MALE 1	No, no, no. De ninguna manera. Eso está prohibido. Tiene que pagar impuestos.
FEMALE 1	Pero, señor, si yo trajera una super-computadora o si ésta fuera para venderla o lo que sea, lo comprendo. Pero, ¿para trabajar? Ya pagué $100 a la compañía aérea para poder traerla. ¿No habría alguna forma en que Ud. me pudiera ayudar? Yo soy profesora y la necesito para mi trabajo. Yo me la llevo de regreso a mi país.
MALE 1	De ninguna manera, señora. De ninguna manera. Tiene que pagar el ochenta por ciento del valor original de la computadora si la quiere ingresar al país.
FEMALE 1	¡Ochenta por ciento! Pero eso es mucho dinero.
MALE 1	Bueno, entonces su computadora irá al depósito y si Ud. quiere llevársela, tendrá que pagar $55 a la aduana y $65 para mandarla de regreso como carga.
FEMALE 1	¡No lo puedo creer! Yo vengo a hacer un trabajo de investigación. Si hubiera sabido esto, no la hubiera traído. Pero, ¡qué problema!
MALE 1	Señora, está demorando a los otros pasajeros. Decídase. No puedo seguir discutiendo con Ud.
FEMALE 1	Señor, pero todo esto me agarra por sorpresa. Yo francamente no esperaba esto. Aquí incluso tengo una carta del Cónsul de Chile y de mi universidad explicando mi trabajo y solicitando que me dejen ingresar esta computadora.
MALE 1	Esas personas no tienen ninguna autoridad aquí. Decida, señora, qué va a hacer porque estamos perdiendo tiempo. //

Now check your answers with the key.

B. En el avión. *You will hear a conversation between a passenger and a flight attendant on a plane. As you listen, identify the main problem and be ready to give your personal reaction to it. But before you listen, read the following questions in your lab manual.* //

Now listen to the conversation and write the answers to the questions.

FEMALE 1	Bienvenidos, señoras y señores, al vuelo 71 de LanChile con destino a Valparaíso. El vuelo durará aproximadamente una hora y treinta minutos y volaremos a una altitud de quince mil metros. Por favor, mantengan su asiento en posición vertical, abróchense los cinturones de seguridad y observen el aviso de no fumar.
FEMALE 2	Señorita, mi cinturón no funciona.
FEMALE 1	A ver, vamos a ver. Bueno, señora, pase a este otro asiento, si fuera tan amable.
FEMALE 2	No, señorita. Yo quiero quedarme en este asiento. Mis hijas me dijeron que me sentara al lado de la ventana y no quiero cambiarme de sitio. Además mi nieto viaja conmigo y no quiero dejarlo solo.

FEMALE 1	Sólo sería por unos cuantos minutos, señora, mientras despegamos. Luego, yo le arreglo el cinturón y Ud. podrá sentarse al lado de su nieto.
FEMALE 2	No, no y no. Arréglelo ahora mismo. Preferiría que Ud. llamara a un técnico o lo que sea, pero yo no me muevo de aquí. Además de repente se pierden mis cosas.
FEMALE 1	Bueno, señora. No se preocupe. Voy a hablar con el capitán a ver qué podemos hacer.
FEMALE 2	Sí, hable con él. Que venga él porque yo no me cambio de asiento. Eso da mala suerte. Que arreglen esto y pronto. ¡Es el colmo! ¿Qué es esto? ¡Cambiarme de asiento! ¡Habráse visto!
FEMALE 1	No se preocupe, señora. Ya se lo arreglaremos.
FEMALE 2	Apúrese, señorita, que de repente el avión despega y a mí me pasa algo.
FEMALE 1	No se preocupe, señora.
FEMALE 2	Cómo no me voy a preocupar. La que se puede morir soy yo, no Ud. Claro, como Ud. es jovencita no se preocupa por los viejos. Pero ya verá. Un día Ud. también va a ser vieja como yo. //

Now check your answers with the key.

Así se dice

Spanish words have two kinds of syllables: stressed and unstressed. In addition, Spanish words tend to have only one stressed syllable; for example, **Ni-ca-ra-gua** (unstressed-unstressed-stressed-unstressed), **li-te-ra-tu-ra** (unstressed-unstressed-unstressed-stressed-unstressed). English words, on the other hand, have three types of syllables: those with primary stress, secondary stress, or unstressed; for example *Nic-a-ra-gua* (secondary stress-unstressed-primary stress-unstressed), *lit-er-a-ture* (primary stress-unstressed-unstressed-secondary stress). When pronouncing a Spanish word for the first time, you need to learn to identify the stressed syllable so that you say the word correctly.

Práctica

A.   *Listen to the following words and decide which syllable the stress falls on. Underline the stressed syllable in your lab manual. Each word will be repeated.*

1. bienestar //	**4.** voluntariamente //	**7.** adoptiva //	**9.** ascendencia //
2. compañero //	**5.** demasiado //	**8.** trabajaran //	**10.** beneficiar //
3. inmigrantes //	**6.** idiomas //		

Now check your answers with the key.

B.   *Listen and repeat each of the following Spanish words after the speaker.*

1. jefatura //	**4.** mayoría //	**7.** celebración //	**10.** herencia //
2. autonomía //	**5.** ciudadano //	**8.** ascendencia //	**11.** universidades //
3. bienestar //	**6.** hispano //	**9.** legalmente //	**12.** bilingüismo //

C.   *Listen and repeat each sentence of the following minidialogues after the speaker.*

1.   —¿Qué opinas tú del bilingüismo? //
        —Me parece estupendo. Ojalá todo el mundo hablara más de un idioma. //

2. —Nosotros queremos mucho nuestra patria adoptiva. //

—Claro, vinimos aquí voluntariamente. //

3. —Mis compañeros trabajarán en la celebración de la independencia nacional. //

—¿La que habrá en el consulado? //

Estructuras

A. Sabía que... o Dudaba que...   *You hear only the end of the following sentences. How does each sentence begin? Listen carefully to the verb and, in your lab manual, check* **SABÍA QUE** *if the verb you hear is in the indicative. Check* **DUDABA QUE** *if the verb you hear is in the subjunctive. Each phrase will be repeated.*

➤ *MODELO*   You hear: ...Paco hiciera una reservación.
You check: **DUDABA QUE**

1. ...el vuelo saliera a tiempo. //

2. ...fuera un vuelo sin escala. //

3. ...los señores López no perdieron el avión. //

4. ...el equipaje cupiera debajo del asiento. //

5. ...hubiera una sección de fumar en el avión. //

6. ...el avión hizo escala en Santiago. //

7. ...pudiéramos reclamar el equipaje sin problemas. //

8. ...Mariana facturó el equipaje. //

Now check your answers with the key.

B. Antes del viaje.   *Explain what was necessary for you to do before your last trip. Repeat the correct answer after the speaker.*

➤ *MODELO*   hacer una reservación
Era necesario que hiciera una reservación.

1. confirmar el vuelo //
Era necesario que confirmara el vuelo. //

2. llegar al aeropuerto dos horas antes del vuelo //
Era necesario que llegara al aeropuerto dos horas antes del vuelo. //

3. facturar el equipaje //
Era necesario que facturara el equipaje. //

4. llevar el pasaporte //
Era necesario que llevara el pasaporte. //

5. conseguir una tarjeta de embarque //
Era necesario que consiguiera una tarjeta de embarque. //

6. pasar por control de seguridad //
Era necesario que pasara por control de seguridad. //

7. poner etiquetas en las maletas //
Era necesario que pusiera etiquetas en las maletas. //

C. **Los consejos.**   *What advice did you give the following people before they left on a tour of Chile and Argentina? Repeat the correct answer after the speaker.*

> ➤ *MODELO*   Isabel / escuchar el programa «El viajero feliz»
>   **Le aconsejé a Isabel que escuchara el programa «El viajero feliz».**

1. María / hablar con un agente de viajes //
      Le aconsejé a María que hablara con un agente de viajes. //

2. Juan y Marcos / leer las guías turísticas //
      Les aconsejé a Juan y a Marcos que leyeran las guías turísticas. //

3. tú / hacer las reservaciones temprano //
      Te aconsejé que hicieras las reservaciones temprano. //

4. Ud. / conseguir las visas //
      Le aconsejé a Ud. que consiguiera las visas. //

5. Susana y Tomás / llevar cheques de viajero //
      Les aconsejé a Susana y a Tomás que llevaran cheques de viajero. //

6. Uds. / no perder el avión //
      Les aconsejé a Uds. que no perdieran el avión. //

7. todos / divertirse //
      Les aconsejé a todos que se divirtieran. //

D. **Iría a Viña del Mar.**   *Tell under what conditions you would go to Viña del Mar. Repeat the correct answer after the speaker.*

> ➤ *MODELO*   tener más tiempo
>   **Si tuviera más tiempo, iría a Viña del Mar.**

1. ser rico //
      Si fuera rico, iría a Viña del Mar. //

2. estar en Chile //
      Si estuviera en Chile, iría a Viña del Mar. //

3. no gastar todo el dinero en Santiago //
      Si no gastara todo el dinero en Santiago, iría a Viña del Mar. //

4. conseguir más días de vacaciones //
      Si consiguiera más días de vacaciones, iría a Viña del Mar. //

5. conocer a un buen guía //
      Si conociera a un buen guía, iría a Viña del Mar. //

6. poder tomar un avión //
      Si pudiera tomar un avión, iría a Viña del Mar. //

Segunda situación

Presentación

A. En la recepción. *You are working as a desk clerk at the Hotel Miraflores. The phone has been ringing constantly. Listen carefully and, in your lab manual, make a list of the room numbers and the services requested by each guest. If you need to listen again, replay the recording.*

Me llamo Verónica Ortiz. Estoy en la habitación 514. Parece que en esta habitación hay un problema con la calefacción. Me muero de frío. //

Soy el señor Herrera de la habitación 318. Quiero saber por qué el botones no ha subido mi equipaje todavía. //

Lo llamo de la habitación 623. Necesitamos más toallas de baño. //

Le habla la señorita Morales de la habitación 415. Quiero que el recepcionista me llame mañana por la mañana a las seis y media en punto. //

Me llamo José Jiménez. Estoy en la habitación 308. Espero un mensaje importantísimo. ¿Pudiera avisarme inmediatamente cuando reciba este mensaje? //

Lo llamo de la habitación 236. Necesito a alguien que pueda arreglar el aire acondicionado. Hace mucho calor aquí. //

Soy Mónica López. Estoy en la habitación 326 y quiero ver un menú para el servicio de habitación. ¿Sería posible que alguien me lo trajera? //

Now check your answers with the key at the end of your lab manual.

B. En el hotel. *Who is probably making the following statements? In your lab manual, check **A** if it is the guest and **B** if it is the hotel desk clerk. Each statement will be repeated.*

1. Quisiera una habitación doble. //

2. ¿Acepta tarjeta de crédito? //

3. ¿Tiene Ud. reservación? //

4. Tengo que registrarme. //

5. Necesito una factura, por favor. //

6. Llene la tarjeta de recepción, por favor. //

7. ¿Me podría enviar mi equipaje a mi habitación? //

8. El número de su habitación es 218. //

Now check your answers with the key.

Para escuchar bien

In this chapter you have learned to answer questions about a conversation or passage and to give your personal interpretation of the situation. Now practice answering content-related questions and making personal interpretations in the following exercises.

A. ¡Qué barbaridad! *You will hear a conversation between a couple. As you listen, identify the main problem and be ready to give your personal reaction to it. But before you listen, read the questions in your lab manual. //*

Now listen and write the answers to the questions.

FEMALE 1   Te digo, Lizardo, no quiero regresar a este hotel nunca más. Pedimos una habitación doble con baño y nos meten en este cuarto que es lo más feo, sucio, viejo e incómodo que he visto en mi vida.

MALE 1   En realidad no es muy grande.

FEMALE 1   Y eso no es nada. No hay agua caliente. Cuando abrí el caño de agua caliente, me salió agua helada.

MALE 1   No creo que sea para tanto, Soledad. Sin embargo, espero que el conserje haya conseguido otra habitación para cambiarnos tal como se lo pedimos.

FEMALE 1   ¿Y qué me dices de nuestras maletas? Todavía no llegan y yo no me puedo cambiar. Me imagino que las habrán perdido.

MALE 1   ¿Cómo se habrán perdido? Ya verás que ya nos las traen.

FEMALE 1   Seguro que esos botones están conversando como si no tuvieran nada más importante que hacer. Si pudiera me iba inmediatamente de este hotel.

MALE 1   No seas tan exagerada, Soledad.

FEMALE 1   Ay, Lizardo, perdona, pero es que me da tanta furia. Yo quería que todo fuera perfecto y que pasáramos un tiempo agradable, pero todo parece que está saliendo mal.

MALE 1   Calma, mujer, calma. //

Now check your answers with the key.

B. El Hotel Crillón. *You will hear a telephone conversation between a desk clerk and a prospective guest. Listen for the verb tenses. Are the speakers talking about future actions that will take place before other future actions, using the future perfect tense, or discussing contrary-to-fact situations or polite requests, using the imperfect subjunctive? As you listen for these verb tenses, write in your lab manual in column A the verbs you hear in the future perfect tense and in column B the verbs you hear in the imperfect subjunctive. But before you listen, mentally review the forms of the future perfect and imperfect subjunctive of the following verbs:* **hacer, cerrar, llegar, querer, venir, tener.** //

Now listen and write the verbs you hear in the appropriate columns in your lab manual.

MALE 1   Hotel Crillón, buenas noches.

MALE 2   Buenas noches. Habla el Dr. Bedoya. Quisiera saber si tienen una habitación doble disponible.

MALE 1   Un momento, señor. Ya le contesto. Voy a chequear en mis listas porque la computadora no funciona.

MALE 2   Muy bien, no se preocupe.

MALE 1   ¿Dr. Bedoya?

MALE 2   ¿Sí?

MALE 1   Mire, tenemos una reservación para cinco personas que debían haber llegado a las seis de la tarde, pero no han llamado ni venido. O sea que sí tenemos habitaciones disponibles.

MALE 2   Bueno, entonces me dirijo para allá. Pero, dígame una cosa, si esas personas llegaran, ¿no me quedaría sin habitación? No quisiera tener ningún problema y de pronto encontrarme que no tengo dónde quedarme.

MALE 1   No, Dr. Bedoya, no se preocupe. Si esas personas vinieran esta noche, nosotros las acomodaríamos debidamente.

MALE 2	Bueno, muchas gracias. Salgo para allá, entonces. ¡Ah! Otra pregunta. ¿Tienen Uds. una caja de seguridad?
MALE 1	Sí, señor.
MALE 2	Ah, bueno, porque tengo unos documentos muy importantes que guardar.
MALE 1	No tendrá ningún problema. Cuando Ud. llegue ya habré hecho todos los arreglos para que Ud. pueda usar la caja de seguridad del hotel. No se preocupe.
MALE 2	Perfecto. Una última pregunta, ¿tienen un restaurante o cafetería en el hotel?
MALE1	El restaurante cierra a las 9 de la noche. Cuando Ud. llegue el restaurante ya habrá cerrado, pero hay una cafetería que está abierta toda la noche.
MALE2	Bueno, está bien.
MALE 1	Lo esperamos entonces.
MALE 2	Sí, hasta luego.
MALE 1	Hasta luego. //

Now check your answers with the key.

Así se dice

Linking, or the running together of words, occurs in Spanish and English. However, the two languages differ in how they run their words together. English tends to run two consonants together as in *hot tea*, whereas Spanish runs a final consonant and a beginning vowel together as in **un árbol** or two vowels together as in **eso es.** Proper linking of words will make you sound more like a native speaker.

Práctica

A. *Listen to the following Spanish sentences and mark in your lab manual how many words you hear in each sentence. Each sentence will be repeated.*

1. Tú eres estudiante de español. //
2. Los amigos de Elena son extranjeros. //
3. Los beneficios sociales son importantes para ellos. //
4. Hay que llenar una solicitud para ese puesto. //
5. Él tiene que encargarse de eso personalmente. //
6. Es orgullosísimo y no quiere que nadie sepa que está sin trabajo. //

Now check your answers with the key.

B. *Listen to the sentences from Exercise A again and write each one in your lab manual. Each sentence will be repeated.*

1. Tú eres estudiante de español. //
2. Los amigos de Elena son extranjeros. //
3. Los beneficios sociales son importantes para ellos. //
4. Hay que llenar una solicitud para ese puesto. //
5. Él tiene que encargarse de eso personalmente. //
6. Es orgullosísimo y no quiere que nadie sepa que está sin trabajo. //

Now check your answers with the key.

C. *Listen and repeat each sentence of the following minidialogues after the speaker.*

1. —Mi estancia en ese hotel fue un desastre. //
    —¿Por qué dices eso? //

2. —Necesito otra almohada. Así no puedo dormir. //
    —Ten la mía. //

3. —Los empleados de este hotel son muy amables. //
    —¿Verdad que sí? Yo estoy encantada. //

Estructuras

A. **Hotel Colonial.** *Explain why we would stay at the Hotel Colonial. Repeat the correct answer after the speaker.*

> ➤ *MODELO*   a menos que / el hotel no tener una habitación
>   **Nos quedaremos en el Hotel Colonial a menos que el hotel no tenga una habitación.**

1. a menos que / el hotel tener problemas con el aire acondicionado //
Nos quedaremos en el Hotel Colonial a menos que el hotel tenga problemas con el aire acondicionado.

2. con tal que / haber disponible una habitación con vista del mar //
Nos quedaremos en el Hotel Colonial con tal que haya disponible una habitación con vista al mar.

3. antes que / llover //
Nos quedaremos en el Hotel Colonial antes que llueva. //

4. sin que / José enterarse //
Nos quedaremos en el Hotel Colonial sin que José se entere. //

5. con tal que / el hotel estar cerca de la playa //
Nos quedaremos en el Hotel Colonial con tal que el hotel esté cerca de la playa. //

B. **¿Cuándo?** *Are the following people describing activities that have been completed or that will be completed by some future time? Listen carefully and check* **PRESENT PERFECT** *or* **FUTURE PERFECT** *in your lab manual according to the verb you hear. Each sentence will be repeated.*

> ➤ *MODELO*   You hear: Ha viajado a Chile.
>   You check: **PRESENT PERFECT**

1. Hemos llegado al Aeropuerto Internacional Benítez. //

2. Me habré alojado en el Hotel Colonial en Viña del Mar. //

3. Habrás visitado Valparaíso y Viña del Mar. //

4. Han esquiado en Farellones. //

5. Habremos hecho una excursión a La Serena. //

6. Has pasado por Concepción. //

7. Habrán volado a la Isla de Pascua. //

8. He viajado a Punta Arenas. //

Now check your answers with the key.

C. Para las cinco. *Tell what you will have done by five o'clock this afternoon. Repeat the correct answer after the speaker.*

> **MODELO** preparar la cena
Habré preparado la cena.

1. tomar el examen //
Habré tomado el examen. //

2. devolver los libros a la biblioteca //
Habré devuelto los libros a la biblioteca. //

3. hacer las compras //
Habré hecho las compras. //

4. ir al banco //
Habré ido al banco. //

5. asistir a las clases //
Habré asistido a las clases. //

6. llamar a José
Habré llamado a José. //

7. escribir la carta //
Habré escrito la carta. //

D. Para el próximo año. *Tell what the following people will have done by next year. Repeat the correct answer after the speaker.*

> **MODELO** José / aprender a hablar español
José habrá aprendido a hablar español.

1. Julia / comprar un coche //
Julia habrá comprado un coche. //

2. tú / viajar a San Antonio //
Tú habrás viajado a San Antonio. //

3. Susana / terminar sus estudios //
Susana habrá terminado sus estudios. //

4. Tomás y Manuel / graduarse //
Tomás y Manuel se habrán graduado. //

5. Ud. / encontrar trabajo //
Ud. habrá encontrado trabajo. //

6. nosotros / poner mucho dinero en el banco //
Nosotros habremos puesto mucho dinero en el banco. //

This is the end of Capítulo 11 of *Interacciones*.

Capítulo 12

Los deportes

Primera situación

Presentación

El partido de ayer. *Listen to the following statements. Under what conditions would you hear each one? In your lab manual, check **A** if the speaker is asking for information about the game, **B** if the speaker is making a positive comment, and **C** if the speaker is making a negative comment. Each statement will be repeated.*

1. Estupendo. //

2. ¿Quién ganó? //

3. No quiero oír más. //

4. ¿Cuánto a cuánto? //

5. Fantástico. //

6. Nos derrotaron. //

7. ¿Qué tal el partido? //

8. ¡Qué desastre! //

Now check your answers with the key at the end of your lab manual.

Para escuchar bien

In this chapter you have learned to identify the different levels of politeness used in a conversation. You know that these vary from the least polite to the most polite. Now practice identifying the different levels of speech or politeness in the following exercises.

A. ¡A jugar! *You will hear a series of statements and requests. As you listen to each, write in your lab manual the number of the sentence in column **A** if you think it illustrates a polite style of speech; column **B** if it illustrates a friendly style; and column **C** if it illustrates a rude or abrupt style. But before you listen, mentally review the singular affirmative and negative commands (formal and informal) of the following verbs:* **ir, hacer, jugar, correr, ganar, entrenarse.** //

Now listen to the different statements and write in your lab manual the number of the statement in the appropriate column.

1. Ve al partido de fútbol, Joaquín. //

2. ¿No crees que podrías ir al partido conmigo, por favor? //

3. ¿Cree Ud. que podría ir al partido de fútbol esta noche, señor Montoya? //

4. ¿Quieres jugar al básquetbol? //

5. Vamos a jugar. Ven rápido. //

6. Te he dicho que juegues. No me mires así. Anda y juega. //

7. Hubiera sido mejor que viniera más temprano, señor. Todas las canchas de tenis están ocupadas y me temo que va a tener que esperar. //

8. Como llegaste tarde, vas a tener que esperar. //

9. ¡Espérate! //

10. Creo que vamos a tener que esperar. Llegamos muy tarde. //

Now check your answers with the key.

B. **El partido de fútbol.** *You will hear two short dialogues. As you listen to each, write in your lab manual your impression of the speaker's tone (formal, friendly, rude).*

1. MALE 1   Bueno, me voy al partido. Chau.

    FEMALE 1   Cómo me hubiera gustado ir contigo.

    MALE 1   Si me lo hubieras dicho antes, te habría comprado una entrada. Ahora ya no se consiguen entradas. Los dos equipos son muy populares y hace más de un mes que se acabaron las entradas.

    FEMALE 1   Bueno, no importa. Para la próxima vez será.

    MALE 1   Chau, entonces. Nos vemos más tarde.

    FEMALE 1   Chau. Que disfrutes. //

2. FEMALE 1   Cuántas veces te he dicho, Roberto, que no entres a la casa con los zapatos sucios de barro.

    MALE 1   Pero, ¿cómo esperas, María, que venga del partido de fútbol? Por supuesto que mis zapatos tienen que estar sucios. ¿Qué quieres? Tampoco es como si te hubiera manchado toda la alfombra o rayado el piso. Por último, estoy en mi casa y aquí hago lo que me da la gana.

    FEMALE 1   Tampoco es para que te pongas tan furioso. Yo esperaba que fueras más comprensivo.

    MALE 1   ¡Qué comprensivo ni qué niño muerto! Ya estoy harto de tus quejas. Déjame en paz que estoy muy cansado.

    FEMALE 1   Seguro que tu equipo perdió, por eso estás de tan mal humor. //

Now check your answers with the key.

C. **Tengo unas entradas.** *You will hear a conversation between two men about some tickets for a soccer game. As you listen, write in your lab manual your impression of each speaker's tone (formal, friendly, rude) and the words or phrases that influenced your decision.*

MALE 1   ¿Le gustaría ir al partido de fútbol esta noche, Sr. Góngora? Mi hijo está enfermo y no voy a poder ir al estadio.

MALE 2   Claro que me gustaría ir, Joselito. ¿Pero estás seguro que no vas a poder ir?

MALE 1   No, señor, de ninguna manera. Mi esposa me acaba de llamar y parece que mi hijo tiene mucha fiebre.

MALE 2   Cuánto lo siento, Joselito. Bueno, mira, si de verdad no vas a poder ir, te compro la entrada.

MALE 1   No, qué ocurrencia, señor. Aquí la tiene. Para mí será un gusto que Ud. vaya en mi lugar.

MALE 2   No, pero no es justo, déjame pagarte la entrada.

MALE 1   No, no, no. Más bien, señor, espero que disfrute mucho. Ojalá que gane la Argentina.

MALE 2   Claro que sí. Espero que se hayan entrenado bien y que terminen campeones suramericanos.

MALE 1   ¡Así es! Bueno, aquí tiene la entrada. Espero que disfrute mucho.

MALE 2   Gracias, Joselito. Espero que tu hijo se mejore pronto y si necesitas cualquier cosa, avísame.

MALE 1   Sí, señor Góngora. Muchas gracias.

MALE 2   A ti, Joselito.

MALE 1   No, qué ocurrencia. //

Now check your answers with the key.

Así se dice

Pitch refers to the level of force with which words are produced within a sentence; it is used for emphasis and contrast. For example, there is a difference between **La niña está *enferma*** (emphasis on the condition) and **La *niña* está enferma** (emphasis on who is ill). In Spanish there are three levels of pitch. Based on these pitch levels, simple statements in Spanish follow the intonation pattern (1 2 1 1↓) and emphatic statements (1 2 3 1↓).

Práctica

A.   *Listen to the following simple statements and repeat each after the speaker.*

1. José Emilio se rompió la pierna la semana pasada. //

2. A Juan le faltan vitaminas. Siempre anda muy cansado. //

3. Al pobre se le torció el tobillo mientras jugaba al fútbol. //

4. Si me hubiera puesto una inyección a tiempo, ahorita no me sentiría tan mal. //

5. Emilio está muy deprimido porque se rompió el brazo. //

B.   *Listen to the following emphatic statements and repeat each after the speaker.*

1. Se rompió el brazo, no la rodilla. //   4. Padecía de alergias. //

2. Tuvo una contusión. //   5. Está muy mal. //

3. No tengo escalofríos; tengo náuseas y mareos. //

C.   *Listen to the following statements and decide if each is* **SIMPLE** *or* **EMPHATIC**. *Circle the answer in your lab manual. Each statement will be repeated.*

1. Se acabaron las aspirinas. //

2. No, las aspirinas no. Las vitaminas. //

3. José tiene una pulmonía espantosa. //

4. El atleta entró y se desmayó aquí. //

5. Yo no lo vi caer. Sólo me contaron que se desmayó. //

6. No se rompió la pierna, sino la rodilla derecha. //

Now check your answers with the key.

Estructuras

A.   ¿Cuándo?   *Listen to the following statements. Are these people telling you about activities they would do or that they would have done under certain conditions? Listen carefully and, in your lab manual, check* **CONDITIONAL** *or* **CONDITIONAL PERFECT** *according to the verb you hear. Each sentence will be repeated.*

> **MODELO**   You hear: Ganaríamos el partido.
>   You check: **CONDITIONAL**

1. Haría jogging cada mañana. //
2. Me pondría en forma. //
3. Se habría entrenado más. //
4. Habrían hecho ejercicios aeróbicos. //

5. Compraríamos nuevos palos de golf. //
6. Habría cogido la pelota. //
7. Jugarían al tenis. //
8. Habríamos ganado el campeonato. //

Now check your answers with the key.

B.   Con un poco más de talento.   *Tell what you would have done if you had had a little more talent. Repeat the correct answer after the speaker.*

> **MODELO**   entrenarse más
>   **Me habría entrenado más.**

1. ir al gimnasio cada día //
   Habría ido al gimnasio cada día. //
2. hacer ejercicios //
   Habría hecho ejercicios. //
3. ponerse en forma //
   Me habría puesto en forma. //

4. jugar al básquetbol //
   Habría jugado al básquetbol. //
5. ganar el campeonato //
   Habría ganado el campeonato. //
6. hacerse jugador profesional //
   Me habría hecho jugador profesional. //

C.   ¡Qué mala suerte!   *Explain what the following people would have done in order to win the championship. Repeat the correct answer after the speaker.*

> **MODELO**   el pueblo / construir un nuevo estadio
>   **El pueblo habría construido un nuevo estadio.**

1. los árbitros / ser justos //
   Los árbitros habrían sido justos. //
2. Rivera / batear primero //
   Rivera habría bateado primero. //
3. los dueños del equipo / despedir al entrenador //
   Los dueños del equipo habrían despedido
   al entrenador. //

4. Ordoña / lanzar //
   Ordoña habría lanzado. //
5. el equipo / mantenerse en forma //
   El equipo se habría mantenido en forma. //
6. el público / asistir a todos los partidos //
   El público habría asistido a todos
   los partidos. //

D.   Dudo que... o Dudaba que...   *You hear only the end of the following sentences. How does each one begin? Listen carefully to the verb and, in your lab manual, check **DUDO QUE** if the verb you hear is in the present perfect subjunctive. Check **DUDABA QUE** if the verb you hear is in the past perfect subjunctive. Each phrase will be repeated.*

> **MODELO**   You hear: ...el equipo hubiera practicado bastante.
>   You check: **DUDABA QUE**

1. ...el otro equipo haya ganado más partidos. //
2. ...se hubiera entrenado bastante. //
3. ...nos hubieran derrotado. //

4. …los árbitros hayan entendido las reglas del deporte. //

5. …nuestro equipo haya podido ganar el campeonato. //

6. …los árbitros hubieran sido justos. //

7. …los jugadores se hayan puesto en forma. //

8. …Pérez hubiera lanzado bien. //

Now check your answers with the key.

E. Era necesario. *What was it necessary for the following people to have done if they wanted to be successful playing a sport? Repeat the correct answer after the speaker.*

> ➢ **MODELO** Isabel / hacer ejercicios
> **Era necesario que Isabel hubiera hecho ejercicios.**

1. Ud. / ir al gimnasio //
Era necesario que Ud. hubiera ido al gimnasio. //

2. Mario / escuchar al entrenador //
Era necesario que Mario hubiera escuchado al entrenador. //

3. tú / entrenarse //
Era necesario que tú te hubieras entrenado. //

4. Tomás y Paco / ponerse en forma //
Era necesario que Tomás y Paco se hubieran puesto en forma. //

5. Uds. / querer ganar //
Era necesario que Uds. hubieran querido ganar. //

6. nosotros / practicar mucho //
Era necesario que nosotros hubiéramos practicado mucho. //

7. yo / hacer ejercicios de calentamiento //
Era necesario que yo hubiera hecho ejercicios de calentamiento. //

F. Si hubiera tenido más cuidado… *Explain what would not have happened if you had been more careful. Repeat the correct answer after the speaker.*

> ➢ **MODELO** fracturarse el brazo
> **Si hubiera tenido más cuidado, no me habría fracturado el brazo.**

1. sufrir de dolores musculares //
Si hubiera tenido más cuidado, no habría sufrido de dolores musculares. //

2. cortarse la mano //
Si hubiera tenido más cuidado, no me habría cortado la mano. //

3. golpearse la rodilla //
Si hubiera tenido más cuidado, no me habría golpeado la rodilla. //

4. torcerse la muñeca //
Si hubiera tenido más cuidado, no me habría torcido la muñeca. //

5. tener contusiones //

Si hubiera tenido más cuidado, no habría tenido contusiones. //

6. lastimarse la cabeza //

Si hubiera tenido más cuidado, no me habría lastimado la cabeza. //

7. romperse el dedo del pie //

Si hubiera tenido más cuidado, no me habría roto el dedo del pie. //

Segunda situación

Presentación

A. Me siento mal.   *Your friends are not feeling well. What do you suggest that they do? Listen to their complaints and in your lab manual, check the most logical answer. If you need to listen again, replay the recording.*

1. Sufro de dolores musculares. Tengo 40 grados de fiebre. Me duelen la garganta y la cabeza. No estoy bien. //

2. Me caí ayer. Ahora me duele mucho el hombro y no puedo mover el brazo. //

3. Toso y estornudo mucho. Siempre estoy sonándome la nariz. Estoy resfriado. //

4. Estoy cansadísimo y me siento muy débil. Tengo fiebre. Esta mañana me desmayé. //

5. Tengo escalofríos y me mareo. No quiero comer. Me duele mucho el estómago. //

Now check your answers with the key.

B. Que te vaya bien.   *Listen to the following statements. Under what conditions would you hear each one? In your lab manual, check **A** if the speaker is expressing sympathy or **B** if the speaker is expressing good wishes. Each statement will be repeated.*

1. ¡Qué lástima! //

2. Felicidades. //

3. ¡Cuánto lo siento! //

4. Feliz cumpleaños. //

5. Que lo pases bien. //

6. Mi sentido pésame. //

7. ¡Qué mala suerte! //

8. Le deseo lo mejor. //

Now check your answers with the key.

Para escuchar bien

Practice identifying different levels of politeness in the following exercises.

A. En el consultorio.   *You will hear a conversation that takes place at the doctor's office. As you listen, write in your lab manual your impression of the style (formal, friendly, rude) of each speaker and identify the words or phrases used that influenced your decision. But before you listen, write in your lab manual three things that a patient might say to his or her doctor. //*

Now listen and write your impressions.

MALE 1	Pase.
MALE 2	Doctor, esto es horrible. Me duele la cabeza, tengo mareos, náuseas. Cada día me siento peor. Estoy que vuelo de fiebre, ya no puedo más.
MALE 1	Yo se lo advertí, Alberto. Si me hubiera hecho caso, ahora se sentiría mejor. No quiso tomar los antibióticos que le di. Ahora tiene una infección bastante fea. Si no se cuida, voy a tener que internarlo en el hospital.
MALE 2	Eso no, doctor, por favor.
MALE 1	Mire, jovencito, tiene que tomarse estos antibióticos. Además, cada cuatro horas tómese la temperatura. Si está muy alta, tome dos aspirinas. ¿Me entiende? Y quiero que regrese pasado mañana a no ser que se sienta peor. En tal caso se va al hospital inmediatamente.
MALE 2	Sí, doctor, sí.
MALE 1	Bueno, vaya a su cuarto y acuéstese que no está para estar paseando por ahí.
MALE 2	Tampoco es como si me estuviera muriendo.
MALE 1	Todavía no. Pero si no se cuida, ¿quién sabe qué le puede pasar?
MALE 2	¡Ah! ¿Me va a asustar?
MALE 1	Le he dicho que se cuide. Y mire, no haga locuras porque me va a hacer perder la paciencia. Uds., los jóvenes, creen que son inmortales y que nada les va a pasar.
MALE 2	Ya, doctor, no se moleste. Me voy a acostar.
MALE 1	Y tómese los antibióticos.
MALE 2	Sí, doctor.
MALE 1	Buenas tardes, entonces. Ya sabe, cualquier cosa me llama.
MALE 2	Sí, doctor. //

Now check your answers with the key.

B.   **¡Qué enferma estoy!**   *You will hear a conversation between two friends; one of them is sick. As you listen, write in your lab manual your impression of the tone (formal, friendly, rude) of each speaker and identify the words or phrases used that influenced your classification. But before you listen, write in your lab manual three things a close friend would tell you to do if you were sick. //*

Now listen to the conversation and write your impressions.

FEMALE 1	Te lo dije. Si te hubieras tomado las aspirinas, no tendrías este horrible dolor de cabeza. Pero te lo mereces por terca.
FEMALE 2	Mira, cállate la boca. Estoy enferma y todavía me fastidias. Vete de mi cuarto.
FEMALE 1	Ah, sí, ¡qué bien! La niña está enferma, se queja día y noche, no quiere tomar sus remedios y encima se molesta. ¡Esto es el colmo! Así sabe Dios qué te puede pasar. Pero claro, a ti qué te importa que todo el mundo se preocupe por ti.
FEMALE 2	Déjame en paz y vete de aquí.
FEMALE 1	¿Dónde están los remedios? ¿O los botaste?
FEMALE 2	La botella se rompió y no tengo nada para tomar.
FEMALE 1	Que se rompió, ¿dijiste? Pero gasté un dineral comprándote esos remedios. ¿Cómo se puede haber roto?

FEMALE 2	Muy fácil. Se me cayó y se rompió.
FEMALE 1	A ti te falta un poco de sentido común, de humanidad, de agradecimiento…
FEMALE 2	Y a ti te falta dinero. Qué tanto te quejas por haber perdido un poco de dinero. Pero vete de aquí, te he dicho.
FEMALE 1	Claro que me voy. Eres insoportablemente malcriada y engreída. Consíguete otra compañera de cuarto y que te aguante otra, porque yo me mudo ahora mismo.
FEMALE 2	A mí qué me importa. Mientras más rápido te vayas, mejor. //

Now check your answers with the key.

Así se dice

Spanish uses two intonation patterns for questions. The pattern for questions requesting a yes or no answer is similar to the English pattern for yes-no questions (1 2 2 2 ↑): **¿Te duele el estómago?** The pattern for questions requesting information is (1 2 3 1 ↓): **¿Cuándo vas a hablar con el médico?**

Práctica

A. *Listen to the following yes-no questions in Spanish and repeat each after the speaker.*

1. ¿Te duele la cabeza? //
2. ¿De verdad que te fracturaste la muñeca? //
3. ¿Tienes la rodilla hinchada? //
4. ¿Le dijiste al médico que se te perdieron las muletas? //
5. ¿Crees que si llamara a tu madre te sentirías mejor? //
6. ¿Me podrá él recetar un remedio? //

B. *Listen to the following Spanish information questions and repeat each after the speaker.*

1. ¿Qué te dijo el médico que hicieras? //
2. ¿Cómo crees que te sentirías si tomaras dos aspirinas ahora mismo? //
3. ¿Dónde me dijiste que se te cayeron los remedios? //
4. ¿Cuándo te dio pulmonía? //
5. ¿Cómo te lastimaste el hombro? //
6. ¿Quién te recetó esos remedios? //

C. *Listen to the following questions and decide if they are information questions or yes-no questions. Write the answer in your lab manual. Each question will be repeated.*

1. ¿Cómo fue que te golpeaste la rodilla? //
2. ¿Volviste a comprar los remedios que se te perdieron? //
3. ¿Qué habrías hecho si hubiera llegado tu madre y se enterara de que estabas enferma? //
4. ¿Tú crees que necesite que me den puntos? //
5. ¿Sabes dónde están mis vitaminas? //
6. ¿Por qué no le avisaste al médico que eres alérgico a la penicilina? //

Now check your answers with the key.

Estructuras

A. Se me olvidó. *Explain what accidentally happened to you. Repeat the correct answer after the speaker.*

> **MODELO**   perder las gafas
> **Se me perdieron las gafas.**

1. caer la botella //
Se me cayó la botella. //

2. escapar el perro //
Se me escapó el perro. //

3. morir las plantas //
Se me murieron las plantas. //

4. olvidar la cita //
Se me olvidó la cita. //

5. romper los vasos //
Se me rompieron los vasos. //

6. perder la receta //
Se me perdió la receta. //

B. Se nos perdieron... *Explain what accidentally happened to the following people. Repeat the correct answer after the speaker.*

> **MODELO**   nosotros / acabar la aspirina
> **Se nos acabó la aspirina.**

1. José / romper el vaso //
Se le rompió el vaso. //

2. Uds. / caer las llaves //
Se les cayeron las llaves. //

3. tú / olvidar la receta //
Se te olvidó la receta. //

4. Uds. / escapar el gato //
Se les escapó el gato. //

5. nosotros / perder el dinero //
Se nos perdió el dinero. //

6. yo / acabar las vitaminas //
Se me acabaron las vitaminas. //

C. En el consultorio. *Listen as the nurse tells Dr. Ochoa which patients he will see today. Repeat each sentence, replacing the BEEP with* **que** *or* **quien.** *Then repeat the correct answer after the speaker.*

> **MODELO**   Miguel Morales es el paciente *BEEP* sufre de pulmonía.
> **Miguel Morales es el paciente que sufre de pulmonía.**

1. Pedro Rojas es el paciente *BEEP* está deprimido. //
Pedro Rojas es el paciente que está deprimido. //

2. María Sánchez es la paciente *BEEP* padece de mareos. //
María Sánchez es la paciente que padece de mareos. //

3. Tomás García es el paciente a *BEEP* le dio Ud. puntos ayer. //
Tomás García es el paciente a quien le dio Ud. puntos ayer. //

4. Rafaela Ramos es la paciente *BEEP* tiene fiebre. //
Rafaela Ramos es la paciente que tiene fiebre. //

5. Manolo Santos es el paciente para *BEEP* recetó Ud. antibióticos la semana pasada. //
Manolo Santos es el paciente para quien recetó Ud. antibióticos la semana pasada. //

6. Carmen Velásquez es la paciente *BEEP* tiene el pie hinchado. //

Carmen Velásquez es la paciente que tiene el pie hinchado. //

7. Susana Ortiz es la paciente de *BEEP* le habló a Ud. el Dr. Gómez. //

Susana Ortiz es la paciente de quien le habló a Ud. el Dr. Gómez. //

D. **En la clínica.** *You work in the Trauma Center of the Clínica la Paz. Describe to a co-worker some of the patients you have helped today. Repeat each of the following sentences, replacing the BEEP with an appropriate form of* **cuyo.** *Then repeat the correct answer after the speaker.*

> ➤ *MODELO* Marta Ferrer es la paciente *BEEP* brazo estaba enyesado.
> **Marta Ferrer es la paciente cuyo brazo estaba enyesado.**

1. Rosa Ruiz es la paciente *BEEP* muñeca estaba fracturada. //

Rosa Ruiz es la paciente cuya muñeca estaba fracturada. //

2. María Rivera es la paciente *BEEP* ojos estaban vendados. //

María Rivera es la paciente cuyos ojos estaban vendados. //

3. Luis López es el paciente *BEEP* hombro estaba lastimado. //

Luis López es el paciente cuyo hombro estaba lastimado. //

4. Pablo Ordoña es el paciente *BEEP* pie estaba hinchado. //

Pablo Ordoña es el paciente cuyo pie estaba hinchado. //

5. Julio González es el paciente *BEEP* piernas estaban rotas. //

Julio González es el paciente cuyas piernas estaban rotas. //

6. Gustavo Gómez es el paciente *BEEP* tobillo estaba torcido. //

Gustavo Gómez es el paciente cuyo tobillo estaba torcido. //

This is the end of Capítulo 12 of *Interacciones.*